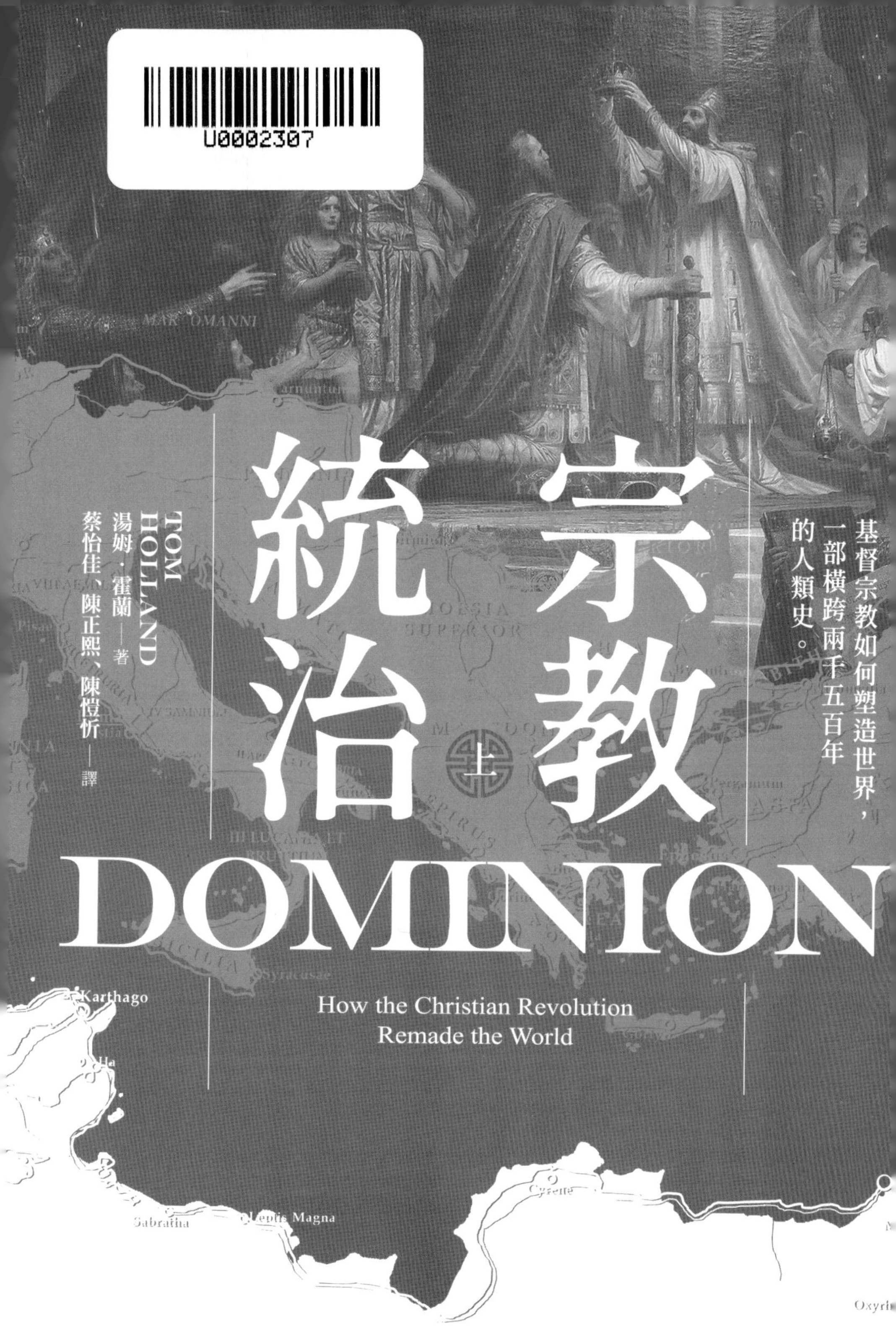

宗教統治（上）

基督宗教如何塑造世界，一部橫跨兩千五百年的人類史。

DOMINION

How the Christian Revolution Remade the World

TOM HOLLAND
湯姆・霍蘭——著
蔡怡佳、陳正熙、陳愷忻——譯

各界讚譽

這部作品不只是簡單地回溯基督宗教的歷史，書中呈現著令人目眩的多方向性，述說受十字架釘刑的罪犯何以成了救世主，又釀成改變世界的革命力量。湯姆．霍蘭以其高度的歷史修為、極富視覺性的文字，彷若電影般重現每一個歷史場景，對於上帝之子的信仰如何在兩千年歷史中盛行不墜進行上古下今的探索，也是對西方世界文化裡的「基督教性」的刨根，基督運動的好消息（Euangelion）最終贏得統治世界那些最有權力的民族和霸權體系。本書同時做出公正的評價，包括基督宗教文明的成就與罪行，還有那些持續與基督宗教打交道的對手們。這是一本值得研究者與一般讀者共同閱讀的佳作。

——吳昶興，中原大學宗教研究所所長

作者湯姆．霍蘭非常富有歷史想像力，善於營造場景，刻畫人物栩栩如生。本書不是基礎性的基督宗教讀物，設想的讀者是是對基督宗教有所了解的歐美高知識人群，對於東方讀者，可以先沉浸在他龐大瑰麗的歷史場景中，如果想進一步了解，可以很容易找到參考資料，讓我們恍然大悟。作者雖然說他與基督信仰有一定距離，但本書可以看到基督信仰對他深入的影響。

——**陳方中，輔仁大學歷史系專任教授**

了不起的大膽之作！企圖宏偉，充滿熱情。

——**彼德・梵科潘**（Peter Frankopan），**暢銷書《絲綢之路》、《十字軍首役》作者**

湯姆・霍蘭的著作讀起來很有趣，不可思議的博學多才，且奇妙地令人愉悅。

——**納西姆・尼可拉斯・塔雷伯**（Nassim Nicholas Taleb），**《黑天鵝效應》作者**

過去兩千年基督宗教影響的一趟馳騁之旅，途中充滿幾個世紀以來的許多生動插曲，和一個具有結論性的觀點：基督宗教信仰是「有史以來理解人類存在意義，最具影響力的脈絡框架」，至今仍足以形塑現代人對這個世界的理解。——**《紐約時報》**（*New York Times*）

一個全面性觀察的論述。湯姆・霍蘭是一個非常優秀的說書人，對細節有著非凡的目光，充滿趣味！

——**《經濟學人》**（*The Economist*）

一部對基督宗教歷史與其長久影響，充滿野心的論著。湯姆．霍蘭認為，現代世界是由耶穌一生對人類的影響形塑而成。

——**《每日郵報》**（*Daily Mail*）**年度最重要選書**

這部敘事生動、範圍廣闊的基督宗教歷史，突顯出宗教如何持續鞏固著西方世界的自由主義價值觀。

——**《紐約客》**（*New Yorker*）

對於基督宗教的顛覆性起源和持久影響，有著引人入勝的探索，充滿人物的生動描述、陰森的死亡場景和道德辯證……湯姆．霍蘭擁有一位成功作家所能擁有的全部才能：敘事的天賦、生動的戲劇感，以及對文字節奏的敏銳聽覺。

——**《衛報》**（*the Guardian*）

一部動人而深刻的書。

——**《泰晤士報》**（*The Times*）

至今，基督宗教的原則仍在世界大部分地區佔有主導地位。這部深思熟慮且敏銳精準的論著，描述這個現象如何及為何發生。本書對西方文明的重大爭議，提出了深入而令人震撼的討論，而在這些討論中，戰爭、政治和文化共同構成了價值觀如何變化的背景。

這是一個富有洞察力的觀點：即使在不被注意的情況下，基督宗教倫理觀仍然是通行世界的基準。

——《科克斯書評》星標書評

讀者會發現自己更加認識基督宗教，但也會感到不安、受到刺激，因而重新思考要如何理解宗教與文化發展間的關聯。這一點，是對本書的高度讚賞。

——《今日基督教報》（*Christianity Today*）

這是可讀性高的大眾歷史著作，有著吸引人的文字與豐富的內容，以及優秀紀錄片應有的生動性。這是一本值得閱讀的好書。

——《教會時報》（*The Church Times*）

一個對我們的過去十分詳盡、嚴謹、令人印象深刻的詮釋，每一頁都充滿新鮮的想法與觀點。

——《週日泰晤士報》（*The Sunday Times*）

有關基督宗教影響的歷史書寫，不會有比這本《宗教統治》更好的作品了。對基督宗教賦予全人類既有價值的概念，本書做了熟練的探討。這部巨作將作者提升到既有學術性、又受大眾歡迎的頂級歷史學家行列。

——**《洛杉磯日報》**（*LA Daily Journal*）

在其他人的筆下，有關基督宗教的誕生與演變，可能是枯燥而充滿學究氣息的論述，需要有一位說故事大師，才能將一個哲學概念的發展轉化成一個動人的故事。事實證明，湯姆·霍蘭就是這樣的大師。他對兩千年來基督宗教歷史——知識的、文化的、藝術的、社會的、政治的歷史——做了非常細膩而平衡的描述。這本書的規模令人嘆為觀止。

——**《文學期刊》**（*The Literary Review*）

一部引人入勝的作品。湯姆·霍蘭展現了廣泛且深刻的歷史知識，即使是可能不同意他論點的讀者，也會欣賞他對西方歷史關鍵時期所提出的看法。

——**《圖書館雜誌》**（*Library Journal*）**星標書評**

一部學術研究與說故事的傑作，以其宏大的企圖心和引人入勝的呈現，超越湯姆·霍蘭之前的作品。本書為我們展現了基督宗教世界豐富而令人信服的歷史。

——**《新政治家》**（*The New Statesman*）

內容豐富、令人滿意的一部基督宗教新史，甚至優於湯姆．霍蘭評價最高的得獎作品《盧比孔河》，而且每個部分都充滿描繪生動的歷史人物。

——**《每月公開信》**（*Open Letters Monthly*）

歷史學家湯姆．霍蘭的最新力作，清楚闡明了我們當前正在面臨的文化危機。

——**《三鐘經》**（*Angelus*）

這部非凡的書是湯姆．霍蘭最好的作品，大膽、流暢、優雅地重述歷史，追溯各種相互關聯的迷人細節，創造出一個絕對能激發讀者靈感的論述，因為它將我們導向一個永恆的提問。

——**迪梅德．麥庫洛**（Diarmaid MacCulloch），**《基督宗教三千年》作者**

在一個「信仰」與「理性」的辯論已形成大眾風潮的時代，這本書出色地提醒我們：無論任何不同立場的主張，它們最重要的價值觀都源於基督宗教漫長而複雜的文化史。我們最好記住這點。

——**大衛．哈特**（David Bentley Hart），**《體驗上帝》作者**

專文推薦

找出潛藏於歷史汪洋中的最終答案

歷史說書人History Storyteller主編——柯睿信

還記得過去國中時，曾有一段因為受《世紀帝國》影響，對西班牙征服史有著高度興趣的時期，反覆看過幾部與之相關的電影，無論是收復失地運動也好，征服美洲大陸也罷，每當場景來到雙方對壘的交戰畫面時，影集裡全副武裝的西班牙士兵往往都會出現一個經典動作——將手臂抬高，接著手指在胸前幾處位置比劃，然後才舉起武器上陣拼殺。頭幾次看到這個手勢，作為觀影者的我腦中只有一種「不明覺厲」（雖然不明白是什麼，但是感覺好厲害）的感覺，好似凡做過這個手勢，就能像得到加持般，在那一剎那擁有向死而生的勇氣與戰力。

後來，隨著對歐洲中古歷史的涉獵加深，此時的我方才了解到，電影裡的西班牙人並不是胡亂比劃一通，他們做的這個動作，實乃基督宗教裡一項名為「劃十字聖號」的儀式，是一種祈求上帝保佑的祈禱手勢，在那風起雲湧、歐陸各國爭相角逐的大征服時代，從城市到沙漠，從西方到東方，世界上的許多角落，都能找到會劃十字聖號的士兵與傳教士，儘管這個手勢在宗教革命後僅多見於舊教徒，但這範圍擴及全世界的光景，仍是在在說明了彼時基督信仰的無遠弗屆。

回首過去，實際上，基督宗教這個信仰體系一直在歷史上扮演著十分重要的角色，這個宗教曾歷經兩次分裂，遭遇了科學革命與社會主義等思潮衝擊，但即便如此，在二十一世紀的今天，卻仍有二十多億的信徒服膺在上帝的旗幟之下。此宗教規模之龐大，不得不說著實是人類史上的一大奇蹟，但另一方面，卻也不免讓人開始思考，究竟是什麼原因，讓這萌芽於地中海東岸、自無數迫害中成長的信仰，發展到了如今「世界第一大宗教」的局面。

要想解答這個問題，對一般人而言，非經數載苦讀幾不可得，然而，我們很有幸地，能夠從英國知名學者湯姆．霍蘭的這本巨作，去窺知個中奧秘。湯姆．霍蘭作為一位知名的歷史作家，其名聲即便是在台灣，也絕對稱得上是鼎鼎有名，以西方古代和中世紀歷史見長的他，筆下曾問世多本暢銷作品，而在這本書中，則以年代為座標，精選了二十一個歷史上的關鍵節點，藉此探討基督宗教所具有強大的革命性與傳播力的背後因素，也探討在西方宗教勢力明顯大不如前的現代，基督信仰是如何潛移默化地影響人們的思考模式。

誠如湯姆．霍蘭在本書的前言裡提及，這本書不是一本基督宗教史，因此，我們翻開目錄便能察覺，本書所選擇的年分，往往都不是基督宗教史上重大事件的發生年，不過，也正是因為這個原因，這本書才顯得如此獨樹一幟。衷心期望此時翻開這本書的諸位，接下來能夠藉著湯姆．霍蘭的淺顯但不失優美的文字，徜徉在歷史的汪洋中，找出那個足以解答上述問題的——最終答案。

專文推薦

上帝的兩種臉孔

歷史作家——神奇海獅

先前我看過一本曾經迷惘過的基督徒所寫的書。作者出生於一個虔誠的基督教家庭，雖然窮困、但大體來說還算是順利。直到高中有一天，他的母親走進了房間，和他說出了自己一生中最大的秘密：她是同性戀。

那一瞬間，作者的天塌下來了。

他在書裡寫道：「我可是個好基督徒孩子啊，怎麼可以有個同志媽媽？」從此以後，保守基督徒怎麼對待同志、現在也怎麼對待她，作者的母親放棄了傳統基督教信仰，而作者也從之後一團混亂的人生，重新審思耶穌與宗教的意義。而他也發現在最保守的基督徒世界裡，每個人都有一個理想基督徒的模子。只要脫離了那樣僵化的規範，神的鞭笞就會毫不留情地揮向每一個異端分子。

作者曾經想要跟隨那樣的模子，直到他的母親向他出櫃的那一刻。然而當他在伊甸園外苦苦流浪時，卻突然瞥見了耶穌真正的樣貌——那才不是隨時準備懲罰踰矩的嚴厲上帝，而是會溫柔接住所有窮老病殘的人子！

從這本《宗教統治》，就可以讓人體會到在這漫長的二十個世紀中，神的面貌如何在寬容／冷峻之中來回轉換的過程。當我之前在導覽耶路撒冷這個城市時，我發現祂和歐洲的耶穌形象很不同——從伯利恆的聖誕教堂中，你可以看見耶穌誕生之處；或是可以在耶路撒冷周遭的客西馬尼園（Gethsemane）中，找到耶穌在被猶大出賣前祈禱的那塊石頭。就是在那塊石頭上，耶穌度過了悲苦恐懼的時刻，「汗珠如大血點滴落在地上」；你甚至可以在苦路（Via Crucis）上想像耶穌背負著十字架艱困上山的時刻。在這裡，耶穌並不是遙遠的神，而是一個在心靈上感受恐懼、在肉體上承受苦難，卻仍然堅持信仰的人。

不過到了四世紀時，神的形象發生了轉變。在這個世紀末，羅馬皇帝狄奧多西下令：基督教成了羅馬帝國唯一合法的宗教。在這個時期裡，羅馬的神職階級為了要強化自己的組織，發展出了兩大利器：

第一是完整的懲罰制度。基督教會為人類犯下的每一宗罪行，都設下相應的懲罰制度，包括未及時懺悔、週五打破齋戒等等，都是罪孽，都要受到懲罰。如果把所有的罪孽加起來，一個人即使花上一生也不可能贖罪。

第二項利器則是「地獄」。根據基督教義，現世遭遇的一切不幸都是上帝對人的考驗，但只要通過考驗，天堂之門便會為他們打開。於是那些害怕死後下地獄的人，也不得不聽從教會的教導。

這兩大利器成功維繫了教會的控制力，卻也造成了廣大的後遺症，那就是對「原罪」根深蒂固的恐懼。許多人都曾見證過人們對贖罪的偏執追求，包括最有名的宗教改革者馬丁路德（Martin Luther）。在馬丁路德十四歲時，他就曾目睹一個親王為了贖罪，手拿乞丐的布袋、肩負重擔，在街上遊行，在他的身後跟著一個人，不斷地鞭打著他赤裸的背，直到鮮血汩汩下流。而他這麼做的目的，就是為了要「贖罪」——人一出生就無可避免背負著巨大沉重的原罪，將耶穌基督釘死在十字架上，難道不應該終身苦修以告慰聖靈嗎？十六世紀的繪畫裡，基督離開了他的十字架坐在寶座上，上帝的臉孔冷峻而陌生，在馬丁路德小時候，每聽見基督的名字都嚇得臉色發白。

獲得救贖的焦慮感伴隨著馬丁路德一路成長，直到他成為修士、甚至拿到神學學位時依舊沒有緩解。直到馬丁路德重新檢視了整個基督宗教，終於發現了耶穌最原初的面貌：「祂甘願為人而赴死……」

耶穌基督甘願為人而死，有什麼比這更能顯示人的價值？當馬丁路德閱讀保羅的著作時，他全身都戰慄了起來，明白「儘管他不配領受這樣的恩典，且應該被譴責，然而上帝仍然愛他」。神不是因為你做了多少善功而拯救你，而是早就給了你救贖的承諾。也就因為如此，當教廷人員在沃姆斯厲聲質問馬丁路德，是否要撤回自己的言論時，他給出了否定的答案：「我不能、也不會撤回任何事，因為違背良心之舉既不安全也不正當。這是我的立場，我不得不如此。願上帝幫助我，阿門。」

在這本《宗教統治》中，描述著這兩千五百年間，神在人們眼中所看見的兩種不同面貌。其中一種促使著教徒為了證明自己的信仰虔誠，甘願去摧毀女巫、去燒死異端；然而另一種面貌，卻也使人在黑暗的核子時代裡，依舊有辦法以愛之名相互擁抱。也許透過這本書，我們對這個如此耳熟能詳但又晦澀難解的基督宗教，能有一個更清晰的認識吧。

專文推薦

原來基督宗教歷史可以這樣（好）看！

輔仁大學宗教系助理教授——張名揚

本書的作者霍蘭對西方歷史，尤其是中世紀歷史很有研究，曾經出版幾本有關歷史的普及讀物，而且得到很高的評價。在寫歷史相關書籍前，他寫了好幾本小說，其中也涉及歷史人物。《宗教統治》可說是綜合了作者之前作品的題材及內容，包括：羅馬共和國的歷史、伊斯蘭教的興起、古生物學家之間的競爭……等。

本書分成三個長度差不多的部分：「古代」、「基督宗教世界」和「現代」。每個部分都有七章。作者以開始的兩章對比希臘羅馬和猶太宗教文化，以此作為本書的背景，接著就是基督宗教的出現。書中每章的標題由一個主題、一個年分和一個地點組成。他用主題串連每章裡的三個小節，至於年分和地點，則通常是敘述的起點。每小節敘述的內容雖然在時間上相近，但不一定是連續的，從一節到下一節有時會回溯一段時間，以保持事件敘述的完整性。讀者在閱讀的過程中，可能會覺得情節有點迂迴，不過追蹤事件的來龍去脈，也是閱讀過程的樂趣之一。要享受這樂趣，讀者需要一點耐性，就像讀很多令人回味的小說一樣。因此，我不會在這裡說及太多書中的內容，以免「劇透」。

雖然這不是一本學術歷史著作，作者還是有很認真地做資料調查，書中的註腳便提供了引用資料的來源。但本書使我最驚豔的地方是，讀起來真的有在追小說的感覺，有點放不下來。作者把他寫小說的才能應用在歷史的寫作上，把基督宗教改變世界的歷史寫成引人入勝的故事，不但把複雜的歷史進程梳理成流暢的敘述，更出人意料地以理念、地方、人物、甚至物件，把不同的事件串連起來，增加了閱讀的趣味，讓讀者以一個不沉悶的方式去吸收歷史知識。

此外，所有的歷史書寫都是對歷史的詮釋，每位作者都有他的觀點，而霍蘭從來沒有隱瞞他寫作的目的。他希望告訴讀者，一些我們今天（尤其是作者所在的西方世界）視為理所當然的想法，不是從古代起已是人類文化的一部分，乃是在歷史中某個時期，才因基督宗教裡的改變而產生的新思維，這些思維也影響著那些否定這個信仰的人。

作者提到基督宗教本身就是一個革命，但在歷史上它也不斷地帶來革新，過程中亦吸收了不同的文化，創造出獨特的基督宗教文化。所以本書不像教會史——側重描述基督宗教如何傳播到不同地方，以及教會作為一個組織的歷史，也不像一般的世界或西方歷史——零碎地呈現基督宗教在歷史中的角色。作者巧妙地把教會的歷史融合在世界的歷史之中，以基督宗教作為故事的主角，來建構世界歷史的敘事，因此為讀者提供了一個具說服力的新角度，去理解西方文明與基督宗教之間的關係。

另一方面，相對於讀一本教會歷史，此書的讀者更能認識到基督宗教內部的差異，這包括在歷史上不同的思想、對事情不同的看法、不同實踐信仰的方式。基督宗教不是「鐵板一塊」，其內部的衝突可不會比與外部的衝突少。此書呈現出來的基督宗教是多元的，甚至是對立地多元的。

我們可以如何看這個多元性呢？作者嘗試讓我們看到基督宗教內部的多元性，其實也造成了它「自我批判」的性格。不同的思想在互相衝擊，以致有時當某一方的想法導致極端的思想或行動，甚至造成災難時，另一個立場能夠提出質疑，甚至提供解藥，使情況得以控制和改善。例如當信仰基督宗教的當權者，因為相信自己宗教的優越性而逼害異教徒時，有信徒就因為相信人人平等，便抗議和保護他們。

對於信徒或關心基督宗教的人士，我還有一個推薦此書的原因：它讓我們從一個新的角度去面對基督宗教的過去。書中不單只描述信仰的傳播，更把基督宗教對於它所到之處的人的影響——甚至是壞的影響——都一一道來。這些反映基督宗教破壞性的歷史事實，是信徒和教會必須面對的。

現代基督宗教受到不少批判和衝擊：啟蒙運動批判基督宗教是非理性的迷信、共產主義批判宗教是人民的鴉片、後現代主義帶來對傳統權威的懷疑、後殖民主義指責基督宗教是藉帝國的侵略來傳播……這些衝擊提醒基督宗教需要自我檢討，但同時本書的作者用心指出，這些思潮其實也承傳了基督宗教在歷史中某個時期形成的基本信念，例如反對僵固的教條、肩負拯救世界脫離黑暗的責任、提倡這世界有放諸四海皆準的規範、相信人的尊嚴和人人平等……等等。

作者透過生動的文筆，以充滿色彩的方式，把這些信念的形成過程呈現在讀者眼前。信徒不需為了基督宗教過去的黑暗面而感到沮喪，反而可以謙虛地反思宗教為何導致苦難，並從歷史中學習如何在信仰中找到抗惡行善的資源，這也是所有信徒，尤其是領袖和神學工作者的責任。

歷史不會只是為了滿足對過去的好奇心而寫。作者在描繪基督宗教數次幾乎被消滅的危機後，似乎暗示它不會消失，或者在未來將以沒有宗教外衣的基督宗教精神繼續存在。至於基督宗教能繼續存在的原因，是偶然、是信徒的努力、還是上帝的保守？讀者可以自行判斷。此刻，我們的世界和基督宗教正在面對嚴峻的考驗，各種危機威脅著不只宗教也是人類的存在，我期盼看完這本書的讀者，對未來懷著多一點信心，也願意從人類文化和宗教中最善良的信念出發，一起化解危機。

專文推薦

帶著「陌生」的角度去閱讀「熟悉」的歷史

台灣基督長老教會歷史檔案館主任——盧啟明牧師

我們生活在危機／契機（*kairos*）的時代！人類發達的文明，帶來許多無法控制且不可逆的連鎖反應，這很可能會對我們所知道的世界帶來重大挑戰。經濟大國推動的新自由主義商業貿易模式，使得文明正處於緊張之中。地球被賦予生命的力量正在消亡，維持生命所必需的資源已經嚴重枯竭，此外，汙染已經破壞了大地的正常功能。急遽變遷的氣候模式，對各地帶來險峻的衝擊，無疑敲響了一記警鐘。經濟掛帥的增長模式還導致了巨大的不平等，導致全球社會不穩定，大國之間的政經軍事對決時常展開。

長久以來，基督宗教時常探討不平等世界的公義欠缺，關切許多地方烽火連天，並試著詢問：在創傷與滴血的世界，怎樣重塑身分認同？再者，奴役制度的解構釋放與教育啟蒙，如何落實？而基督的愛是否真能催迫人們走向和解與合一？此外，新教工作倫理又是如何根植於民族意識形態的經濟實用主義？傳統歐洲中心的神學觀，是否已經轉成邊緣人群的上帝，轉而對原有霸權不利？而在煽動種族主義的歧視性和優越性方面，教會是否都應該與之對話？每一個時代，似乎都有它自己沉重難當的十字架。

在這樣的處境下，到底宗教扮演的角色是什麼？基督教文明究竟具有什麼樣的強大革命性，以及徹底破壞性？為何整個世界對基督教文明有越來越多的疑慮之時，人們的直覺為什麼經常性地充滿所謂的「基督教意涵」？本書作者湯姆．霍蘭（Tom Holland）就試圖回答這樣的問題，值得深思的是，他反而從一些傳統上與基督教拉扯的領域，例如世俗主義、自由主義、科學啟蒙、倫理性別，甚至是無神論等角度切入，探討兩千五百年的人類歷史。也因此，這本書其實很難分類，它既是世界史、社會文化史，也是基督教史或後現代文化研究。

霍蘭區分古代、基督宗教世界及現代的手法，也是別有用心。他用七世紀中葉象徵古典宗教世代的結束，因為伊斯蘭文明已經把世界切成兩半，再也回不去了；而十七世紀中葉的一六四八年代表新舊教版圖的移動，亦即八十年戰爭的終結，一五七四年西班牙圍攻荷蘭的萊頓城，幾十年後終於敗退結束，這個時空變成獨立、自由、學術及現代的象徵。不僅如此，作者還結合宗教歷史地理的思考，將每一章都用年代和地名來細賦處理，例如西元十九年的加拉太代表在帝國處境下，保羅神學如何論及福音與律法的概念；西元六十三年的耶路撒冷談的是羅馬文化的征服與改變；六三二年的迦太基象徵「出埃及」般的文明衝突；一五二〇年的威登堡是聚焦馬丁路德掀起的宗教改革；一八七六年的朱迪斯河之恐龍化石考古意味著科學主義的興起；一九一六年的索姆河之役則是悲鳴著歐戰下基督徒的自相殘殺。

霍蘭還非常大膽地探討二十一世紀的現代，幾乎所有歷史家都不作當代史，因為就怕當局者迷，或尚未蓋棺論定。他卻毫不避諱地直指性少數、暴力、權貴誘惑、道貌岸然及種族主義，令人讀起來如坐針氈。我們更不能忽視，相對於「宗教統治」，也會出現「統治的宗教化」，因為掩蓋不平等、貧困以及環境破壞的唯一方法，就是將政治注意力轉移到其他問題上，讓它變成一種意識形態，或是宗教身分。而若要對當代的歷史有更深入的了解，讀者還可以將本書拿來和二〇一六年的書系作一對話。哈佛大學榮譽教授哈維．考克斯（Harvey Cox）的《信仰的未來：宗教的興衰與靈性時代的復甦》揭示了世界各地的基督宗教與其他傳統中，教義及教條如何退居一旁，來自基層、主張社會正義和內在體驗的新靈性運動，又是如何破繭而出。

誠如聖公會主教與歷史學家威廉斯（Rowan D. Williams）所說，我們有時需要帶著

「陌生」的角度去閱讀「熟悉」的歷史，從而在過程中見證細微且穿越時空的脈絡建構過程。再者，當代的宗教社會史家也已經指出，即便這是科學獨走的年代，宗教曾被指斥為迷信或是精神上的鴉片；但是宗教行為反而在現代社會是興盛的一股暗流，只是它以不同的姿態呈現出來，世界依然被基督教的各種信念給滲透。這也許沒有標準答案，但閱讀本書將會帶來許多另類思考。

霍蘭的結語引用聖經所說，神卻揀選了世上愚拙的，叫有智慧的羞愧；又揀選了世上軟弱的，叫那強壯的羞愧。也許基督教確實充滿了相反相成的逆理（paradox），一個被釘十架而死的受刑人竟是神的兒子！一個沾染了兵燹的宗教卻是講求「愛」？可能這樣時空交會展現的愛（thià^{n}台語），傳達的是一種道成肉身的「疼」（痛）。

專文推薦

基督教是一種情感，一種信念，更是一種思考

即食歷史部落客、歷史普及作家——seayu

每次閱讀作者湯姆．霍蘭的作品時，給我的印象都很深。這位古典史權威作家過去出版過不少歷史著作，而我也曾拜讀過他兩部古典史作品：《波希戰爭》（*Persian Fire*）和《盧比孔河》（*Rubicon*），覺得他的文字擁有強烈文學色彩，投入的感情很豐富。或許是因為湯姆早年曾出版不少小說作品，因此當他近年開始撰寫歷史著作時，便很懂得如何丹青妙筆地給我們留下了一部又一部精彩作品。

他的文筆有種特點，可以讓讀者感受到他對某個時空發生的歷史事件背後隱藏的情感。如果以中國文學去描述他這種文筆，我會引用西漢班固《西都賦》其中一句：「發思古之幽情。」

當我讀到《宗教統治》一書時，這種閱後感更加強烈。這是一本關於基督宗教的歷

史書籍，而當我們認識人類歷史時，信仰往往都是不能跳過不去理解的部分。更重要的是，信仰對人類來說，可以是一種情感，一種信念，更可以是一種思考。《宗教統治》不以編年史描寫基督宗教的歷史發展，反從傳說時代開始，以發生在不同地方和人物的事跡，拼湊出基督宗教一點一滴累積下來的神學思想，以及該教最重要的典籍《聖經》的由來。這些信仰上帝的教徒，皆有著一個共通點——對信仰的執著和堅持。湯姆那種帶著情感的文筆，讓我們更能理解基督徒。

現代最多人信仰的宗教，是基督宗教和伊斯蘭教，它們都是一神信仰，教徒只相信世上只有一位真神存在。然而，在古代，一神教並不普遍，不論是兩河流域，還是古埃及、古希臘、古羅馬等文明，不約而同都相信多神信仰。即便在古埃及曾經出現過太陽神阿頓的一神信仰，亦只是曇花一現。究竟是什麼讓古代最普遍的多神信仰，來到現代幾近式微，被一神信仰所取代呢？湯姆告訴我們，多神信仰帶來不安，上帝卻讓人得到救贖。

這是一條漫長發展道路，答案可不只是這麼簡單，湯姆為我們歸納出來，結集成書。在不同時代都有基督徒，他們思考現實與信仰間的矛盾，再在矛盾裡找出關於上帝的真理。《聖經》對他們來說，除了是記載神的話語之作，也是充滿謎團的一本書。如果說到基督宗教與古代多神信仰最根本的分別，我認為那會是基督徒對自身信仰有著自我修正的能力，而從這個思考過程中，他們建構出一套哲學和神學理論，從而更堅定地證明上帝的存在。在這一點，基督宗教是極具革命性的。

基督宗教文明是現今西方文明的奠基石。《宗教統治》為我們釐清早期至近代基督徒的思想歷程，一解普通人對這個宗教的迷思。只要細讀此書，我們就可以從上古開始，一步一步理解基督宗教的自我修正過程，以及它如何改變整個世界的歷史發展軌跡。

緬懷黛伯拉．姬琳翰

我的摯愛，無盡思念

目錄

CONTENT

愛，則隨心所欲。

——聖奧思定

如果你認為某件事是正確的，可能是因為你從來沒有對自己有過太多思考，從小就盲目接受那些被貼上「正確」標籤的事物。

——尼采

你所需要的就是愛。

——約翰·藍儂與保羅·麥卡尼

前言

基督誕生前三、四十年左右，古羅馬的第一座溫水泳池在埃斯奎利諾山（Esquiline Hill）落成啟用。這個地點靠近古羅馬城牆外，是一個非常重要的地方。隨著時間過去，這個建物很快就成為全世界最有錢的一群人展現自我的櫥窗，廣大區域裡滿布豪華別墅和園林。

然而，埃斯奎利諾城門以外的這一大片土地在此之前從未被開發，是有其原因的，從古羅馬建城以來的幾個世紀，這個地方是屬於死者的。當工人開始興建泳池的時候，空氣中仍然瀰漫著屍臭。過去曾是羅馬城防禦工事一部分的一條溝渠，堆滿了無法安葬於墳墓的窮人屍體。這裡就是那些死掉的奴隸「被從狹窄的房間裡丟出來」[1]的地點。大群的禿鷹——數量多到有自己的專屬名稱「埃斯奎利諾的鳥群」[2]——將屍體啄拾乾淨。沒有任何一個地方，可以比這裡更強烈地表現出古羅馬城的仕紳化現象。大理石裝飾、叮咚作響的噴泉、芳香四溢的花圃，就蓋在這些死者的脊背上。

這個地方的開發確實花了好長一段時間。埃斯奎利諾城門外的地區剛開始開發的時候，還看得到禿鷹在皇家宮殿上空遨翔。這地方當時還是「專為處決奴隸的所在」[3]。不同於處決犯人以取悅興奮群眾的競技場，這個地方並不光彩：作亂的奴隸被釘在十字架上，就像是市場攤位上掛著展示的肉塊一樣。即使在逐漸成形的埃斯奎利諾園林裡種下從遙遠國度進口的花草幼苗，這些光禿禿的樹還是象徵著不祥的過往。

沒有任何一種死法要比被釘死在十字架上更痛苦可鄙。受刑者被全身扒光掛起來，「忍受漫長的痛苦，肩膀和胸口滿布鞭痕，腫脹醜惡」[4]，又無法趕走喧鬧不休的猛禽。古羅馬的知識分子們都同意，這是最為悲慘的一種死法，因此也最適合用以懲罰奴隸。沒有這樣的措施，整個城市的秩序可能會因此崩毀。古羅馬帝國洋洋自得的奢華與輝煌，終究必須仰賴那些維持這種規模的人們各安其位。「畢竟我們家裡都有來自世界各地的奴隸，他們有奇怪的習俗，不同的信仰，或沒有任何信仰，因此只有依賴恐怖的手段，我們才能威嚇住這些人渣。」[5]

即使將那些可能威脅國家秩序的人釘死在十字架上的威嚇效果被視為理所當然，古羅馬人對這種刑罰的態度還是充滿矛盾。如果是為了威懾的效果，自然必須公開執行，因為沒有比成百上千的屍體被釘在十字架上的景象，要更能有力地表明失敗的叛變可能帶來的後果，無論這樣的景觀是沿著馬路兩側，還是堆積在造反的城市前，而環繞四周的山丘光禿禿一片。即使在承平時期，劊子手也會發明各種不同的懸吊方式，把他們的手下亡魂變成引人注目的景觀：「一個可能是上下顛倒、頭頂朝下，另一個以木樁穿刺生殖器，再一個的雙手被綁在枷鎖上。」[6]只是，將這些被釘上十字架的人暴露在大眾眼前，也隱含著某種矛盾。人們所受到的羞辱臭氣沖天，甚至會讓很多人光只是看到十字架釘刑，就會覺得受到玷汙。

雖然古羅馬人將這樣的刑罰當作「最高級的懲罰」[7]，卻拒絕承認這種刑罰可能是源自他們自己，因為只有野蠻殘暴的民族會想出這種折磨人的方法，可能是波斯人，或者亞述人，或者高盧人。將人釘在十字架上的做法，就是令人厭惡的。「哎呀，這個字眼本身就讓我們的耳朵不舒服。」[8]這種因為十字架釘刑而特別引發的厭惡情緒，正可以說明為何當奴隸被處死刑的時候，要在城牆以外那片最糟糕、最淒慘的土地上執行，以及為何當古羅馬人突破了自古以來的自我設限，便只能選擇全世界最奇特、香氣最濃的植物來遮掩汙跡。這也是為什麼十字架釘刑在古羅馬世界裡四處可見，卻很少人會認真想到，真正重要的事物是神所喜愛（同時也受到地球上擁有無上權威者支持）的世界秩序，而不是消除試圖挑戰這個秩序的危害因子。罪犯在酷刑架上崩潰，因為他們不過是一群穢物，所以不會讓有高貴教養、文明進化的人們感興趣。這樣的死亡方式如此邪惡而卑劣，最好還是拉起紗幕，完全遮掩。

因此，會讓我們驚訝的，並不是在古典文學中幾乎沒有任何關於十字架釘刑實際狀況的細節描述，而是竟然會有記載。① 那些受過釘刑的屍體，在飢餓的禽鳥啃食之後，通常會被丟進公共墓穴。在義大利，穿著紅色衣服的殯葬人員一面搖著鈴，一面將勾在鐵鉤上的屍體拉到墓穴。遺忘，就像隨意灑在他們受盡折磨的身軀上的泥土一樣，終究會將他們埋葬，而這就是他們的命運。儘管如此，在普遍的沉默中卻有一個例外：有四件詳細紀錄一個人如何被送上十字架忍受酷刑的資料，在古籍中被保留了下來，並且很不尋常的是，這些資料所描述的是同一件釘刑：發生在古羅馬第一座溫水泳池建成之後的六、七十年左右，但地點不在埃斯奎利諾山，而是在耶路撒冷城外的另一座山丘：各各他（髑髏地）②，「其字面意義就是屍骨所在之處。」[9]

死者是名叫耶穌的猶太人，他來自耶路撒冷北方，加利利（加里肋亞）地區一座無名小鎮拿撒勒（納匝肋），四處遊走傳道，因為違反古羅馬法律而被判死罪。最早有關他的處刑的四篇記載，都是在他死後多年之後寫成，具體說明了所謂的十字架釘刑如何執行。判刑確定之後，定罪的人被送交兵士施加鞭刑，因為他自稱「猶太人之王」，看守他的衛兵接著對他大加嘲弄、羞辱，將一頂棘冠戴在他的頭上，然後才帶著滿身是傷、血跡斑斑的他，踏上最後一段旅程。

他拖著十字架，蹣跚穿過耶路撒冷，走在往各各他的道路上。③對旁觀的人來說，這是一個奇觀，也是一個警示。在各各他，他的手掌和腳背被椿釘穿過，他就此殉難。殉難之後，他的身體兩側還被長矛穿刺。我們沒有理由懷疑這個敘述的可靠，就連最多疑的歷史學家都傾向於接受其為真。「拿撒勒的耶穌在十字架上殉難，是一個不爭的事實，可以說是有關他的唯一事實。」[10]他的苦難確實並非例外，在古羅馬歷史上，痛苦與羞辱，「最悲慘的死法」[11]所帶來的長久恐懼，其實是一般大眾的普遍宿命。

耶穌基督的屍身之後的命運，絕對不同於一般大眾。他的屍身被從十字架上卸下之

---

① 在古籍中有關這類刑罰的記載，少到讓甘納．薩繆森（Gunnar Samuelsson）在最近一篇專論中，提出引起爭議的論點，認為「在耶穌基督被釘上十字架前，不曾有過這種十字架釘刑」（頁205）。

② 編註：本書中出現的宗教名詞（如聖經章名、人名、地名等）在全書首次出現時，以基督新教、天主教通用譯名對照的方式呈現，以便讀者閱讀。本書採用的聖經譯本則包括《新標點和合本》、《現代中文譯本1995版》。

③ 雖然在〈福音書〉中，描寫耶穌帶著*stouros*（古希臘語中的十字架），但更可能的，他其實拖著的是*patibulum*，也就是古羅馬語中的直立十字架。古羅馬劇作家布魯特斯在耶穌殉難前兩個世紀，就已經如此寫過：「讓他帶著直立十字架（*patibulum*）穿過城市，然後將他釘在十字架上。」

後，沒有送到公共墓穴，而是由一個富有的支持者所認領，恭謹地安葬於以巨石擋住入口的一個墓室。無論事實為何，這四篇有關耶穌殉難的記載都是如此寫的，而這些記載在古希臘文中被稱之為*euangelia*，也就是「好消息」的意思，之後更轉變為英文中的「福音」（gospel）之意。

這些記載並非那麼難以置信。因為依據考古學資料，我們確實知道十字架釘刑處死之後的屍體，偶爾會被適當安葬在耶路撒冷城外的納骨塔。[4]接下來的故事更令人驚訝，卻又並非前所未見：一群女人來到墓室，發現入口處的石頭已被移開；耶穌在接下來的四十天裡，持續顯現在他的信徒眼前，但不是以鬼魂或屍身再現的樣子，而是以全新且更加莊嚴的肉身復活；然後升天，也必將再度降臨。隨著時間流逝，祂會被視為神而非人，接受眾人歡呼。祂經受了人類所能想像最痛苦的厄運，戰勝了死亡。「所以上帝把他升為至高，又賜給他超乎萬名之上的名。使一切在天上的、地上的和地底下的，因耶穌的名，眾膝都要跪下。」[12]

對古羅馬世界的大多數人來說，這些事件不會因為凡人可以成神的想法而顯得怪異，因為他們普遍相信天界和凡間之間是可以相互穿越的。在最古老的埃及王朝，自遙不可測的遠古以來，國王就一直是被崇拜的對象；在古希臘時期，傳頌著「英雄神」[13]海克力斯的故事：他是一個體魄強健的怪物殺手，一生戰功彪炳，死後從火葬的烈火中席捲而起，加入神明之列；古羅馬人則傳頌著類似的、有關建城者羅慕路斯的傳奇故事。

在耶穌殉難之前數十年，這種將凡人提升為神明的做法越來越頻繁。古羅馬帝國權威所及如此無遠弗屆，任何繼承帝位者就更似神明而非凡人，其中一位超凡入聖的尤利烏斯．凱撒將軍（Julius Caesar）在升天前，就有一道火焰如彗星一般飛過天際。第二個例子則是擁有「奧古斯都」帝號的凱撒養子渥大維，他和海克力斯一樣，從自己的火葬烈焰中升天成神。即使是對於「和自己一樣的凡人可能成神」這種想法嗤之以鼻的懷疑論者，也樂於接受這種想法的公共價值。「相信人性源自於神性的想法，會讓人因此更勇於承擔，更積極投入，並且因為心無罣礙，而更能成就偉業。」[14]

因此，神性只被保留給最偉大的勝利者、英雄和國王，其標準則是如何能折磨敵人，而非自己受苦；如何能在征服世界之後，將敵人釘在山頭的巨石之上，將他們變成蜘蛛，或者將他們弄瞎，或釘上十字架。因此，一個人竟會讓自己被送上十字架，之後

④在最早的基督宗教典籍〈保羅書信〉（保祿書信）中，也寫到耶穌「被埋葬了」（哥林多／格林多前書第15章第4節）。

卻又被稱頌為神，這樣的想法不免會被古羅馬人視為讓人反感、令人震驚、荒謬可笑，而自覺最受冒犯的，竟然就是耶穌自己的族人。猶太人不同於他們的統治者，不相信人可以成神，他們相信只有一個萬能的、永恆存在的上帝。祂是天地的造物者，被崇拜為至高之神、萬軍之耶和華和大地之主。帝國由祂主宰，山丘也會像蠟一般地融化。這位萬神之神（God of the Gods）可能會有個命運和奴隸一樣悲慘、在十字架上被凌虐致死的兒子的說法，對大多數猶太人來說，不僅難以理解，甚至讓人反感。最讓他們震驚的是，他們最虔誠的信仰竟可以被如此翻轉，這不僅是對神明的褻瀆，更是瘋狂。

即使是那些接受耶穌是「神所選定的救主」的人，也可能不敢直視祂的死況。這些被稱為基督徒的人們，和任何人一樣瞭解十字架釘刑的意涵。生於耶穌誕生之後一個半世紀，當代最重要的基督宗教辯護者游斯丁（Justin）說：「十字架的奧祕，召喚我們靠近上帝，卻被貶抑鄙視。」[15]至高之神的兒子受到的磨難，實在太過殘酷而無法透過視覺呈現。福音書的抄寫者可能偶爾會在「十字架」的古希臘字上，用象形圖示暗指被送上十字架的耶穌基督，否則就留給巫師或諷刺作家，讓他們自己去描繪殉難的過程。只是對古羅馬帝國的許多人來說，這種矛盾並不像表面看來那麼根深蒂固，因為有些奧祕太過深奧，人們除了接受它們的隱晦不明之外，別無選擇。神明毫不遮掩的光芒，對凡人的眼睛來說太過炫目，相對的，也沒有人會因為看到至高之神的兒子被虐致死的場景而瞎了眼睛。然而，基督徒雖然以手畫十字表達虔誠信仰，以單純的敬畏之心思索福音書中有關救主受難的記載，卻似乎不敢親眼目睹實際情況的展現。

耶穌死後好幾個世紀，當時，連像凱撒一樣的帝國君主們，竟然也都能夠接受祂為基督，祂的殉難才終於被認可為藝術家的創作主題。西元四百年以前，十字架就不再被視為是可恥的，而在這之前數十年，第一位基督教⑤皇帝君士坦丁大帝，也廢止了十字架釘刑。對羅馬人來說，將人釘上十字架的儀式，成為一種戰勝罪惡與死亡的象徵。當時有一個藝術家用象牙雕出這個景觀，讓耶穌穿著衣不蔽體的獅皮，展現與古老眾神相比毫不遜色的軀體。即使帝國的西半部地區已逐漸脫離帝國君主的掌控而被蠻族侵佔，古羅馬的權威在東半部依然延續，十字架也能讓危機四伏的帝國子民安心，相信勝利終將屬於他們。耶穌基督的痛苦就是祂擊退罪惡的指標。即使被酷刑伺候，祂仍是意氣風發而從未表現出受苦的模樣。祂寧靜平和的表情，正表明祂就是全世界的主（Lord of the

⑤編註：基督教（Christianity）是信仰耶穌基督為神之子與救世主的一神教，分為天主教、東正教、新教等三大派系，但在台灣，因歷史發展的緣故，「基督教」常專指基督新教，基督教整體則以「基督宗教」稱之，本書所指的基督教為「基督宗教」。

Universe）。

因此，在我們今天稱之為拜占庭、它卻始終堅持自稱為羅馬的帝國裡，一具屍身成為威嚴的象徵，然而，拜占庭帝國也不是唯一的基督宗教地區。在西方的拉丁語國度，在耶穌基督降生千年之後，一場全新的革命正在醞釀。漸漸地，有一些基督認為，與其選擇不看十字架釘刑的殘暴恐怖，不如專注渴望地盯視它：「我的靈魂啊，為何你不在那裡，不被一把悲痛欲絕的劍穿刺，不能忍受你的救主的身體被長矛穿刺？為何你不能忍受眼見釘子傷害造物主的手腳？」[16]這篇大約寫於西元一〇七〇年左右的祈禱文，不只是獻給從高處榮耀統治的上帝，也是獻給曾經被當作罪犯處死的上帝。

祈禱文的作者是來自義大利北方的優秀神學家安瑟莫（Anselm）。他出身貴族，幫伯爵夫人們書寫信件，也與國王為伴，同時是基督徒聚會的教會領袖。安瑟莫一人綜合了出身、能力和名聲，但即使他努力嘗試影響基督宗教世界的命運，卻仍不免會在他自己的顯赫成就中發現讓人擔憂的部分。他在被任命為領導英國教會的總主教時，就因為太過焦慮，竟然當場鼻血狂流不止：「私有財產本身，對他就是件恐怖的事。」[17]他見到被逼到絕境的野兔，會立刻痛哭流涕，並且懇求將這隻可憐的動物放生。無論在塵世當中攀到多高的地位，他永遠不會忘記救世主如何從卑微低下、赤身露體、備受迫害當中，將他救贖。在他獻給殉難的耶穌基督、在西方拉丁世界被不斷複寫閱讀的祝禱文中，安瑟莫清楚地闡述對基督宗教上帝一種全新而重要的理解角度：重點不在於祂的偉大勝利，而在於祂承受苦難的人性。

「悲嘆著，我們突然驚覺自己身處在崩裂當中……」[18]中世紀時期藝術家所描繪的耶穌：身軀扭曲，滿身血跡，正在死去。祂是十字架釘刑的犧牲者，也是祂原來的行刑者所認知的樣子：不再是寧靜平和、贏得勝利的姿態，而是如每一個受虐的奴隸一樣地被痛苦折磨。然而，現在的人們對這樣景象的反應，早就不同於古代人對釘刑那種混雜著厭惡和不屑的典型反應。男男女女看著他們的天主被釘在十字架上——祂的腳部肌腱和骨頭被釘子刺穿，雙臂被拉扯到幾乎就要脫臼，戴著棘冠的頭低垂下來——卻不會感覺鄙夷，而是同情、憐憫和恐懼。中世紀的歐洲，絕對不缺對上帝的受苦感同身受的基督徒。有錢人持續糟蹋窮人，山丘上仍擺放著絞刑架。主要是因為如安瑟莫之類人士的努力，教會仍可以宣稱並捍衛羅馬自古以來至高無上的地位，但即便如此，根本的事態已經有所改變。

安瑟莫如此定義基督宗教美德：「耐心承受苦難，把另一邊臉也轉過去，為仇敵祈禱，愛那些恨我們的人。」[19]而這些都是從耶穌說過的話語中推論得來。所有基督徒，包括那些最冷酷無情或漠不關心的基督徒，都不能無視這些美德而不受到某種程度的良心譴責。連審判的人都認不出以奴隸身分殉難的上帝之子而任其殞逝，這會讓最傲慢的君主也不能不躊躇反思。這樣的認知雖然成為中世紀基督宗教信仰的核心，卻也不免會在其意識中留下一絲真誠而重要的疑慮：上帝比較親近弱者而非強者，親近窮人而非富人，任何乞丐、罪犯都可能會是基督：「這樣，那些居後的，將要在先，在先的，將要居後。」[20]

在耶穌誕生數十年前，對那些用大理石建物和花圃收服埃斯奎利諾山的古羅馬貴族而言，這種情緒反應會顯得怪異，但隨著時間過去，卻終究得到認可。而且沒有任何一個地方要比羅馬城更清楚地見證了這樣的演變。西元一六〇一年，在為了驅逐浮誇惡毒的古羅馬皇帝尼祿的鬼魂而興建的一座教堂裡，掛著一副紀念早期基督教會被逐出羅馬城事蹟的畫作。名叫卡拉瓦喬（Caravaggio）的年輕畫家，原本被委託完成一幅十字架釘刑的畫作，但受難者不是耶穌基督，而是他的使徒彼得（伯多祿）。依據福音書的記載，彼得原本是個漁夫，但丟下船隻和魚網追隨耶穌，據傳在被尼祿處死之前，他是古羅馬最早一批基督徒的「監督」，在古希臘文中被稱為主教（*episcopos*）。

彼得被處死之後，有超過兩百個人曾經擔任過羅馬主教，並且在整個教會組織中佔有至高無上的地位，擁有「教宗」（古希臘語中意指父親的*Pappas*）的尊稱。在彼得死後超過十五個世紀的時間裡，教宗權威雖然興衰消長不定，但在卡拉瓦喬的時代，仍然令人敬畏。但是，這位畫家知道他最好不只要頌讚教廷的華麗輝煌和財富，教宗在塵世中的巨大存在已被徹底倒轉（據傳彼得被釘十字架時，要求以頭下腳上的倒轉姿態釘上去，以避免和他的主分享同一命運），卡拉瓦喬最後選擇了沉重的十字架被舉起的那一刻作為他的畫作主題，並以其真實身分——漁夫——來描繪這第一位教宗。過去的畫家絕對不會認為為了榮耀古羅馬皇帝，有必要將之描繪成跟卡拉瓦喬筆下的彼得一樣：受盡折磨、羞辱，並且幾乎是赤身露體，但在這座古羅馬皇帝君臨的城市裡，卻是這樣一位命運悲慘的人，被尊崇為「天國的鑰匙」[21]的職掌者。

因此，基督宗教與其誕生之世界的關係，充滿矛盾。信仰既是古典時期最悠久的遺緒，也是其本身經歷根本改變的指標。基督宗教融合了包括波斯與猶太、古希臘與古羅馬的多種不同傳統，又比它在其中孕生但已崩毀的帝國要存活更久，並且依據某位猶太學者的說法，變成了「世界歷史上最強大的文化霸權體系」[22]。中世紀時，沒有任何一個歐亞地區的文明體系，能夠像基督宗教那樣，擁有服從唯一權威的完整信仰。無論在伊斯蘭地區、印度或中國，都有無數的各種組織負責定義對神的各種不同理解，但在奉教宗為至高無上權威的歐洲地區，只有少數猶太人社群會挑戰羅馬教廷對信仰的壟斷。

同時，這種權威的排他性也被堅定地護衛著，擾亂的人、拒絕悔改的人，不是被噤聲、驅逐，就是被處死。教會敬拜的是被無動於衷的威權所處死的上帝，卻統治著一個可以被恰如其分地稱作「迫害的社會」⑥。在這個社會裡，人們堅信男男女女皆由其信仰所定義，這一點更可作為指標，印證基督宗教革命的變革性影響。對古羅馬帝國政府來說，基督徒願意如殉道者一樣以死見證其信仰，正凸顯了他們的邪惡異常。但這一點已經改變，時間見證了顛覆分子的勝利。在中世紀基督宗教王國裡，殉道者的骨骸被珍貴保藏，而教會看顧著人們的信仰。作為一個人的意義，在於身為基督徒，而作為一個基督徒，信仰就是一切。

羅馬教廷大可以宣稱自己的存在是「大公的」、「普世的」，因為凡人生命當中的種種，無一不由它所定義指導。從日出到日落，從仲夏到深冬，從出生的一刻到嚥下最後一口氣，中世紀的男男女女將教廷的信仰前提完全內化為本能反應。即使在卡拉瓦喬時代之前一個世紀，天主教世界開始分裂，新的基督宗教分支開始出現時，歐洲人仍然堅信他們的信仰是普世的。這樣的信念鼓舞他們去探索前人未能想像存在的大陸，征服他們所能掠奪的土地，並且將之重新神聖化為迦南應許之地，嘗試讓這些土地上的原住民改信基督宗教。無論是在朝鮮或火地島，阿拉斯加或紐西蘭，耶穌在其上被虐致死的十字架成為最廣為人知的符號，代表著他們曾經見過的神。「你斥責異族，消滅邪惡的人；你永遠塗抹他們的名字。」[23]西元一九四五年，引用這段聖經經文讚美上帝、迎接日本投降消息的人，不是杜魯門、邱吉爾或戴高樂，而是中國領導人蔣介石。

即使進入二十一世紀之後，西方世界的優勢明顯消退，但源於歐洲古老信仰的基本前提，仍持續影響著這個世界的自我建構。無論在北韓或回教聖戰士恐怖組織的指揮體系裡，應該很少有人會因為強烈反對西方意識形態，而絕不使用國際通用的西元紀年。而他們一旦使用這樣的紀年方法，就會在潛意識中被提示基督宗教宣稱耶穌誕生的事實，因為，就連時間的概念本身都已經受到基督宗教文化的影響。

耶穌基督的潮汐漲退

為什麼在一個早已消逝的帝國裡，受到一個被處死的無名罪犯啟發而形成的宗教

⑥這個描述來自R. I. Moore的著作標題：《迫害的社會的形成》。

信仰，可以對整個世界發揮那麼徹底而持久的影響力？我將在這本書中嘗試回答這個問題，但不是要寫一部基督宗教史。我是要追溯在基督宗教思想中，傳播範圍最為廣泛、持續至今的影響是什麼，而非完整地檢視其發展歷程。這就是為什麼我雖然在其他地方寫過大量有關東正教的文章，其中充滿著讓人驚奇、迷戀的主題，我卻選擇不再追溯東正教在古典時期以後的發展。

將耶穌折磨致死，卻又見證祂被尊崇為上帝的帝國，和它所曾經歷在道德與想像的動盪不安，並沒有讓基督宗教失去在社會上引發巨大變革的動能。正好相反。早在安瑟莫於西元一一〇九年過世之前，西方基督宗教世界已經踏上一條與眾不同的發展道路，以至於今天我們所稱的「西方世界」與其說是其繼承者，不如說是其延續。當然，夢想一個被改革、啟蒙、革命改變的世界，並不完全是當代才有的現象，而是如同中世紀那些看見異象的人一樣，以基督徒的方式夢想。

在地緣政治劇烈動盪重組的當下，我們的價值觀已被證實並非如某些人所認為的具有普世性，我們更迫切需要認清：這些價值觀的形成，其實是文化上的偶然。生活在西方世界，就是生活在一個完全被基督宗教的觀念與思維所滲透的社會。這一點對猶太人或穆斯林來說，並不會比對天主教徒或新教徒要更不真切。自耶穌基督降生兩千年以來，人們不需要相信祂死而復生，還是會被強大且無處不在的基督宗教所影響。不論是相信發揮良知就是決定良法的最重要標準、主張政教分離，或反對一夫多妻制，構成這些信念的微小因素遍存於西方世界。甚至是用來闡述這些信念的西方文字，也充滿了基督宗教意涵：「宗教」、「世俗」、「無神論」，這些都不是中性的詞彙。雖然它們源於古典時期，但都承載著基督宗教世界的遺緒。不瞭解這點，就有犯下時代錯誤的危險。雖然教堂長椅上的人越來越少，但西方世界還是牢牢地與基督宗教的過往聯繫在一起。

有人會樂於接受這個看法，也有人會害怕這個論點。基督宗教文明或許是古代世界最悠久、最有影響力的遺緒，它的崛起可說是西方歷史上最為巨大的變革，卻也是對歷史學家最大的挑戰。在西方世界，特別是在美國，基督宗教無疑仍是最佔優勢的信仰。以全世界而言，它得到幾乎佔地球總人口三分之一、超過二十億人的認同。與歐西里斯、宙斯或奧丁⑦不同，基督宗教的上帝仍然活躍如旨。

人們對過去的理解，就是藉由祂的指引，掌握一切事物在時間中的發展歷程，而這樣的傳統並未消逝。對那些將祂尊為上帝之子、天地造物主而崇拜的千百萬人來說，基

⑦譯註：三者分別為古埃及神話、古希臘與羅馬神話、北歐神話中的重要神祇。

督的殉難並不只是一個歷史事件，而是宇宙環繞運行的樞軸。然而，無論歷史學家對這個說法的影響力、對它如何影響全球事務走向有多清楚的認知，他們都無須爭論這個事件的真實性。他們研究基督宗教不是為了揭露有關上帝的種種，反而是為了理解人類事務。宗教信仰和人類文明的其他範疇一樣，也可以被推定為源起於凡人，並且經歷時間而逐漸成形。在超自然的現象中找尋解釋過去的線索，目的是為了護教，雖然確實值得追求，卻並非今日西方世界中一般人所認知的「歷史」。

只是，如果歷史學家必須處理信仰問題，就也要處理懷疑論的問題。這不僅是因為信徒對基督宗教歷史的詮釋很容易變成非常個人的信念，對懷疑論者來說也是如此。西元一八六〇年，在最早針對達爾文（Charles Darwin）剛出版的《物種起源》的公開討論中，牛津大主教惡意嘲諷「人類是進化的產物」的理論；不過，彼一時，此一時，當代最知名的無神論者理察．道金斯（Richard Dawkins）則是宣稱：「事實是，因為我們都是二十一世紀的人，因此對何為是非對錯有相當普遍的共識。」[24]

在西方世界，認為「對何為是非對錯有相當普遍的共識」的主張，主要源於基督宗教的教誨和道理，在其他有不同信仰或甚至沒有信仰的社會中，卻可能會讓人感覺受到冒犯。即使在相較於歐洲、基督宗教仍然生氣蓬勃的美國，也有越來越多人認為西方的古老信仰來自過去一個比較迷信的時代，已經是不合時宜的遺物。就如同牛津大主教拒絕考慮他可能是由猿類演化而來的想法，當代的許多西方人士也不願意考慮他們的價值觀（甚至他們的沒有信仰）都源於基督宗教信仰的可能。

我對這樣的主張有相當的信心，因為直到最近，我都有著和他們一樣的遲疑。雖然在我還小的時候，每個禮拜天都會跟著母親上教堂，每天晚上虔誠禱告，但我還是感覺得到自己正處於某種信仰危機，幾乎和維多利亞時代一樣的信仰危機的早期階段。我還記得在某一次週日的主日學，當我打開兒童版聖經看到第一頁裡的亞當、夏娃和一隻腕龍時，所感受到的震憾。即使我對聖經充滿敬意，但很遺憾地，我也非常確定人類不曾見過恐龍。主日學老師毫不在意這個錯誤，讓我更加惱怒困惑。伊甸園裡有恐龍嗎？我的主日學老師不知道，也不在乎。我接受基督宗教信仰真理的教導而產生的信心，蒙上了一絲疑慮的陰影。

隨著時間過去，這個陰影越來越深。我對迷人、兇猛、但已經滅絕的恐龍的著迷，逐漸轉化為對古代帝國的高度興趣。當我閱讀聖經的時候，我關注的焦點不再是以色列的孩童或耶穌和他的使徒，而是他們的仇敵：埃及人、亞述人、古羅馬人。同樣地，雖然我還是相信上帝的存在，卻發現祂對我的吸引力漸漸不如古希臘眾神：阿波羅、雅典娜、戴奧尼索斯，我喜歡他們不制定律法的作風，也傾心於他們如搖滾巨星般的個人魅力。因此，在我有機會讀到愛德華．吉朋（Edward Gibbon）⑧以古羅馬帝國衰亡為題的歷史著作之前，我其實已經準備好接受他對基督宗教興起的詮釋：基督宗教開啟了「一個迷信與輕信的時代」[25]。

我小時候直覺地認為聖經裡一本正經的上帝是自由與歡愉的敵人，而這在之後也得到證實。多神異教的敗亡，帶來了擬人上帝（Nobodaddy）、追隨祂的十字軍、宗教裁判官、黑帽清教徒的各種統治。鮮豔色彩與興奮莫名都從這個世上消逝了。維多利亞時代的詩人阿爾加儂．查爾斯．斯溫伯恩（Algernon Charles Swinburne）寫道：「喔，祢已經征服了蒼白的加利利，這個世界因為祢的呼吸而變得灰暗。」[26]這回應著古羅馬最後一位異教皇帝「叛教者」朱利安（Julian the Apostate）⑨似乎不足為信的哀歎，但直覺上，我卻有同感。

只是，在過去二十年裡，我的觀點也有所改變。當我開始寫第一本歷史著作時，選擇的主題是兩段在我小時候最能打動我的歷史時期：波斯人征服古希臘，和古羅馬共和的最後階段。在書寫這兩段古典時期歷史的那些年裡，我與列奧尼達一世（Leonidas）⑩和凱撒為伴，與在溫泉關陣亡的古希臘兵士和穿越盧比孔河的古羅馬軍團為伴⑪，更證實了我的迷戀之正當：即使經過最細緻的歷史考證，斯巴達王國和古羅馬帝國都還是保有最頂級掠食者的光彩魅力。他們和過去一樣，像大白鯊、老虎、或者霸王龍一樣地緊抓著我的想像不放。

但是，無論大型肉食動物多麼讓人驚艷，其本性就是使人害怕的。我越沉浸在古典時期的研究當中，就越感覺與它疏離。列奧尼達一世的族裔施行特別殘酷的優生計劃，訓練他的年輕士兵在夜裡殺害傲慢的劣等人種（untermenschen），因此，他的價值觀並非我所能認同。同樣地，據傳殺害百萬高盧人、奴役百萬高盧人的凱撒，其價值觀也非我所能認同。讓我不安的，不僅是他們極端的冷酷無情，而是他們完全不認為窮苦貧弱的人天生也有尊嚴的可能。我為什麼會對此感到不安？是因為依據我的道德倫理觀，我絕不是斯巴達人或古羅馬人。

⑧譯註：英國歷史家與政治人物（1737-1794），以早成經典的《羅馬帝國衰亡史》（共六卷）著稱。

⑨譯註：弗拉維烏斯．克勞狄烏斯．尤利安努斯（Flavius Claudius Julianus, 331-363）：東羅馬帝國皇帝，雖然自小受洗，但之後轉向希臘與羅馬的傳統多神信仰，師承新柏拉圖主義，崇信神祕儀典，支持宗教自由，反對將基督信仰視為國教，因此被羅馬教會稱為背教者尤利安。

⑩譯註：古希臘時代斯巴達國王，英雄人物。

⑪譯註：溫泉關（Thermopylae）與盧比孔河（Rubicon）分別是列奧尼達一世與凱撒領兵所打的重要戰役。

雖然我對上帝的信仰從我年輕時候就開始慢慢消退，但這並不表示我已經不再是基督徒。因為我出生的世界，千年以來一直是個基督宗教世界。伴隨著我的成長過程，有關社會應該如何組織、應該遵循哪些原則的各種前提，並非源自於古典時期，更非「人性本能」，而是獨特地源自於西方文明中的基督宗教過往。基督宗教對西方文明發展的影響如此深刻，卻也因此被視而不見，被記住的是未完成的革命，而那些勝利者的命運卻被視為理所當然。

西元三世紀時，有一個基督徒寫下「耶穌基督的潮汐漲退」[27]，這本書的目標就是要追溯這潮汐漲退的歷程，也就是對被虐死於十字架上的猶太上帝之子的信仰如何長久不墜，並且傳布廣垠，以至於在今天的西方世界裡，大多數人都已經忘了它原本是多麼讓人厭惡。這本書也要探究是什麼樣的因素，讓基督宗教變得有顛覆性和破壞性，它又如何完完全全地滲入西方世界的思想觀念，以及為什麼在對所有宗教主張經常有所疑慮的西方世界，卻有那麼多無論好壞、完全源自基督宗教信仰的直覺意識。

套句俗話：這個故事，萬世傳頌。

PART

1

古代

ANTIQUITY

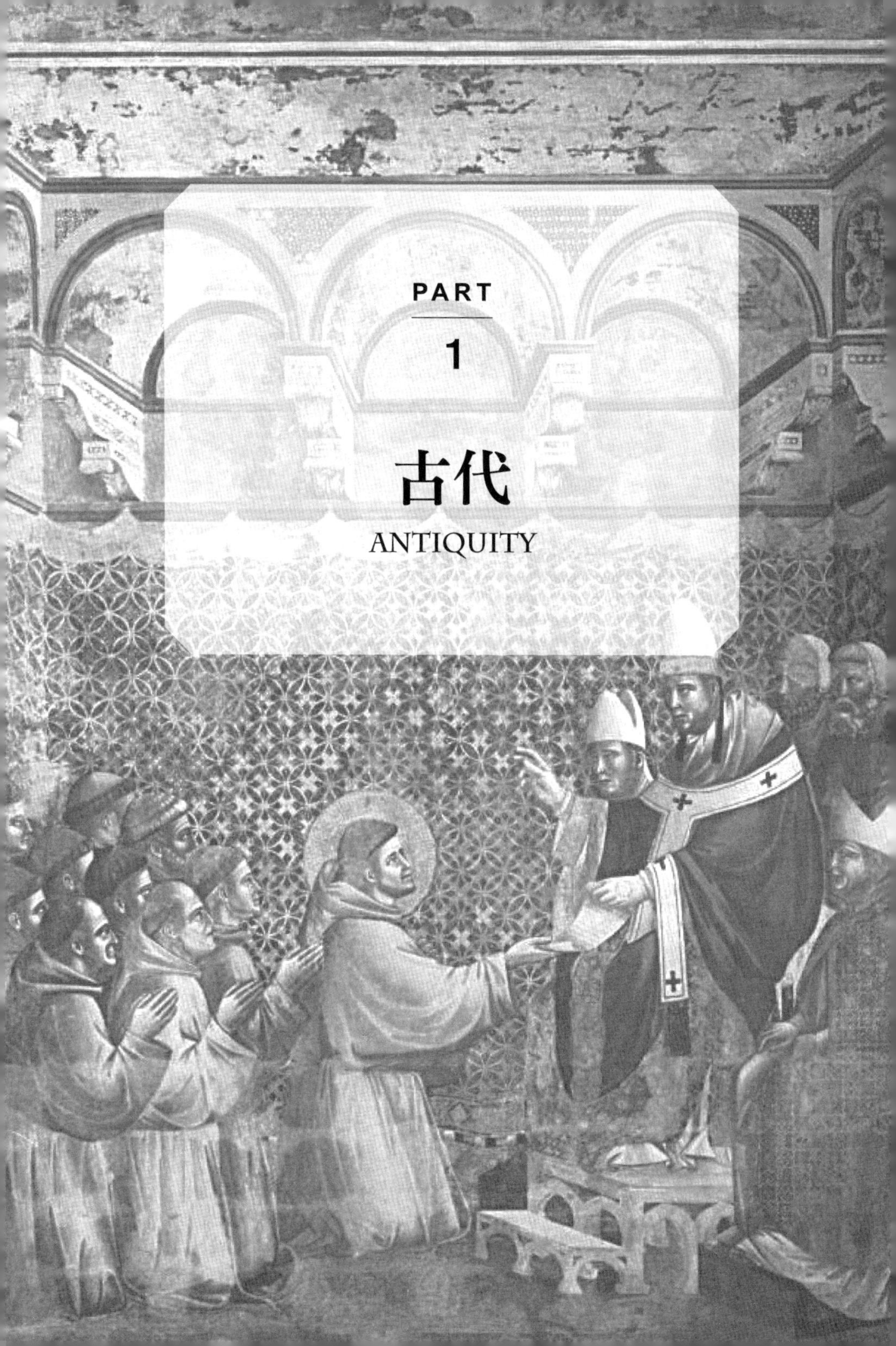

第
1
章

雅典

西元前479年，達達尼爾海峽

達達尼爾海峽是從愛琴海口往北連結黑海，分隔歐亞兩塊大陸的狹長水道，在海峽最狹窄處，從歐洲端延伸出的岬灣被稱為狗尾岬（Dog's Tail）。就在狗尾岬，在耶穌基督降生前四百八十年，一項仿若神蹟的巨大工程正式完工：兩座一模一樣的浮橋，從亞洲端的海峽邊延伸到狗尾岬尖端，連結歐亞兩座大陸。難以言喻的壯偉，唯有掌握無限資源的王室，才能夠以如此專橫傲慢的姿態馴服不安的洋流。波斯國王薛西斯一世（Xerxes）統治的是前所未見的巨大帝國，從愛琴海到興都庫什山（Hundu Kush）的所有亞洲群眾都任其差遣。他所能招募的戰士人數之眾，據傳可以喝乾一整條河的河水。看著薛西斯一世穿越達達尼爾海峽，沒有人會懷疑前方的整片大陸將會被他納入治下。

但是一年之後，兩座浮橋已不見蹤跡，薛西斯一世征服歐洲的夢想也消匿無蹤。他進軍古希臘，攻下雅典城，這卻成為他一生戰功的巔峰。海陸兩端的接連敗戰迫使波斯大軍撤退，薛西斯一世也退回亞洲。達達尼爾海峽的治權交給了總督阿爾泰克特斯（Artayctes），卻更讓人憂心。因為阿爾泰克特斯知道，在古希臘的挫敗後，他就被噩運給盯上了。他的憂慮不是沒有道理的：西元前四七九年夏末，一支雅典船隊緩緩駛進達達尼爾海峽，當他們在狗尾岬灣下錨之後，阿爾泰克特斯先是躲進最近的碉堡，撐過長時間的圍城，最後決定跟兒子一起突圍。他們雖然藉黑夜之助成功脫困，但之後很快就被圍捕，並且立刻被五花大綁送回狗尾岬。阿爾泰克特斯被固定懸吊在放置於海岬尖端的一塊木板上，「親眼看著雅典軍隊將他的兒子以亂石擊斃」[1]。阿爾泰克特斯自己則必須經歷一段更加漫長的折磨之後，才能走到生命的終點。

這些行刑者如何將他固定在一塊直立的木板上？在雅典，惡行最重的犯人會被綁在名為*apotumpanismos*的刑具上，上面裝有固定脖子、手腕、腳踝的枷鎖。但我們無法確定阿爾泰克特斯的行刑者是不是用了這種刑具。從關於他的死亡的僅存記載中，我們知道他是被樁釘（*passaloi*）[①]固定在木板上。行刑者為了要將他固定，顯然會將樁釘穿過他的血肉，牢牢地釘在木板上，而當他們把木板直立起來，他的骨頭自然也會摩擦著金屬材質的樁釘。阿爾泰克特斯看著他的兒子變得血肉模糊，也應該看得到在天空中盤旋的大鳥不耐地等著落到他身上，啄食他的眼睛。當死亡終於降臨，他才得以解脫。

這些行刑者如此大費周章地讓阿爾泰克特斯受苦，其實就是一種宣示。選在薛西斯一世第一次踏上歐洲領土的地點將阿爾泰克特斯處死，就傳送出了一個明確無誤的訊息：羞辱波斯國王的臣僕，就是對國王本尊的羞辱。長期生活在波斯帝國陰影下的古希

①確切地說，希羅多德所使用的字是*prospassaleusantes*，意謂：以樁釘固定。

臘人，有理由相信這種設計精巧的酷刑來自波斯。他們認為，就是波斯人最早將罪犯釘在木樁或十字架上示眾，以屈辱並強化死亡將臨的焦慮。當然，加諸在那些違逆統治者的罪犯身上的刑罰，不僅要極端痛苦，更要有威嚇的意味。在薛西斯一世入侵古希臘之前大約四十年，他的父親大流士（Darius）對那些反對他繼承王位的人，就用公開的方式加以凌虐：政敵們被綁在一根根直立的木樁上，因為木樁逐漸穿透他們的身體而痛苦地扭身尖叫。大流士曾經自誇他如何處理一個最有威脅性的政敵：「我把他的鼻子和耳朵都割下來，挖出一隻眼珠，把他綁在宮廷入口，讓所有人都能看見，然後下令刺穿他的身軀。」[2]

並不是每一個在波斯國王震怒之下的犧牲者，都會像這樣被公開處死示眾。古希臘人曾經因為嫌惡而輕描淡寫地描述過一種最讓人反感的酷刑：槽刑（scaphe）。行刑者將犯人放進一艘船或挖空的樹幹，加上覆蓋，只露出頭和四肢。犯人不斷被餵食，卻只能躺在自己的排泄物當中。他的身上也被塗滿蜂蜜，卻無法驅趕嗡嗡不斷的蒼蠅。「腐敗和排泄物生出蠕蟲和蛆蟲，逐漸蛀食他的身體，鑽進他的腸子裡。」[3]在他的肉身和器官都被蛀食殆盡之後，犯人才會死去。根據可信的報導，曾經有一個受槽刑的人，足足撐了十七天才死。

這種刑罰確實殘酷，但並非可以肆意而為。古希臘人指控波斯國王專制妄為，其實是將他因正義感而生的責任心誤解為野蠻暴行。從波斯王朝的角度來看，古希臘人才是真正的野蠻人。波斯國王可以容許他在不同地區的臣民保有自己的法章制度，只要他們衷心臣服，但他從未懷疑過作為國王的特權和責任是至高無上的，如大流士所宣稱：「我由智慧之主②欽定為王，智慧之主視我如親。」[4]智慧之主是最偉大的神，創造天地，顯現於伊朗的白雪和沙漠之上，那如水晶一般美麗的天空之中，並且是大流士承認的唯一保護者。波斯國王賜給臣民的正義並非來自塵世，而是直接源自於光明之王（Lord of Light）。「我獎賞忠誠之人，懲罰無信仰之人，因為智慧之主，人們才能敬重我的諭令。」[5]

俗世國王的統治和天神的統治一樣都以仁慈為本的信念，並非大流士所獨創，而是源自於萬物之始。在伊朗以西，兩條大河流貫的地區，也就是古希臘人稱之為「美索布達米亞」（Mesopotamia），意指「兩河之地」的衝擊平原上，許多遠比波斯民族歷史更古

②譯註：智慧之主（Ahura Mazda）：Ahura意為「主」，Mazda意為「光明智慧」，古波斯的至高全知之神，智慧之神，代表光明與善的力量，在與黑暗之神阿里曼（Ahriman）的長期戰鬥中，最終獲得勝利。

老的城市裡，統治者本來就有感謝神明幫助維護正義的習俗。在大流士時代之前千年或更久，漢摩拉比國王③就曾經宣稱自己的天命是「讓正義之光照耀整個大地，消滅一切罪人和惡人，使強者不能壓迫弱者」[6]。這個宣示意味著國王所能給予臣民的無非就是平等，影響深遠。

漢摩拉比統治的巴比倫城自視為世界中心，這並非一廂情願的看法。巴比倫城不僅富裕，而且有精緻文化，長期吸引最優秀的人才湧入——即使其聲名有高低起伏，但整個美索布達米亞地區都不能不承認其傳統之輝煌悠久。位於巴比倫北方的亞述王國，到西元前六一二年滅亡之前，都是一個強悍的軍事強權，並曾多次對巴比倫城發動懲罰性的侵略，歷代國王也都不免跟漢摩拉比一樣自命不凡，宣稱自己的統治光芒耀眼、萬眾懾服，其中一位就曾興奮地說：「國王之言，和神的話語一樣完美。」[7]

當波斯人在西元前五三九年征服巴比倫城，如同亞述王國在七十年前被巴比倫人征服一樣，這座偉大城市的守護神很快地就把新主納入翼下。居魯士大帝（Cyrus）不僅造就一個偉大的民族，攻陷當時世界最大城市的壯舉，更為他一生的豐功偉業畫上完美句點。這位波斯國王優雅地接受神的守護，宣稱自己是應祂們明確邀請而進入巴比倫城，之後更修復神廟，並且每天敬拜。居魯士大帝非常清楚自己所為為何，因為他不僅是個強悍的軍事將領，同時也是文宣高手。他最初只是一個來歷曖昧、突然冒出的民族的國王，最後卻成為前所未見幅員廣大的帝國統治者，統治規模遠超過亞述人或巴比倫人所能想像。雖然居魯士大帝企圖將自己形塑為寰宇之主，但除了美索布達米亞文明遺緒之外，他所能掌握的資源其實非常有限。在他的王國之內，沒有任何一個地方可以提供給他一個如此深植於古老傳統、又能自鳴得意的統治模式。「寰宇之王，偉大君主，巴比倫之王」[8]，就是這個波斯征服者所汲汲追求的頭銜。

儘管如此，美索布達米亞傳統最終還是不足以滿足他的繼承者的需求。無論居魯士大帝如何稱許他們的自命不凡，巴比倫人只是勉強接受失去獨立地位的命運。大流士在巴比倫城被攻陷七年之後取得波斯王位，而在反抗大流士統治的起義者中，就有人宣稱自己是最後一位巴比倫王的兒子。可想而知，這個不幸的傢伙在戰敗之後和他的部下被快速處死，但大流士更確定要破壞手下敗將的名聲。他將這個冒牌貨的詐欺犯行公告周知：他不僅不是正統的王子，甚至連巴比倫人都不是，而是名為阿拉卡（Arakha）的亞

③譯註：漢摩拉比國王（Hammurabi）是巴比倫國王，約於西元前十七至十八世紀在位，統治疆域涵蓋兩河流域地區，建立巴比倫帝國，以建立西方歷史時期第一部成文民法典《漢摩拉比法典》著稱。

美尼亞人。「他是一個騙子。」[9]這應該就是波斯人對敵人最尖銳的指控。

阿拉卡被定罪的詐欺罪行，不僅冒犯了大流士，甚至會危害全宇宙。波斯人相信，即使是智慧之主的慈悲睿智，也無法避免他所創造之物遭受「大謊言」（*drauga*）的暗黑力量威脅。大流士之所以要對付阿拉卡和他的追隨者，不只是為了個人利益，更是為了危在旦夕的萬事萬物。若非大流士的努力清除，「大謊言」的傳播最終將會以其劇毒的汙穢，濺灑汙染所有美好的事物。對大流士的統治威權的反抗，也就是對智慧之主的叛逆。這些叛亂者「無視對智慧之主的崇敬」[10]，就是對等同於真理的宇宙秩序的攻擊。無怪乎波斯人用同一個字「*arta*」意指真理和宇宙秩序。大流士以捍衛真理為使命，為後繼者立下了典範：「即將繼承王位的你，下定決心捍衛真理，並且嚴懲那要追隨大謊言的人。」

他的繼位者也確實做到這點。他們和大流士一樣，知道自己要獻身於一個和時間一樣長久悠遠、和宇宙一樣廣闊無邊的抗爭，而所有人都必須在光明與黑暗之間做出抉擇。任何無足輕重的小事、任何微不足道的現象，都可能受「大謊言」所驅使而為害。那些寄生在受槽刑的犯人身上、從其穢物當中滋生的蠕蟲和蛆蟲，和被啃食的肉身一樣，都是謊言與黑暗的代表。

依照同樣的邏輯，那些藏身在波斯帝國邊界以外，不受波斯國王律令管轄的野蠻人都不是神的僕人，而是魔鬼的使徒。當然，這並不表示不幸沒出生在波斯的外邦人之所以遭到譴責，是因為他們對智慧之主的無知。這樣的原則會很怪異，也違背所有成俗。居魯士大帝對巴比倫神廟的大力贊助，為之後的繼位者開啟了一條他們必定會追隨的道路。會嘲弄其他民族神明的人（即使是波斯國王本人）還能算是凡人嗎？然而，因為波斯國王受智慧之主欽定，肩負著保護世界免受「大謊言」毒害的使命，他的責任不僅是要肅清叛亂者，更要恢復魔鬼造成的滿目瘡痍。阿拉卡假冒已逝國王的兒子挑起巴比倫的反叛，魔鬼也會採取類似的做法，假扮神明施行騙術。面對這樣的危險，一個偉大的國王除了嚴刑懲罰之外，還能有什麼辦法？

因為如此，當大流士遠眺北方邊界以外的土地時，警覺到當地斯基泰人（Scythians）的好鬥民族性，也在他們的野蠻性格中看出不祥徵兆：容易受到惡魔誘引的特質。「那些斯基泰人對大謊言沒有抵抗力。」[11]因此，智慧之王的忠誠僕人大流士，當然要試著安撫他們。同樣地，薛西斯一世在征服雅典之後，下令將衛城上的神廟以火清滌，並且在確定已無惡魔跡象之後，才准許重新祭拜眾神。波斯國王的威權是前所未見的，就憑他所控制的領土範圍之大，比過去任何統治者都更能相信自己肩負著統治寰宇的使命。他給帝國的命名「*humi*」就是「世界」的同義詞。雅典人為了反抗薛西斯一世對歐洲的統治而將他的臣僕釘死在達達尼爾海峽，只證明了他們就是「大謊言」的黨羽。

在波斯國王巨大的帝國體制之上，還有在皇宮、營房、塵土飛揚路上的驛站裡，微微閃耀著崇高而偉大的自負神情。由居魯士大帝建立、大流士鞏固的霸權，就像照向天界的一面鏡子，抵抗它或甚至推翻它，都是對真理的違逆。過去從沒有任何一個企圖統御全世界的王國，曾賦予它的統治如此強烈的道德性。波斯國王的權力不僅遠及國土東西兩端，更深入地底。「國王大流士說：任何崇敬智慧之主的人，無論生死，都會蒙受聖恩。」[12]阿爾泰克特斯在忍受臨死前的磨難時，或許可以從這樣的想法中得到安慰。

當然，阿爾泰克特斯被處死的消息，只是印證了波斯國王將雅典人視為恐怖分子的鄙視。真實或謊言，光明或黑暗，秩序或混亂，是每個地方的人都必須面對的抉擇。在註定會有綿長來世的世界裡，這是瞭解這個世界的一個方法。

跟我說謊

西元前四二五年，喜劇作家亞里斯多芬尼斯（Aristophanes）以一部喜劇作品表現雅典人對此有如何不同的觀感。距薛西斯一世將衛城（Acropolis）付之一炬之後已經過了四十五年，岩城頂端的瓦礫已被清除，並且裝飾著「帝國的標記與豐碑」[13]，耀眼地見證著這個城市的復興。在妝點著雅典天空，巨大而美麗的帕德農神殿（Parthenon）下方，雅典公民每天冬天會在沿著山坡而建的戶外劇場聚集，坐在觀眾席上觀賞年度戲劇演出。④在一整年的各種節慶活動中，勒納節⑤特別以喜劇演出著稱，而亞里斯多芬尼斯從一開始就展現了他掌握這種形式的大師功力。他在西元前四二五年以《阿卡奈人》一劇首次登上勒納節舞台，劇中的所有素材都是他嘲弄的對象，其中就包括波斯國王們的自吹自擂。

「他有許多雙眼睛。」[14]依照古希臘人的宇宙觀，波斯世界的這種宣示無可避免地讓人感覺到邪惡的意圖。在帝國的範圍之內，人們相信國王的密探隨侍左右，永不停止監控。「每個人都可以感受到無處不在的君主的監看。」[15]對亞里斯多芬尼斯來說，這個標的實在令人難以抗拒。《阿卡奈人》劇中扮演波斯使臣的演員，頭上就戴著一隻巨

④在勒納節中演出的戲劇節目，是在亞里斯多芬尼斯的作品首演之前約二十到三十年間，才被搬到這個劇場演出。

⑤譯註：勒納節（Lenaia）：西元前六世紀以後，古希臘的酒神祭典之一，每年一月間舉行，祭典中包括戲劇演出競賽，勒納節特別以喜劇演出著稱。

大的眼睛上台。他是為了傳達波斯國王的信息而來，認真嚴肅卻胡言亂語。甚至他的名字——休達塔巴斯（Pseudartabas）也是尖銳的嘲諷，因為波斯語中的「*arta*」意指「事實」，但古希臘語「*pseudes*」的意思卻是「說謊」[16]。亞里斯多芬尼斯一眼就可以看出他的目標何在。他以非常傲慢而堅定的創作風格，在舞台上揭穿大流士和後繼者的大話，讓雅典群眾盡情嘲笑。

古希臘人非常清楚「事實可能騙人」的矛盾。在雅典西北方山上的德爾菲（Delphi）神殿裡，有阿波羅的神諭，但他所揭示的內容卻是那麼引人遐想、曖昧難解，而讓他得到隱晦之神（Loxias）的稱號。他是一個令人很難想像的、不太像智慧之主（Ahura Mazda）的神。因為阿波羅的神諭總是曖昧不明，所以古希臘的旅人們很驚訝其他地方的人會完全相信他的預言。在德爾菲神殿，模稜兩可是神的特權。阿波羅是最為耀眼的神，被認定為太陽神（charioteer of the sun），甚至會讓他所侵犯的人感到目眩神移。他雖然以擁有療癒力量和精通音樂著稱，但被稱為銀弓之王的他，也因為箭端塗有瘟疫而讓人恐懼。

被波斯人視為宇宙動能、至善至真的光，也是阿波羅至高無上的特質，但這個古希臘神卻也有他的暗黑之處。他的孿生姊妹阿蒂米絲（Artemis）同樣能以弓箭致人於死，兩個人都對他人的羞辱特別敏感。當某個國王的女兒尼俄伯（Niobe）誇稱自己比阿波羅和阿蒂米絲的母親勒托（Leto）生育更多子嗣時，兩個神祇便施以恐怖的復仇行動。黃金箭雨狂烈地落在尼俄伯的兒女身上，整整七天七夜，浸滿鮮血的屍體被棄置在母親的殿堂之上，無法安葬。因為不斷哭泣而形銷骨立的公主，自己將這些屍體帶到山邊，「在那裡，即使已經被化作石頭，尼俄伯仍然苦思著，神為何要讓她如此悲痛欲絕。」[17]

凡人要如何避免激怒這些反覆無常、又特別在意個人地位的眾神？不出言汙辱神的母親是不夠的，還有必要的祭品和同等重要的尊崇。在白堊石建成的祭壇前宰殺的牲物，在參雜著香料燃燒的篝火中油光閃閃發亮的骨頭，就是給神的獻祭。即使牲品也無法保證神的施恩，但沒有獻祭，卻一定會惹怒眾神，而且會陷所有人於險境當中。無怪乎這樣的獻祭最能團結整個社群，男人和女人、男孩和女孩、自由人與奴隸，每個人都有自己的份內工作。節慶活動因為歷久不衰和神祕難解而有了神聖的性質。有些祭壇完全由血建成，其他祭壇即使已經崩毀，也不會引來蒼蠅群聚。

神的反覆無常在各個地方都各有不同展現。在位於希臘南方帕特雷城的阿蒂米絲神廟裡，她要求大量屠殺的祭物，包括鳥、野豬與熊；在雅典東邊的布勞隆城，祭物則是因生產而死的婦女身穿的袍子；在斯巴達，卻又是被綁在絲帶上的年輕人的血。因為有那麼多不同的獻祭方式和那麼多必須崇拜的神，人們自然害怕會有忽略遺漏之處。曾經有一位市民在整理雅典傳統時，驚訝地發現一長串被人遺忘的祭品清單，而如果要重建這份清單，所需的龐大費用會讓整個城市破產。

但殘酷的事實是：隨著時間消逝，眾神已經逐漸遠離凡人，黃金年代也變成了黑鐵年代。在遙遠的過去，即使是從奧林帕斯山巔統御宇宙的宙斯，也樂於加入凡人的飲宴，只是他越來越常以偽裝的形象降臨凡間，不是為了參加盛宴，卻是為了姦淫女子。不論是扮作黃金雨、白色公牛，或甚至是拍打著雙翅的天鵝，他侵犯了無數的凡間女子，並且生下一整族的神話英雄人物。他們擁有舉世無雙的神力，肅清藏身在山林之間的怪獸，遠遊至世界盡頭，並且建立了「最高貴、最正直的」[18]族裔。這些英雄的最終命運一旦降臨，也都能符合他們至高無上的地位，他們會死在最重要、最可怕的戰事當中。亞洲最偉大的城市特洛伊（Troy）在經過十年戰爭⑥之後成為一堆冒著荒煙的廢墟，即使是那些勝利者，多數不是遭遇船難，就是被謀殺，或者為深沉的悲痛所苦。「沒有人比你更具毀滅性」[19]確實是對宙斯恰當的描述。

特洛伊城的命運一直困擾著古希臘人，連薛西斯一世到了達達尼爾海峽也要求參觀古城所在之處。以那些在塵土飛揚的特洛伊平原上作戰的戰士們的記憶，書寫而成的珍貴史詩《伊里亞德》（*Illiad*），也是最受古希臘人歡迎，讓他們得以一窺神的作為和人神關係的作品。而其身世引發無數爭論的作者荷馬（Homer），本身就具有某種非凡的特質。有些人甚至主張荷馬的父親就是一條河，母親則是一個森林精靈。即使是那些認為他出身凡俗的人，也對他的成就肅然起敬，稱譽他為「最好的、最似神的詩人」[20]。

過去尚未出現過像《伊里亞德》一樣描寫傳神、光彩耀眼的詩作，詩句中處處皆是靈光閃現。在詩作中，沒有任何一個女人是平凡無奇而不被描寫為如天后一般的美麗，沒有任何一個男人會被輕輕帶過而不被刻畫為全副武裝、神勇無比。王后穿戴華麗炫目的華袍，戰士穿戴上「比焰火更加明亮」[21]、光彩奪目的盔甲準備上戰場。美麗在每個地方顯現，但也總是暗示著暴力。

在《伊里亞德》中，要成為一個完整的男人就是要像金色火焰一樣的閃閃發亮，擁有如神一般的力量與勇氣，因為人們認為完美身形和道德優越是堅不可摧的。在特洛伊的戰場上，只有那些微不足道的人才是醜陋的。這些人偶爾可以被嘲弄、打擊，但他們

⑥譯註：這裡指的是「特洛伊戰爭」，古希臘傳奇詩人荷馬所作史詩《伊里亞德》的主要內容，描述麥錫尼文明（1600-1100BC）時期，希臘半島民族攻打小亞細亞（今土耳其）地區名城特洛城的故事。歷代歷史學與考古學，雖不能完全證實，但多半承認戰爭存在之真實性，近代考古科學發現，更加證實。

絕對不會是英雄的可敬對手，而量測偉大的最有效標準，就是能夠在被稱為「*agon*」的競賽中出場。在這場特洛伊人和古希臘人的爭戰之中，眾神有時候會親臨戰場，不只是為了視察行伍中穿戴閃亮盾牌和盔甲、前進殺戮的人們，而是與他們所偏好的一方並肩而戰。每當他們下凡時，總會「像緊張的鴿子一般」[22]因為充滿期待而興奮顫抖，這也是為什麼當這些神坐在他們自己的黃金殿堂時，會懷怨而毫不猶豫地犧牲整個城市和族裔。當天后希拉因為滿懷恨意，而要求宙斯放棄他最喜愛的特洛伊城時，他提出異議，而她則拒絕離開戰場：

> 我最鍾愛的三個城市，
> 是阿哥斯、斯巴達，和邁錫尼，
> 有著和特洛伊城一樣的寬廣街道。
> 只要他們讓你心生怨恨，
> 就將他們夷為平地。[23]

真正重要的是勝利本身，而非必須付出的代價。所有人都熱烈分享這種成為最強者的精神和無可妥協的承諾。在荷馬的史詩作品中，「*euchomai*」這個字眼既表示祝禱，也意謂誇耀。無論是舞者、詩人，或者紡織者之間的競賽活動，眾神總是會對競逐的雙方有所偏愛，也少有哪一座神殿不是作為某種競賽的場合。從運動競賽到選美角逐，都有各自的守護神。亞里斯多芬尼斯寫作《阿卡奈人》就是為了參加戲劇比賽，而勒納節的舉行，則是為了敬拜喜愛醉酒狂歡和女性友伴的酒神戴奧尼索斯，因此他作為亞里斯多芬尼斯喜劇作品的守護神，再適合不過。

那些敢在特洛伊的平原上與眾神對戰的國王和王子們，已經不是雅典城的統治者。離亞里斯多芬尼斯的時代不到一個世紀前，革命就已帶來一種全新型態的政體，將權力交付一般公民的體制已經是這座城市裡的正統。在這樣的民主體制中，與同儕競逐的權力已經不再是僅屬於貴族的特權。如果我們從一個比較強調平等主義時代的角度來看，眾神與英雄的道德觀就可能會顯得有些可笑。亞里斯多芬尼斯本身就是一個好鬥的人，自然會毫不猶豫地將他們描繪成傻瓜、懦夫或騙子。在他的某一部喜劇作品中，他甚至讓假扮成僕人的戴奧尼索斯在被酷刑威脅的時候，害怕地拉出屎來，接著再被鞭打。這部作品和《阿卡奈人》一樣，都獲得喜劇競賽首獎。

即便如此，在古老詩歌和並非英雄的普通人所擁有的價值觀之間的緊張關係，從來就不只是一個被拿來取笑的素材。「難道天界沒有為凡人定下規矩，讓我們可以走一條取悅眾神的路嗎？」[24]罹病的、失去親人的、受壓迫的人們都會問的這個問題，並沒有現成可用的答案。眾神不僅難以捉摸、反覆無常，更難得屈尊來說明自己的決定，他們也絕對不曾想過要管理凡人。德爾菲的神諭會給建議，但不提供道德指引：「神不以命令治理。」[25]凡人為自己訂下的規範來自傳統，而非天啟；世間律法依據的是社會成俗，也因此兩者難以清楚劃分。但隨著民主體制的誕生，這樣的前提也受到挑戰。因為訂定法律的權力是人民擁有權力的基礎。「每個人都會同意，法律是關乎城市之繁榮、民主、自由的最重要因素。」[26]只有在公民大會中，讓地位平等的公民能夠聚會、商討、投票，才符合雅典民主體制的正當性，否則自由還有什麼價值可言？

儘管如此，雅典市民還是不免會感到焦慮，因為讓自己服從凡人所擬定的法律治理，就會讓獨裁體制有機可趁：有什麼方法可以阻止一個野心勃勃的公民，設計出旨在推翻民主體制的立法？因此，不令人意外的是，最能讓雅典人放心遵守的法律，就是源自於他們故鄉的既有條文，就如同那些在雅典城郊處緊緊抓著石頭的橄欖樹一樣。這就是為什麼為了讓立法有一種讓人安心的歲月感，而將立法的根源歸於來自這個城市遙遠過往的智者，成了一種習慣性的思考。很多人似乎相信無始無終的事物更加尊貴，因此，也就相信超然的律法沒有真正的源頭。

大約在《阿卡奈人》演出前四、五年間，另一齣在戴奧尼索斯劇場演出的劇作，強而有力地表達了這樣的信念。⑦劇作家索弗克里斯（Sophocles）和亞里斯多芬尼斯不一樣，並非喜劇作家，在他的作品《伊底帕斯王》中沒有笑話。索弗克里斯是得獎的悲劇大師，而悲劇是以古老的眾神與英雄傳說故事為題材，轉化為戲劇作品，經常讓人困惑不安，但絕不搞笑。伊底帕斯王身敗名裂的故事，在此之前已被多次改編為戲劇作品，但從未像在索弗克里斯的版本中，有那麼淒慘悲涼的戲劇效果。在位於雅典城西北方，為雅典人深惡痛絕的底比斯城，身為國王的伊底帕斯，殺害自己的父親，並與母親成婚。雖然他是因為自小就被送走，由養父母扶養長大，而在不知情的狀態下犯下這些罪行，但這也無法減輕他的罪咎。他所犯的罪行，是對永恆神聖律法的違逆：「清陽天所創生，唯有奧林帕斯稱始祖，凡人一族無血緣，遺忘無法催入眠。」[27]

這些律法和那些凡間所創制的法律不同，沒有被書寫下來，也正因為沒有確切的

⑦這是假設《伊底帕斯王》劇中蹂躪底比斯城的瘟疫，指涉的是雅典城在西元前四三〇年經歷的大瘟疫，但關於這部劇作的寫作時間，其實沒有任何確切資料可循。

作者，而更凸顯其神聖性。「那一套律法不是昨天生、今天死，而是天長地久、無始無終。」[28]如果這些律法沒有被書寫下來，那要如何確認它的存在、如何確定它與凡間法律有所區分，卻不是一般公民會在乎的事。因為多數古希臘人原本就很能同時接受互不相容的觀點，因此不太會對因此而生的緊張拉扯感到困擾。但有些人還是會，而索弗克里斯就是其中之一。《伊底帕斯王》不是他唯一一部以悲劇英雄所犯罪行而給底比斯城帶來厄運為題的作品。在早一點的作品《安蒂岡妮》中，他已經描繪出伊底帕斯家族最終的殞落。

《安蒂岡妮》以內戰結束後的餘波開場，伊底帕斯的兩個兒子為爭奪王國繼承權而對戰，卻雙雙戰死、陳屍在底比斯城牆底下。繼承王位的舅舅克里翁下令，兩人之中只有埃托克利斯可以獲得安葬，另一個兒子波呂尼斯則必須為挑起戰事負責，因此要被曝屍荒野，任由鳥獸啃食以為懲罰。這位新王甚至下令，即使只是對叛國者表達哀思，都會被處死。只是，即使這道詔令有其法律效力，卻無法讓每個人都能接受其為合法。伊底帕斯的女兒安蒂岡妮膽敢與舅父作對，在波呂尼斯的屍身上灑土，給他一個象徵性的安葬。當她被帶到克里翁面前時，安蒂岡妮對他的詔令嗤之以鼻：「我也不認為你的法令效力非凡，可以超越天神的不成文法。」[29]安蒂岡妮在她被判刑關押的墓室中上吊身亡，而原本與她已有婚約的克里翁的兒子和克里翁的王后，之後也都相繼自殺身亡。全面性的毀滅。親眼見證悲劇的合唱隊得出一個似是而非的教訓：「幸福之道在明理，對神明一心存敬不含糊。」──30⑧

有鑒於伊底帕斯家族的殞落，這個得到神諭認可的結論，似乎很難解釋神諭令人驚駭的本質。即便如此，在舞台清空、觀眾起身離開劇場之後，也不太可能有太多人會對他們對神的信念核心中那顯而易見的矛盾，提出質疑。對大多數雅典人來說，眾神既是反覆無常，也同時是意志堅定；既無道德觀念，卻同時嚴守禮教；肆意而行，但公正不阿。雖然如此，人們不會因此感到困擾。在離開戴奧尼索斯劇場時，他們抬頭會看到山頂上那森然成列的紀念碑，城市以她為名的雅典娜的偉大神廟就在其中。沒有任何一位神的存在，可以更清楚說明多數古希臘人對神的理解有多少自相矛盾之處。

走進帕德農神殿，注視著由黃金和象牙塑成的巨大雅典娜神像，雄偉壯觀、專橫傲慢、崇高無比，就如同看著將鏡子交給古希臘人，讓他們從鏡中看見自己的神。她和古希臘人一樣，也以智慧和變化莫測的脾氣著稱，和她所守護的城市一樣，她也同時是手

⑧譯註：本文中《伊底帕斯王》與《安蒂岡妮》引文翻譯，引自呂健忠譯注《伊底帕斯》三部曲，《索福克里斯全集I》，台北市：書林出版，二〇〇九年。

工藝和「戰爭喧囂」[31]的守護女神。在她的神廟下方的劇場裡，雖然雅典人滿足於每年都能看到神明的故事不斷被重新演繹，被劇場演出逗笑或感動落淚，但多數人不會因此而受到刺激，想要去解決他們對神的矛盾觀感。多數人不想自尋煩惱，也當然不會停下來反思他們的信仰或許有些自相矛盾。

大多數人，但也並非全部。

愛智者

在亞里斯多芬尼斯以《阿卡奈人》一作嘲弄波斯國王的自命不凡之後一百多年，雅典各處出現大批的青銅雕像。到了西元前三〇七年，已經有超過三百座雕像散置各地。這些塑像的主題都是同一個人物——或者是騎在馬上，或者完整搭配戰馬車。法勒魯姆的德米特里（Demetrius of Phaleron）⑨出生於雅典舊港區的典型勞工階級家庭，如果依照他的敵人的說法，他甚至曾經是個奴隸。⑩

即使出身卑微，他在三十歲出頭就已經擁有統治這個城市的權威，自民主體制誕生以來從沒有人有過的、也無法挑戰的權威。德米特里從年輕時就擁有長長睫毛，以及很容易讓雅典政治人物認為是軟弱的美貌，但他從一開始就毫不猶豫地善用這個優勢。即使反覆將頭髮染成金色、自在地塗抹睫毛膏，他還是一再證明自己可以有效統治雅典，並且是個有效率的立法者。他也不只是個政治家，也得到這個城市的智慧精髓，而被養成為一個愛智者（philosophos）。

「philosophos」這個字彙的字面意思就是「愛智者」。雖然這個專業是在此前幾十年才得到認可，但哲學的緣起卻很早。在長達兩個世紀以上的時間裡，雖然多數雅典人都很滿足於透過荷馬瞭解眾神，並且相信地方傳統和依據習俗所應付出的祭品，但也有人並非如此。對這些思想家來說，理應規範正當言行的永恆律法，卻被《伊里亞德》裡的眾神隨時忽視，這之間的矛盾讓人難以接受。哲學家色諾芬尼（Xenophanes）就曾抱怨說：荷馬和他同時代的詩人們「將所有在人世間被視為丟臉的、應該被譴責的事——偷竊，通姦，欺瞞——都歸諸於眾神」[32]。他甚至嘲笑說，如果牛會畫畫的話，牠們也會將眾神描繪成公牛和母牛的模樣。

⑨譯註：古希臘演說家、政治家、哲學家、作家，出身貧寒，但以演說才華展露頭角，曾受馬其頓國王任命為雅典僭主，統治雅典，但之後遭政敵驅趕出境，流亡至亞歷山卓（Alexandria），致力創作。

⑩平心而論，這只是「一則為了報復的八卦胡扯」（Fortenbaugh and Schutrumpf, p.315）。

這種讓人耳目一新的懷疑論，不久之後會讓一部分的思想家偏向無神論，但大體來說，卻未能發展為無神論的唯物主義思想。恰恰相反。如果哲學家們不屑信任詩歌中那些好鬥、荒唐的眾神，那是因為他們寧可思考宇宙和自身有何真正神聖之處，思考萬事萬物如何構成，也同時思考人類應該如何端正言行，「因為人類世界的所有律法，都源自單一的神聖法則。」[33]

在濕黏的祭壇邊嗡嗡作響的蒼蠅群中，在蔭涼的神廟裡或笑或顰的神像上，在各式各樣、多變不定的人類習俗當中，還是存在著某種統合萬事萬物的普遍模式。這種模式是永恆而完美的，只等著被辨識確認。它並不存在於詩人的謊言，而只存於宇宙的運行。這個理念在雅典得到最豐富的探索。早在德米特里出生之前，大約西元前三五〇年左右，雅典城中最受尊敬的哲學家們都已經接受這個看法：星辰運行看似沒有規律，但事實上依循著不變的幾何原則。宇宙本身是理性的，因此也就是神聖的。一個半世紀之前，色諾芬尼就已經主張有一個不生不滅、完美無上的神祇存在，以其意識的力量，也就是祂的「理性」（nous）引導萬事萬物的運作。當時還只是個年輕學者的德米特里，就可以從星辰的運行中看出端倪，足以證明更隱晦不明但同樣冷漠的神聖理念的存在。

來自希臘北方的哲學家亞里斯多德寫道：「有一種自身不動，卻能推動萬物的力量，永恆存在。」[34]亞里斯多德到了雅典之後，就建立了影響深遠的學園，在他於西元前三二二年死去以後，仍然蓬勃發展。亞里斯多德曾經教導學生：在凡人困居其中的地球之上的天空裡，天體在不變的圓形軌道上永恆運行不止。然而，這些運行雖然完美無瑕，仍然必須依靠自身永不移動的推動者。「這就是神，就是天界與自然賴以存在的原則。」[35]

對不曾受過哲學思考訓練的人來說，這樣的神（deity）可能太過形而上，卻也是所有凡人敬愛的對象。這樣的敬愛似乎難以得到回報，而亞里斯多德也不屑以為會有這種可能。地上的世界沒有與星辰運行一樣的規律可言，距離又遙遠，更難以期待能得到那不動的推動者的關注。即便如此，地球和天空都是祂的支配理性的見證。就某個程度來說，亞里斯多德是前所未見的哲學家，企圖透過解析任何他可以處理的事物以揣度這個神祕力量的運作。有時候，他會真的動手，例如解剖烏賊，或檢視大象的胃部，因為即使在動物屍體內濕滑溜溜的腸子裡，也可以找到宇宙結構永恆不變的證明。

亞里斯多德教學生：所謂的愛智，就是鍛鍊心智，使其具備追索宇宙定律的能力。這也就是為什麼他並不滿足於盡其可能研究更多物種，也同時探討人性自我成就的各種不同方式，因為「人類是唯一知道如何省思的動物」[36]。對亞里斯多德而言，目標永遠都不只是分類編目，而是辨識出宇宙秩序的形貌。這個目標的必要性不言自明，只有放諸四海皆準、等同於神聖理性的普世原則，才能適當有效地治理城市：「被仍帶有野性的人類——他們的情感無論如何正直，總是會扭曲他們——治理，就如同被野獸統治一般。」[37]

對任何急於依據這個理念而行的哲學家來說，其中仍藏有一個常見的難題：如果世間之事顯然無法模擬天體流暢而規律的運行，一個城市又如何能夠秩序井然？自然會有些基本的道理是所有人都可以接受，也不需要像亞里斯多德這樣一個解剖學家的才智才能觀察到一些最顯而易見的道理，認為人類社會應該遵循自然規律。「據傳，他曾經說過有三件事要感謝命運之神：『第一，我是人而非動物；第二，我是男人而非女人；第三，我是希臘人而非野蠻人。』」[38]這件軼聞被不斷傳說，頻繁到讓好幾個哲學家被認為是說出這句話的人，但亞里斯多德也絕對不會反對這個說法。因為他相信在他研究分類的四百九十四種物種當中，人類要比其他物種都更優越，男人是女人的主宰，外邦的野蠻人天生就適合當古希臘人的奴隸，那他自然會做出合乎邏輯、也確實是唯一可能的結論：「有人理當治理，有人理當被治；這不僅是必要的，也是不得不為的。」[39]

亞里斯多德死後不到十年，統治雅典的是一位哲學家。德米特里依循他老師的思路，對一般大眾沒有什麼耐心。亞里斯多德念茲在茲的是，只有那些有閒有錢、能夠接受教育瞭解萬事本質的人，才有資格治理城邦，並且對那些習慣坐在船艙而非哲學沙龍的水手們有可能影響公共事務的想法嗤之以鼻，「這些烏合之眾永遠都不能被視為公民。」[40]德米特里雖然出身港區，卻熱切地遵循這些想法。在他統治期間，窮人被剝奪參政權，而財產被指定為投票權的必要條件，市民大會被廢止，法律被改寫，預算被削減，政府機構不再受因群眾衝動行事而生的混亂所影響，而被導向全新的常規體制。德米特里在完成改革工作之後，將注意力轉向妓女和年輕男孩，不然他還能做些什麼？哲學家為雅典制定新的憲法，並非庸人自擾。這部憲法的設計，就如同環繞著地球精準而流暢地運轉的星辰一般，也遵循支配宇宙的普世法則。

這樣的思考確實會讓哲學家們滿意，但對於沒有時間作抽象思考的普羅大眾來說，可能並非如此。對後者來說，被亞里斯多德尊為宇宙中心的神，既不在乎人類，也和過去的形象一樣冷漠無趣。心中仍在迴響著《伊里亞德》詩句的人們，在仰望天空時，仍然渴望迷人的魔力。在雅典城牆以外的廣大世界裡，確實有人完成了如神諭一般的偉大成就。西元前三三四年，來自接壤希臘北方邊境的馬其頓，曾經也是亞里斯多德學生的亞歷山大大帝（Alexander The Great）帶領大軍穿越達達尼爾海峽。在他於十一年後崩逝之前，他已經壓熄了波斯王朝的氣焰，征服了幅員遠達印度河岸的整個帝國。大流士在一個半世紀之前發下的豪語成為虛言，他的帝國統治終究並非永恆。

亞歷山大大帝崩逝之後，帝國諸省被這群掠奪成性的馬其頓將軍們割據，他們的野心勃勃躁動，而這些人也根本不在乎智慧之主，「強者肆意而行，而弱者只能忍氣吞聲。」[41]哲學家們所發現、在一個世紀之前由一位雅典人建立的宇宙運行法則，遭到毫不留情的嘲弄。而德米特里在他的內心深處也不能不承認這個事實。他的政權最終依賴的不是同胞的認可，而是來自國外的武力。雅典真正的統治者不是德米特里，而是支持他的馬其頓貴族卡桑德（Cassander），後者在亞歷山大大帝崩逝之後，掌握了馬其頓和希臘的治理。哲學家們其實和女人或奴隸一樣，都需要依賴他人，如果卡桑德的地位不保，連帶受害的就會是德米特里。

而這也就是之後確實發生的狀況。西元前三〇七年春天，雅典海域出現了一支數量龐大的艦隊，另一個馬其頓軍閥試圖征服古希臘。德米特里不僅沒有起而奮戰，反而立刻逃到底比斯城。雅典人們在狂喜中大肆慶祝，推倒並燒毀他的塑像，熔化重製成便壺。

即使如此，他們還是未能真正獲得自由。德米特里只是被另一個來自馬其頓的德米特里所取代，但不同於雅典的前任統治者，這第二個德米特里至少是一位真正的英雄。年輕、瀟灑、貌美的他，顯而易見地有亞歷山大大帝的影子，在征服雅典之後，依然蠢蠢欲動而無法久待，立刻踏上征途，經歷多場史詩規模的戰役，為自己贏得了「圍城者」

的威名。

德米特里會比卡桑德活得更久，並且殺死他的兒子而成為馬其頓國王。西元前二九五年回到雅典之後，「圍城者」將百姓聚集在戴奧尼索斯劇場，自己則像戲劇中的英雄或神祇角色一樣站上舞台。五年之後，當他再一次造訪雅典，他所宣稱擁有的神性得到更誇飾炫耀的展現：身上的斗篷上繡著星辰，代表他是太陽的化身，穿戴著巨大陽具道具的舞者將他視為戴奧尼索斯盛大迎接，合唱隊吟詠歌曲，稱他為神和救世主：「因為其他的神離我們太過遙遠，沒有耳朵，不存在，不顧我們，但我們可以看見你就在眼前，你並非由石頭或木頭造成，你是真實的。」[42]

只是，失望很快就隨之而來：一場異常的霜降毀壞了雅典的收成，一座為紀念德米特里而起造的神廟毒草叢生，而「圍城者」本人不僅被迫退位，也在西元前二八三年死於敵對軍閥的監禁。即便如此，古希臘人對「*parousia*」（聖者再臨）——神祇重新現身——的熱切期望並未消退。在特洛伊戰場上現身的眾神已經消失太久，讓許多人無法抗拒德米特里那樣的君主，把他當作充滿吸引力的替代品。面對亞歷山大大帝征服世界的壯舉，雅典人不是唯一會自我感覺渺小的族群。他之後世世代代的將軍們所統治的都城，其規模之龐大與文化之多元，都會讓雅典顯得微不足道。這其中最大的一座，是由亞歷山大在埃及海岸邊建立，並且以他習慣性的謙遜姿態所命名的亞歷山卓（Alexandria），被有意識地形塑成古希臘文明的全新中心。

法勒魯姆的德米特里一面舔舐著自己的傷口，一面四顧尋找其他機會。他適時地去了亞歷山卓。到了那裡，在一個自任法老的馬其頓將軍資助之下，他建立了一個將會存在好幾個世紀、全世界最龐大的知識寶庫。且先不論其研究資源之廣泛與龐大，亞歷山大圖書館絕不僅是亞里斯多德哲學理念的實體見證。除了這座規模無與倫比的圖書館，和讓養尊處優的學者可以悠游其中、將當代知識分門別類的迴廊與花園以外，城市本身並不是那些清冷而完美的繁星的縮影，而是地上塵世豐富多元的見證。

亞歷山卓建城所在，原來只有海沙和翩翩海鳥，因此地基淺薄。這個城市的神和公民一樣，都是來自外地的移民。阿波羅和雅典娜的神像，與那些有著鱷魚頭或山羊頭的古怪神像並列矗立在城市街頭。不久之後，專屬於亞歷山卓的神也將出現，其中一位神祇同時擁有宙斯的華麗髮鬚和埃及地獄判官歐西里斯神的回聲，很快就成為這個大都會的門面。塞拉皮斯神（Serapis）[11]的巨大神廟塞拉比尤姆（Serapeum）是亞歷山卓城內最大的神廟，它也提供了統治城市的王朝一個可以熱切宣稱屬於他們自己的守護神。而那些十分清楚自己的贊助來自何處的哲學家們自然也樂於配合。原本眼盲的法勒魯姆的德米特里在神奇復原之後，寫了一首感謝塞拉皮斯神的讚美詩，詩中完全沒有提到宇宙中心那個自身永不移動的推動者。即使是亞里斯多德的學生，有時候也比較喜歡有個人色彩的神。

不僅如此，他甚至會懷疑自己作為一個哲學家的價值，因為「引導凡人事物的並非智慧，而是命運之神」[43]。他的老師在雅典提出這個看法的時候，在同儕之中引起很大非議，但德米特里本人在經歷了起伏波折的一生之後，也接受了命運的力量。古希臘人稱為蒂克（Tyche）的命運女神，顯現為最可怕、最有力的神。德米特里寫道：「她對我們生命的影響，難以估算；就如同她的力量的展現，難以預測。」[44]在一個見證偉大帝國解體，見過無數國王雖然出身寒微，但最終能與眾神並駕齊驅的時代裡，無怪乎她會被敬拜為主宰萬物的女神。即便哲學家們繼續尋找支配宇宙的模式，對蒂克可能如何作為的恐懼，仍然會對他們的努力投下一道陰影。

世間的萬事萬物並非永恆不變，德米特里思索著波斯帝國的殞落，也預言馬其頓人

---

⑪ 譯註：塞拉皮斯神（Serapis）是希臘化時代的埃及神明，由當時統治埃及的托勒密王朝君主，以埃及古代信仰神明為本，融合其他信仰中的神明特質而成，為托勒密王朝官方崇拜。

終會輪到被擊倒的時候。當然，這也成真了。新的民族崛起，掌握世界。西元前一六七年，身為「圍城者」直系後裔的馬其頓國王，被五花大綁拖過已經被野蠻力量摧毀的都城街頭。各地方的著名城市被付之一炬，被俘虜的百姓送到拍賣場，特洛伊人曾經經歷的命運，落在無數的古希臘人頭上。即使如此，那些在特洛伊戰場上任由殺人衝動肆意而行的眾神，似乎也無力解釋這種讓人瞠目結舌的巨大變化。「在義大利和非洲發生的事，與在亞洲和希臘發生的事，交織在一起，走向單一的結局。」[45]真的只有像命運女神蒂克這樣偉大的神明，可以說明清楚羅馬共和如何崛起，成為舉世的帝國嗎？

然而，即使是蒂克都可以被馴服。西元前六十七年，當代最著名的古羅馬將軍抵達愛琴海的羅德島。偉大的龐貝將軍（Pompey the Great）如他的稱號所示，自命不凡，從不認為名副其實會有什麼困難。他從年輕時候開始就已經習慣被當成偶像崇拜，總是樂於以精心策劃的公關噱頭提升自己的名聲。所以他在開始對地中海海盜進行掃蕩之前，便順道拜訪了當時世界最著名的哲學家波希多尼（Posidonius）。

波希多尼和他的訪客一樣都有國際知名度，本身是一個知名的運動員，曾經和野蠻的獵頭族共餐，也量測過月亮大小。然而他在古羅馬的上流圈子裡，是以一項特別的成就知名：將古羅馬城的征服事蹟與宇宙秩序相提並論。在大流士對他統治的帝國提出類似看法的五百年後，波希多尼也讓他的古羅馬支持者相信，他們的勝利並非出於偶然。命運女神蒂克並不是一時興起，才會讓他們的軍團不斷獲勝，將自地中海地區擄獲的奴隸賜予他們，並且帶給他們比貪得無厭的國王所能擁有更多的財富。相反地，就如同波希多尼的學生之一，古羅馬偉大的演說家西賽羅（Cicero）所形容，她之所以如此做，是基於「涵蘊於自然之中的最偉大理由」[46]——古羅馬因為遵循自然法則而能成為超級強權。

這段文字並非源自於波希多尼。就和許多知名哲學家一樣，他也在雅典學習，而他的思想也帶著他所在學園的印記。學園的創立者芝諾（Zeno）是在西元前三一二年從塞浦路斯來到雅典，法勒魯姆的德米特里當時還在位。因為他習慣在有畫飾的、古希臘人稱之為「*stoa*」的列柱之間授課，他和他的學生們就被稱為「斯多葛學派」（Stoics）⑫。他們就和亞里斯多德一樣，苦苦掙扎於一個由數學定律所決定的完美天界秩序，和由偶然因素所決定的凡間領域之間的緊張關係。他們解決的方法既極端又簡單明白：拒絕承認有

⑫譯註：斯多葛學派是古希臘哲學思想，以道德思考的倫理學為基礎，主張人與自然、神為一體的一元論，個人小我依照自然而生活，與大自然融合。

這樣的緊張關係存在。

斯多葛學派認為，自然本身就是神聖的，神就是賦予宇宙生命的理性精神——邏各斯（*logos*）。「神與物質混合，滲透、形塑、進而使其存在於世界之中。」[47]因此，依自然而生，就是依神的精神而生。無論是男人或女人、古希臘人或野蠻人、自由民或奴隸，所有人都同樣擁有分辨善惡的能力。斯多葛學派認為每個凡人心中都有神聖的靈光，也就是良知（*syneidesis*）。「在地球上行走的所有生物當中，我們是唯一與神相似的物種。」[48]

然而，自然法則不是只顯現於人類都有的良知。如果整個宇宙的組織都是神聖的，結論就是萬事萬物會因此而趨於至善。對沒有這種體悟的人來說，命運女神蒂克的所作所為，就會像是沒有任何動機的肆意而行。但斯多葛學派將宇宙視為一個有機體，所有曾經發生過的事都可以被理解為構成一張無窮無盡、往未來無限延展的網絡，因此她的所有作為都不會是沒有道理的。西賽羅寫道：「如果有一個凡人能夠辨識出將各種因緣連結起來的關聯性，他就永遠不會被欺瞞。因為能夠掌握未來事件發生原因的人，就能夠掌握未來可能發生的事。」[49]他對波希多尼高度推崇，甚至曾經請求後者寫一篇文章論述自己作為政治家的豐功偉業。斯多葛學派對古羅馬政治人物的吸引力不難理解。他們戰功彪炳，統治世界，擁有巨大財富，還有從其他地區掠奪而來，成群送到義大利的奴隸，官銜、身分、聲名，所有這一切都註定為他們所擁有。

或許這一點也不令人驚訝。古羅馬領袖們應該也認為帝國既是天命所定，更是普世認可。擁有全世界規模的影響力，助長了同等巨大的自負，而這並非人類歷史首見。但龐貝將軍並不認為自己是真理與光明的代言人，將世界視為善惡相抗的戰場的概念，對他來說更是陌生的。鋼鐵般的勇氣、嚴格的紀律，與身心靈的掌握，才是讓古羅馬人贏得統治世界權力的特質。古希臘哲學家們只是更加美化了這樣的自我形象。

「永遠要英勇奮戰，超越他人。」[50]這是波希多尼在龐貝上路之前送給他的訓誡，但這並非波希多尼的獨創，而是來自《伊里亞德》。就如同在特洛伊戰場上，在古羅馬人打造的新世界秩序裡，只有讓其他人相形見絀，才能成就一個真正的男人。當龐貝帶領著他的戰艦船隊出航時，應該會同時滿意地想著：自己的野心如何完美地與仁慈的天命合而為一。萬事萬物都將趨於至善，整個世界等著被賦予秩序，而未來將屬於強者。

第2章

聖城

西元63年，耶路撒冷

石材劇烈震動，整座塔台崩毀，一整列的要塞中間留下一道缺口，塵埃落定之後，古羅馬軍團從缺口蜂擁而入。急於為自己爭取戰功的軍官們領著手下人馬越過成堆瓦礫，爬過裂縫處。古羅馬軍團的老鷹軍旗在激烈的戰場上飛舞擺動。守城者的頑強勇氣，終究無法阻擋龐貝將軍的部隊持著破城槌的進逼，也清楚自己註定滅亡。很多人寧願將自己的房舍燒毀，也不願留下來讓征服者洗劫，其他人則從城牆跳下自盡。

屠城終於告一段洛之後，大約有一千兩百具屍體被棄置在城裡各處。「羅馬人的傷亡卻非常輕微」[1]，因為龐貝將軍的效率極高。四年前，他和波希多尼初見，而在之後的時間裡，他已經將地中海的海盜掃蕩一空，讓一個又一個近東地區的統治者自嘆不如，並將他們的王國納入古羅馬統治。經過了三個月的圍城，他又在驚人的戰功清單中加上一筆。耶路撒冷現在為他所有。

這座城市與海岸距離遙遠，並且遠離主要的貿易路線，從各方面來看都是一個死氣沉沉的地方。以這裡為首都的猶太王國，最多只能說是一個二流王權。對橫行於地中海沿岸大半疆域的龐貝將軍來說，這個地方不免缺少些光彩。儘管如此，耶路撒冷並非毫無用處。征服者本人對巨大的建築像行家一樣著迷，並且認為他所征服的民族的古怪習性有利於他的聲望，因此對異國風情特別有興致。即使猶太人的長相和衣著與其他民族類似，但確實也以其古怪著稱。他們不吃豬肉，給小男生行割禮，每七天會休息一天並稱之為安息日。其中最奇特的是，他們除了自己承認的唯一上帝之外，對其他所有神明都絕不尊崇。這位嚴格的上帝所要求的崇拜，那種排他性很可能會被古希臘人或古羅馬人視為古怪。全世界只有一個被其多數信徒認可的聖壇可以合法存在。位在耶路撒冷東側摩利亞山（摩黎雅山）[①]上的猶太聖殿，幾個世紀以來都掌控著這個城市的天際。因此，一旦圍城結束，龐貝將軍自然瞭解一定要親自造訪。

事實上，當他領著大軍來到將聖殿包圍起來的牆邊，他的注意力就一直盯在聖殿上。即使耶路撒冷城裡的其他人都已經投降，聖殿的守護者們還是堅決抵抗，而它所在的山岩上則堆滿了屍體和黏稠的血跡。龐貝非常清楚，因為猶太人堅持自己的古怪信仰，拒絕在安息日作戰，讓他的軍事工程師建構攻城工事的任務變得簡單許多。現在，既然聖殿已經安全無虞，龐貝便懷著尊崇和好奇的情緒，逐漸接近入口走道。

猶太人為自己的上帝取了一個野蠻的名字，並且認為祂訂下讓人困惑的訓令，但這不表示祂因此而比較不值得尊崇。對熟知信仰事務的博學者來說，「猶太人敬拜至高無上

①譯註：摩利亞山（Moriah, Mount）：又稱聖殿山，位於耶路撒冷舊城的猶太教聖地，猶太耶路撒冷聖殿所在。

的上帝，被視同為眾神之王」[2]是理所當然的，就如同古羅馬人之敬拜朱彼特，也就是古希臘人稱之為宙斯的眾神之王。這種將某一個地方所信仰的神等同於另一個地方的神的做法，有其悠久的歷史。千年以來，各地的外交使節都必須賴此以確保國際通行法律的觀念之可行。畢竟，如果不是召喚彼此都認可的神以作為結盟的可靠見證，如何能確保兩國願意訂下盟約？在不同的城市裡，可能舉行不同的祭典，但龐貝和他之前的征服者一樣，都不懷疑對神的信仰會使不同民族更加團結，而非更趨於分裂。因此，他有什麼道理不去造訪猶太聖殿？

「他以勝利者的身分，宣稱有權力進入。」[3]猶太人出於對聖殿之神聖性的吝惜，禁止外人進入的做法，卻不會讓耶路撒冷的征服者感到困擾。他的手下在強攻聖殿之時就已經闖入外圍的庭院，而猶太祭司們即使感到驚訝，還是繼續奠酒、焚香，沒有停下正在進行的祭典。在整個圍城的過程裡，每天清晨和黃昏兩次響起號角，代表在巨大正方形祭壇上燃燒羊羔獻祭的儀式。但此刻被殺的祭司屍體被堆積在外圍庭院，而他們的血則混著祭壇下冒出的水被沖走。龐貝不能不佩服他們面對死亡的勇氣，卻不認為他們的服事有特別值得關注之處。畢竟整個地中海地區，到處都有各式各樣的祭儀。

真正讓聖殿聲名狼藉的祕密，深藏於聖殿區域的諸多建物當中，等著龐貝的到來：

一個被猶太人尊為全世界最神聖之處的密室。他們如此尊崇這個密室，因此只有大祭司可以進入，而且每年只能一次。這個「至聖所」到底藏了什麼祕密，一直吸引著古希臘學者的遐想？對任何事都有個理論的波希多尼，就宣稱其中藏了一匹金色驢子的頭，其他人則認為藏在其中的是「一尊蓄著長鬍的男子坐在驢子上的石像」[4]，也有人傳言這間密室其實關押著希臘俘虜，利用一年時間將他餵養得肥肥胖胖，然後慎重地將他作為祭品宰殺吞食。龐貝停在將密室與充滿寶物的前堂隔開的帷幕前，也無法確定帷幕之後究竟藏著什麼。

實際的狀況是：空無一物。密室內沒有任何雕像或圖像，更不會有肥肥胖胖的囚犯，只有光禿禿的石塊。龐貝雖然疑惑，但還是對他所見到的一切印象深刻。他克制自己，並沒有將聖殿的寶物洗劫一空。他命令聖殿的看守者將聖殿和周遭留下的戰鬥痕跡刷洗乾淨，並且允許他們繼續每天的祭典。他重新任命一位大祭司，然後帶著戰俘離開耶路撒冷，踏上凱旋回歸羅馬的路途。龐貝對自己在猶太王國的偉業會感到雙重的滿足。猶太人被徹底擊潰，他們的王國疆域被依據羅馬人的利益而重新劃定，並且被強徵龐大的貢禮。在此同時，他們的神也得到適當的尊崇。因此，龐貝可以確信自己不僅完成了對羅馬的責任，也盡到對宇宙秩序的義務。在返國途中，他在羅德島短暫停留，再次造訪波希多尼，跟他保證，一個能夠反映永恒天界秩序、建立普世統治的工作，正在快速進行當中。波希多尼不會因為關節炎而放棄作秀的機會。他在病床上發表演講，表達對這位訪客的讚許。他在誇張的呻吟呼喊當中，不斷強調的主題就是：「唯有榮耀，方為良善。」[5]

另一方面在耶路撒冷，毫不讓人意外的是，那裡對於龐貝的征服，有相當不同的看法。當猶太人試著理解這座城市的隕落，他們並不借助哲學，而是在痛苦與困惑中轉向他們的上帝尋求解釋。

當罪人變得驕傲，
他用攻城槌擊潰堅固的城牆，
而你無法阻止他。
外邦人來到你的祭壇之前，
驕傲地以他們的涼鞋踩踏。[6]

他們充滿焦慮的哀嚎，是對著他們所崇敬的神，祂竟容許房舍被攻佔、最深的聖所被侵犯，這種情緒絕非龐貝所能安撫。龐貝自認對他們的神所表達的崇敬之意，對大多數猶太人沒有什麼影響。將猶太聖所與異國神祇的神殿相提並論的想法，對他們而言是無法言喻的冒犯。龐貝所任命的大祭司如果有機會和龐貝平起平坐，他有可能會對前者解釋為何如此。只有獨一無二的上帝，而聖殿則是祂獨立創造的宇宙的複製品。大祭司所穿著的祭衣應該被視作反映宇宙的鏡子，在他所執行的禮典中迴響著太初宇宙生成、創造萬物的神聖勞動。他額頭上掛著的金牌鐫刻著令人敬畏的銘文，那是依據神聖的習俗，只有大祭司每年一次進入至聖所時才可以呼喊的上帝之名。褻瀆猶太聖殿，就是褻瀆宇宙本身。猶太人和波希多尼一樣，也將羅馬威權的擴張視為震動天上的事件。

「勝利者被賦予制定法律的權力。」[7]這是當龐貝在廢黜國王、重劃國界時，視為理所當然的原則。猶太人無視俗世威權，宣稱自己擁有連古羅馬這樣強大的帝國都無法並駕齊驅的地位。早在特洛伊城尚未建立、巴比倫還是一個年輕的王國時，有個名為亞伯蘭（亞巴郎）②的人就已經住在美索布達米亞地區。猶太學者傳授的說法是，他在那裡得到了深刻的領悟：偶像不過是畫著圖像的石頭或木塊，真正存在的是獨一無二的、屬

②譯註：亞伯蘭是亞伯拉罕的原名，希伯來語意指「多國之父」，猶太教、基督教和伊斯蘭教等宗教共同尊崇的先知，也被視為包括希伯來人和阿拉伯人在內的閃米特人共同祖先。

靈無形的、全能的唯一真神。亞伯蘭不願留在一個被偶像崇拜汙染的城市中，決定離開家鄉，與妻子和家眷去到當時還叫做迦南（客納罕）③、之後會被稱作猶地亞（Judea）的地方，而這一切都是上帝救恩計畫的一部分。上帝在亞伯蘭面前顯現，告訴他，雖然他未曾生育的妻子年事已高，但她還是能夠為他生下一個兒子，而他的後代有一天會承繼迦南這個「應許之地」。為了印證這件事，上帝給了亞伯蘭新的名字——亞伯拉罕（亞巴辣罕），並且諭令他之後世世代代的男性子嗣都必須施行割禮。

亞伯拉罕服從並完成他被告知的所有神聖諭令，果然得到兒子以為獎賞。而當上帝要他將兒子以撒（依撒格）帶到高地（「要帶著你的兒子，就是你所疼愛的獨子以撒」[8]）在那裡燒化獻祭，他也願意遵從。但在最後一刻，當亞伯拉罕正要拿起剮肉的刀時，天使出現，從天上發聲要他住手。亞伯拉罕環顧四周，看到被灌木叢纏著羊角的一隻公羊，便將它宰殺獻祭於祭壇上。因為亞伯拉罕願意犧牲他最珍惜的事物，上帝便以自己的名起誓，他的後代子孫將會如天上繁星一樣眾多，「地上萬國都要因你的後代蒙福，因為你遵從我的命令。」[9]

這個命定的事件發生在哪裡？幾個世代之後，亞伯拉罕的後代子孫終於定居在應許之地，並且將之命名為以色列，而天使再一次現身於以撒差點死去的地方。依據猶太學者的記載，這個地方就是摩利亞山。過去與未來，地上與天上，凡俗的努力和神聖的存在，所有一切可見的事物都被連結在一起。天使現身的時候，耶路撒冷才能被以色列人掌控。

攻下城池的大衛（達味）④來自小鎮伯利恆（白冷），原本只是個牧羊人和豎琴手，之後卻成為整個以色列地區的國王。此時，當他定都於耶路撒冷，天使就被派往城市的最高處現身，向他展示要興建聖殿的地點。[10]大衛本人被上帝禁止開始這個計畫，而是要在他的兒子所羅門王（撒羅滿王）⑤治下，摩利亞山將成為「耶和華殿的山」[11]，所羅門本人也因為他所擁有的巨大財富與智慧，讓他的名字在他死後仍然被猶太人視為輝煌的同義詞。聖殿完工之後，所羅門王將以色列人最珍貴的寶物——一座依據上帝親自標示的尺寸製作的鍍金方櫃，也就是所謂的約櫃——放進至聖所，展現上帝在地上的臨在。這就是以色列的榮光，聖殿真的就是上帝的居所。

③譯註：古地理區域名，地中海東岸沿海低地，今以色列、約旦河西岸、加薩地帶。
④譯註：大衛（David）是約於西元前一〇一〇年—九七〇年統治以色列的國王，英明有為且倚靠上帝的君主，馬利亞與其丈夫約瑟（若瑟）都是大衛後裔。
⑤譯註：所羅門（Solomon）是大衛王之子，統治期間是以色列王國黃金時期，依據猶太傳統，擁有無上智慧、財富與權力，並且是聖經中〈箴言〉、〈傳道書〉與〈雅歌〉作者。

但這樣的榮光並非平白給予，而是必須努力求取。上帝賦予祂的子民恰當地敬拜祂的責任，也連帶著警告：「看哪，我今日將祝福與咒詛的話都陳明在你們面前。你們若聽從耶和華—你們上帝的誡命，就是我今日所吩咐你們的，就必蒙福。你們若不聽從耶和華—你們上帝的誡命，偏離我今日所吩咐你們的道，去事奉你們素來所不認識的別神，就必受禍。」[12]所羅門王建成聖殿之後的數百年裡，以色列的子民反覆地誤入歧途，經過四百年的違抗之後，他們也確實嘗到了苦果。首先，是亞述人征服了應許之地的北部區域，在起源可以追溯到以色列開始的十二個家族中，有十個家族淪為俘虜，最終消失於美索布達米亞的深淵當中。亞述王國在西元前六一二年被巴比倫征服之後，這些人也未能返鄉。

然後，到了西元前五八七年，就輪到了以以色列的第四個兒子為名的猶大王國，和首都耶路撒冷。巴比倫國王席捲整個城市，「用火焚燒耶和華的殿和王宮．又焚燒耶路撒冷的房屋，就是各大戶家的房屋。」[13]即使是所羅門王所建的聖殿，包括其中的柏木裝飾、鑲金大門、石榴裝飾的銅柱，也都無一倖免，最終只剩下廢墟和雜草。而當巴比倫崩毀，波斯人從她手上奪走帝國榮光，居魯士大帝欽准聖殿重建的時候，摩利亞山周圍山區只剩下過去榮景的一絲影子：「你們中間存留的，有誰見過這殿從前的榮耀呢．現在你們看著如何？豈不在眼中看如無有麼？」[14]過去榮光僅存殘影，最顯而易見的就是至聖所。上帝榮耀所在的約櫃，原本應該是一代傳一代，也已經因為不明原因而消失不見。沒有人可以確定它的命運為何，只剩下龐貝當初踏進密室時看到的一塊未經任何雕琢的石塊，被留下來標示著約櫃原本所在的位置。

現在，外國侵略者再一次地褻瀆了摩利亞山。即使大祭司和他的助手們試圖將羅馬侵略所留下的痕跡清除乾淨，恢復聖殿原有的祭儀，但同樣也有猶太人對此表達不屑之意。畢竟，如果不是為了表達祂對聖殿守望者的憤怒不滿，上帝怎麼可能容許外國征服者侵入至聖所？對於聖殿祭司的批評者來說，這場災禍的原因不言自明：「是因為耶路撒冷的子民玷汙了上帝的至聖所，他們無視法紀，褻瀆了獻給上帝的祭品。」[15]就如同幾個世紀之前，在亞述王國和巴比倫王國肆虐期間，就已經出現被稱為「先知」的人，要求同胞們改變生活方式，不然就要遭受滅亡。

面對龐貝的征服，同樣也有一群猶太人對聖殿組織本身感到失望。「因你搶奪許多的國，殺人流血，向國內的城並城中一切居民施行強暴，所以各國剩下的民都必搶奪你。」[16]相信上帝之怒的道學家，在幾個世紀之前，就已經毫不猶豫地對耶路撒冷的祭司們提出警告。龐貝放過聖殿的寶物，並不表示未來的羅馬將軍也不會掠奪這些寶藏，「他的馬比豹更快，比晚上的豺狼更猛。馬兵踴躍爭先，都從遠方而來；他們飛跑如鷹抓食。」[17] 祭司們唯有為自己的貪婪、為自己對掠奪自世界各地黃金的貪得無厭表示懺悔之意，才有可能會被寬恕，否則上帝的審判既快速又明確：「他們的財富與戰利品都會被交給羅馬軍隊之手。」[18]

大多數猶太人確實不會對聖殿和它的守望者感到失望，貢獻給摩利亞山的財富規模可為見證。如批評者們所說，獻給聖殿的祭品不僅來自猶地亞地區，也來自文明世界的其他地方。住在應許之地以外的猶太人，數量遠多於住在其中者。而對大多數人來說，聖殿始終都是猶太生活的核心組織，卻又不是唯一一個。因為，如果聖殿是唯一的核心，住在應許之地以外地方的猶太人，就很難長久保持猶太人的身分。與聖殿本身及其祭儀、供品、禱告的距離，會讓他們的猶太認同意識慢慢模糊消失。

事實上，他們無需利用每年三次的朝聖節慶長途跋涉到耶路撒冷，才能感受到與上帝同在。他們只需要就近到所有猶太人聚居之處都會有的，無數提供祈禱與教誨的會堂（synagogue）即可。在這些會堂裡，男孩被教導閱讀，而成人們則盡其一生學習理解特殊經典文本的詮釋。這些經文被清楚地鐫刻在羊皮紙卷上，不用作教學時，就被妥善保存在刻意模仿已經消失的約櫃而製造的書匣中，很有效地標示出它們的神聖性。其他人也可以宣稱自己掌握有來自上帝的文本，但與這些被猶太人珍視為神聖的經文不同，既不具有同樣的神聖性，也也未受到相同的細心關注，更甭論對整個民族的自我理解如此重要。

他們將之稱為「妥拉」，也就是教義之意。五篇書卷，描寫上帝意旨的早期工作，從創造宇宙，到亞伯拉罕的後代子孫在經歷許多艱困和漂流後，終於抵達迦南地邊界，準備索取他們應得的遺產。然而，故事並未就此終結，還有其他許多被猶太人視為神聖的典籍，包括詳細記載從取得迦南地、聖殿崩毀、到重建過程的歷史書寫和大事記；那些感覺到上帝話語就如烈火一般在體內焚燒的人們，從他們口中說出的預言記載；諺語格言；被聖靈充滿的男女的故事；還有名為〈詩篇〉（聖詠）的詩歌集。這些出自許多不同人之手，歷經多年累積的各種典籍，撫慰了應許之地以外的眾多猶太人：他們雖然住在外邦城市裡，但這並不表示他們就比較不像是真正的猶太人。

從亞歷山大大帝征服世界以來的三百年裡，他們之中多數人使用的並非祖先的語言，而是希臘語，這也不會讓他們因此就不是猶太人。在亞歷山大大帝死後不過七十年，在亞歷山卓就有許多猶太人不太能理解多數古典所用的希伯來文。據傳，翻譯古典的工作就來自法勒魯姆的德米特里的指派。為了增加這個城市的大圖書館館藏，他要求耶路撒冷派出七十二名學者。他們一到達亞歷山卓，立刻積極投入工作，開始翻譯最神聖的經籍——五經，也就是古希臘文中的「*pentateuh*」⑥，接著就是其他典籍。令人難以置信的是，據說德米特里宣稱這些典籍：「充滿哲學性、完美無暇，並且神聖。」[19]說希臘語的猶太人們認為它們不是一般性的書籍，而是*ta biblia ta hagia*（神聖之書）。⑦

這裡出現了一個微妙但重要的反諷。原本由一群理所當然將耶路撒冷視為信仰中心的學者們所整理編撰的文集，卻漸漸脫離了編輯者原本的目的：對亞歷山卓的猶太人而言，這部經書竟有了與聖殿本身同等的神聖性。只要有抄寫員可以將詩句刻在羊皮紙卷上，有學生將文字記在腦海，有教師能夠闡釋經文中的奧祕，其神聖性、其永恆不滅的本質，就能得到確認。畢竟，這樣的一座豐碑是不容易被攻陷的，因為它並非由木頭或石塊建成，也就無法被前來征服的軍隊剷平。無論猶太人選擇住在哪裡，這些經籍會隨侍在側。住在亞歷山卓或羅馬的猶太人，雖然他們距離聖殿如此遙遠，卻都明白在他們所擁有的經籍中，特別是在「妥拉」裡，有一條比任何偶像所能給予的都更加確定通向神聖的道路：「哪一大國的人有神與他們相近，像耶和華──我們的上帝，在我們求告他的時候與我們相近呢？」[20]

古羅馬人也許統治世界，古希臘人有他們的哲學傳統，波斯人能夠洞察真理與秩序的道理，但他們全部都被蒙蔽了。黑暗籠罩著地球，更深的闇黑覆蓋在萬國之上。以色列的上帝只會升起一次，祂的榮光顯現，照耀萬國，引領諸王進入黎明光輝。

因為除祂之外，沒有其他的神。

你們要像世人一樣死亡

在龐貝征服耶路撒冷之前五百多年，當巴比倫人攻陷原來的聖殿並將之焚毀，他們將被俘虜的猶大王國貴族帶回巴比倫城。在那個遠比他們所能想像還要巨大的城市裡，這些流亡貴族發現自己置身於高聳直入天際的神廟建築當中。其中最大的埃薩吉拉神廟（Esagila）被巴比倫人敬為全世界最古老的建築，並且是宇宙的軸心。它並非由凡人所建，而是由神明將它巨大的身軀立起，作為天神馬爾杜克（Merodach）的神廟。神廟

---

⑥譯註：猶太神聖典籍，也就是今天猶太人所稱的《塔納赫》，或基督徒所稱的《舊約聖經》，其分類編目原則可能就源自於這典籍在亞歷山卓圖書館的編目分類。

⑦到了這個時候，當時所有的猶太典籍，跟今天猶太人稱之為《塔納赫》的經籍，並未完全相符，*ta biblia ta hagia* 的說法，最早出現在〈馬加比一書〉（瑪加伯上）第12章第9節。

裡供奉著馬爾杜克親自塑造的神像和一把巨大的弓弩，作為天神在太初所贏得的勝利，「永不被遺忘的標記。」[21]巴比倫人宣稱，當時馬爾杜克是與一隻身形巨大駭人、來自洶湧海洋的惡龍對戰，用他的箭矢將牠斬為兩半，分別化作天與地。接著，他沒有判處眾神永恆勞苦之罰，而是進一步開始創造。他宣稱：「我要造人，讓他們住在地上，開始敬拜神明，建立神廟。」[22]塵土和血液造成的人，為勞動而生。

這些來自耶路撒冷的流亡者，因為戰敗的挫折，在巴比倫城的巨大之前自覺微不足道，而變得麻木無感，很容易接受這種對人類存在目的感到慘淡無望的理解。但他們並沒有屈服於馬爾杜克的信仰，而是繼續堅信他們的上帝才是造人的神。在這群流亡者訴說的故事裡，男人和女人被賦以獨特的地位：他們是唯一依據神的形象所創造的生物；他們獨有統治其他所有生物的權力；在經過了五天的神聖勞動、創造出天地萬物之後，他們是唯一在第六天被神創造出來的生物。人類與唯一的上帝同享尊榮，而這位上帝並沒有像馬爾杜克一樣，在創造萬物之前還要先跟來自深海的怪物戰鬥，而是完全獨力創造宇宙。

對那些被從耶路撒冷帶來的猶太教士而言，這個故事帶給他們迫切需要的慰藉：他們所崇敬的對象依然至高無上。這個故事被一個又一個世代不斷地以不同版本反覆訴說，被寫下來、被拼湊起來、被塑造成一個單一而確定的版本，而終於成為「妥拉」的開始。在馬爾杜克的偉業被貶落凡塵、埃薩吉拉神廟淪為豺狼出沒的地方之後，古希臘的翻譯者所說的〈創世紀〉卻繼續被複寫、研讀、思考。「上帝看著一切所造的都甚好。有晚上，有早晨，是第六日。」[23]

因為猶太人努力嘗試理解週期性地壓倒他們的毀滅，以及一連串的征服者帶給他們的羞辱，這反而引發了一個疑問：如果上帝所創造的世界是良善的，那祂為何祂會容許這樣的事情發生？在龐貝征服聖殿之前，猶太學者就已經得到某種並不討喜的解釋：因為人類的歷史就是一段違抗上帝的歷史。上帝造人，並且給了他們一座伊甸園負責看顧，園內有各種奇花異草，園內的果實都供他們享用，除了那一棵「知善惡的樹」[24]。但是，第一個女人夏娃（厄娃）卻被蛇所誘惑，嚐了那棵樹的果子，而第一個男人亞當，也從她手中接過果子品嚐。

上帝為了懲罰他們的違抗，將他們驅出伊甸園，並且懲罰他們：女人自此將要永遠承受生育之苦，男人則會為了食物而終生勞苦至死。這是一個嚴厲的判決，卻不是人類沉淪的極限。在被逐出伊甸園之後，夏娃懷了亞當的孩子，而他們的長子該隱（加音）卻殺了次子亞伯（亞伯爾）。自此而後，暴力的汙點彷彿成了人類所特有。血跡從未停止在地上濺灑，猶太學者檢視了世世代代各種令人嫌惡的罪行，也不能不質疑：這種為惡的能力究竟從何、從誰而來？龐貝征服耶路撒冷之前一個世紀，一位猶太智者耶穌‧便‧西拉（Jesus Ben Sirah）得到一個合乎邏輯但惡意的結論：「原罪源自於一個女人，我們都因為她而將一死。」[25]

對猶太人來說，這種違抗與冒犯上帝的天性，是一個特別的挑戰。畢竟他們是全世界唯一得到上帝特殊恩寵的民族。他們不像其他人，並未遺忘創造宇宙的造物主。與亞當和夏娃在伊甸園中並肩而行的上帝，就是出現在他們祖先面前的上帝，將迦南地賜給他們，並且為他們行了許多神蹟。這一切都為所有猶太人所熟知，並且記錄在構成猶太認同意識核心的卷軸中，在每一個猶太會堂中講誦。但這些經籍中所記載的不只有歸順服從，也有叛變反抗；不只有對上帝的信仰，也同樣有對偶像的狂熱崇拜。有關征服迦南地的敘述，記錄了滿是偶像祭壇的一片土地等著被剷平、占領，但即使這些祭壇被破壞了，卻還是繼續發揮可怕的影響力。

即使是應許之地這樣的重禮，也不足以禁絕以色列人的偶像崇拜，「以色列人選擇新神。」[26]在一部又一部古典書籍中，同樣的循環一再重演：叛教、懲罰、悔改。當猶太人讀到他們的祖先如何被鄰近的迦南人、亞述人、腓尼基人的神所引誘，他們都知道最終的最大懲罰會是什麼：以色列被奴役，耶路撒冷被洗劫，聖殿被摧毀。這些就是會煩擾每一個猶太人的創傷記憶。

為何上帝會容許這些事情發生？猶太人在巴比倫囚虜時期⑧的遭遇，是啟發猶太經籍彙編的最大動力，而在當時，這個問題就已經被問過了。猶太人如果讀過這些記載民族歷史的經籍，絕不會懷疑：如果他們背棄對上帝的信仰，報應會再度降臨。但在這些經籍中也不是只有警告，還包含了希望。即使毀滅再度降臨耶路撒冷，猶太人被迫流散到地球盡頭，鹽和硫磺落在他們的土地上，上帝的愛仍將永存。悔改一如既往地將會使他們得到寬赦：「耶和華─你的上帝必憐恤你，救回你這被擄的子民；耶和華─你的上帝要回轉過來，從分散你到的萬民中將你招聚回來。」27

這位嚴厲的上帝是一位與眾不同的守護神。阿波羅神可能偏愛特洛伊人，希拉鍾愛的是古希臘人，但從沒有一位神是像以色列的上帝一樣，如此專一地守護著某一個特定的民族。祂雖然睿智萬能，卻容易受傷；雖然始終如一，其不可預測卻也讓人心驚膽顫。猶太人如果將他們的經籍當作證據來加以思索，絕不會懷疑祂是一位可以與之建立

⑧譯註：西元前五九七─五三八年間，巴比倫王國兩次征服猶太王國，並將大批猶太人俘虜，囚禁於巴比倫城。

非常私人關係的神，但確認祂身分的關鍵雖然逼真如在眼前，卻也同時深藏在許多的自相矛盾當中。祂是一個戰士，在盛怒中會使敵人驚恐，消滅城市，下令屠城，但也可以「從灰塵裡抬舉貧寒人，從糞堆中提拔窮乏之人」。祂是天地之主，「看顧孤兒，保護寡婦」[28]的上帝，撫慰著那些在苦難與恐懼的漫漫長夜中跟祂呼喊求助的人們。

在猶太經籍中，以色列的主被尊崇為創造者、毀滅者、丈夫、妻子、國王、牧羊人、園丁、陶匠、法官，和其他所有身分。「我是首先的，也是末後的；除我以外再沒有上帝。」[29]這是一個歷史性的自誇。西元前五三九年在巴比倫被居魯士征服時就被記錄下來的這一點，是過去從未有過的大膽宣稱。就如同馬爾杜克以波斯的勝利居功，以色列的主也用了幾乎一模一樣的話語來宣稱自己的作為。然而，即使馬爾杜克神廟的祭司們堅持是他選擇了居魯士大帝統治宇宙，但他終究也只是眾神之一，而非唯一。男性的神和女性的神，戰神與工匠的守護神，風暴之神和生育之神，「你們屬乎虛無。」[30]

居魯士大帝死後許久，巴比倫神廟已成廢墟，偶像皆已化為塵土，猶太人卻是還可以在會堂中讀到幾個世紀之前，這位波斯國王所得到的確證，並且知道這是真切的，因為以色列的主跟居魯士大帝宣告：「你雖不認識我，我必給你束腰。從日出之地到日落之處使人都知道除我以外，沒有別的。我是耶和華，再沒有別的了。」[31]

如果猶太人在古羅馬勢力擴張的時候，認為他們的經籍證實了這種自誇的真實性，在他們之中，也還是殘留著一些更為古老的信念。巴比倫摧毀聖殿之後，猶太教士和抄寫員共同編製的巨大掛毯，是由無數的古老織線編織而成，而最能闡明其來源之廣泛的，無非就是在猶太教聖經中上帝的稱號之多：耶和華（Yahweh），伊勒沙代（El Shaddai）。這些稱號總是指向同一位神，自然成為每一個猶太學者的指導前提，但即便如此，還是會有滯留不去的一些暗示，足以意味其他不同的可能性。「耶和華啊，眾神明中，誰能像你？」[32]這樣的提問，像是來自遠方一個現在難以想像的世界的迴響。在那個世界裡，以耶和華為名的神只是以色列眾多神祇當中一位。那麼祂究竟如何變成了天地萬物之主，無人能與之並列或匹敵？將眾神故事寫下來的教士和抄寫員們，光是想到這個問題，就會被嚇壞了。

無論他們在編撰過程中投入多少心力，耶和華原本形貌的蛛絲馬跡，並沒有被完全從猶太經籍中消除。就好像被保存在琥珀裡的昆蟲屍體一樣，我們仍然可能找到另一種信仰，不同於聖殿中被尊崇的宗教。例如在迦南地南邊的土地上，有人崇拜以公牛型態顯現的暴風雨之神，「從以東田野向前行」[33]，並且在眾神會議中成為統治眾人的最高天神。⑨「因在天空誰能比耶和華呢？諸神之中，誰能像耶和華呢？」[34]

各個地方的人們，都把天界中有一個嚴格的階級制度視為理所當然，否則馬爾杜克如何能夠驅使眾神為他所用？宙斯在奧林匹斯山頂為王，主宰天界，但他的光芒所及仍有其極限，其他的神並不會被它吞噬。宙斯並沒有將他們的不同屬性吸收、融合於己身，或者排斥他們，將他們視為魔鬼。以色列的主何其不同！祂的屬性中那麼多樣的複雜和矛盾，究竟從何而來？或許是經歷了一個與猶太經典中所頌揚的完全相反的過程：其他神祇無可比擬的耶和華，本身就蘊含了多種屬性。〈創世紀〉中的第一句話描寫祂創造天地，其中用到希伯來語中的上帝——埃洛希姆（*Elohim*）這個字，本身就非常曖昧不明。因為在猶太經典，這個字是被當作單數詞使用，但在這段文字中，這個字詞的結尾卻是複數的。「上帝」曾經是「眾神」。

以色列人可能與他們混居的族群有同樣的習俗，分不出彼此的不同，且根本不會藉由推翻偶像、摧毀神廟來宣示他們抵達迦南地。但這樣的可能性，卻在猶太經典中被斷然激烈地排除。[10]只是，這樣的斷言可能太過嗎？甚至，真有所謂征服迦南地嗎？在猶太人保存的紀錄中，除了約書亞（若蘇厄）將軍一連串驚人的勝利，也同時描述了城市的淪亡，但這些城市要不是早在以色列人可能入侵之前就已被廢棄，就是尚待建立。[11]編成〈約書亞記〉（若蘇厄書）的人們確信，上帝賜予土地給祂的選民，以回報他們的順服。

因為這些篇章最可能是在亞述王國的巨大陰影之下寫成，這樣的信念也反映出這些編者所處的危險時代，雖然也不僅止於此。

在〈約書亞記〉中，作者之所以堅持以色列人是以征服者姿態到達迦南地，其實就在暗示某種讓人心煩又久留不去的焦慮：他們的信仰受迦南人既有信仰影響的程度，可能並非猶太學者所願意承認。他們斥為太過創新的習俗，包括其他的多神信仰、供養死者、以孩童為犧牲，可能是完全相反的傳統，而他們自己正在發展的信仰，其實才是真正新奇的事。

這種信念的革命性，也就是從迦南、敘利亞和伊多姆信仰所構成的封閉體系中，生出了一種全新而駭人的對神的概念，被隱藏在猶太經籍當中，但並非全然不可見。在

---

⑨對公牛形象的耶和華的崇拜，在〈列王記〉第12章第28節，和〈何西阿書〉第8章第6節中得到證實。描寫耶和華從以東而來的文字，則記載於被多數學者認為是聖經中最古老段落之一的〈底波拉之歌〉。

⑩或許，顯而易見地，西元前四世紀的猶太史書〈歷代志〉（編年紀）的作者，不會特別寫到以色列人征服迦南地的事。「以色列在這塊土地上，擁有這塊土地的權利，被認為是一個毫無疑問、不言自明的事實。」（Satlow, p.93）

⑪傳說耶利哥的城牆，應該是在約書亞軍隊的號角聲中崩毀，但實情是：這個城市在傳說以色列軍隊侵入那天之前，其實已被廢棄長達數百年。吉比恩這個城市在〈約書亞記〉中，供給以色列人「劈柴挑水的人」（第9章第21節）是在青銅時代之後才被建立。

〈詩篇〉中，特別有一首詩以戲劇化的手法，描寫「眾神」（*elohim*）如何經過混亂而漫長的過程，變成唯一「至高無上的主」（*Elohim*）：

上帝站立在神聖的會中，
在諸神中施行審判。[35]

不公不義，偏愛邪惡之徒，鄙視窮苦、低賤、可憐的人，都是諸神在這個聚會中被審判的罪名。他們的犯行讓這個世界陷入黑暗，搖搖欲墜，而他們的懲罰將是：永遠從天上被罷黜。至高無上的主親自宣布了他們的刑期：

我曾說過：你們都是神，是至高者的兒子。
然而，你們要像世人一樣死亡，像世上任何一位領袖一樣倒斃。[36]

在神聖的會中，從此只能有唯一的上帝統治。

猶太人過去或許是個無足輕重的民族，在帝國關注範圍的邊緣地帶，但在他們的經籍中，那位如亞歷山大大帝或龐貝將軍推翻各地國王一樣，推翻其他諸神的上帝，祂的統治涵蓋森羅萬象，不容對手挑戰：「從日出之地到日落之處，我的名在列國中必尊為大。」[37]這樣的宣示，非常自覺地呼應波斯國王的自我意識。居魯士大帝對耶路撒冷的流亡者所展現的寬容大度，沒有被遺忘。他不同於埃及、亞述和巴比倫的統治者，尊重以色列的上帝。不同於其他出現在流亡記事中的外國君王，居魯士大帝更給了以色列人一個王權的典範。他們從巴比倫回到故鄉之後，天上的外觀竟有了波斯宮廷的模樣。

在〈約伯書〉中，上帝問一個名叫敵人的隨從（也就是撒但）說：「你從哪裡來？」撒但回答：「我從地上走來走去，往返而來。」[38]在雅典，對亞歷山大大帝手下密探的恐懼，讓亞里斯多芬尼斯得到啟發，將劇中一個角色描繪成一隻巨大的眼睛；但在猶太經籍中，作者絕不可嘲笑皇家密探，因為他們的強大和威脅性不容輕侮。當上帝指稱約伯「完全正直，敬畏上帝，遠離惡事」[39]，撒但卻嘲諷地回說：富者為善，輕而易舉，「你且伸手毀他一切所有的；他必當面棄掉你。」[40]上帝接受賭注，將約伯交付給撒但。約伯雖然沒有犯下任何罪過，他在俗世擁有的一切卻都被毀滅剝奪：他的孩子被殺，皮膚長滿毒瘡，「約伯就坐在爐灰中，拿瓦片刮身體。」[41]

被判槽刑的罪犯，當然沒有辦法空出手來刮乾淨自己的身體，但在波斯帝國威勢下，任由肉身黏附在骨頭上腐敗的權力，也標誌出王權之令人驚恐。那麼，當大流士和他的繼承者宣稱，他們之所以要對受害者施以酷刑，是為了彰顯真理、正義和光明，究竟是什麼意思？當約伯屈身坐在爐灰堆裡，有三個朋友走近他，坐在他身邊，沉默不語長達七天七夜，試著理解他所遭受的磨難。

難道上帝顛倒是非嗎？
難道全能者違背正義嗎？
你的兒女一定是得罪了他，
所以他照他們應得的加以懲罰。[42]

這樣的信念也出現在其他猶太經籍中：上帝只會懲罰為惡之人，他也只偏愛正義之人。約伯卻拒絕這個讓人心安的想法：「為何惡人能活得好好、變得富有、積累資財？」這個故事最驚人的部分，是結束於上帝在一陣旋風之中，親自現身對約伯說話，直接了當地駁斥約伯朋友們的意見，告訴約伯的朋友：「我的怒氣向你和你兩個朋友發作，因為你們議論我，不如我的僕人約伯說的正確。」[43]然而，無論約伯如何無辜，他為何受到如此殘酷的懲罰，還是沒有答案。上帝將他曾經擁有卻又失去的一切，加倍還他，並且賜福他的新生子女。但他所失去的那些子女回歸塵土，卻已無法拯救。痛失至親的父親要不回他們。

當阿波羅神殺死尼俄伯的孩子們時，沒有人抱怨他的報復之舉太過極端。⑫號稱銀弓之神的他，可以任意處置冒犯他的人。阿波羅神不是藉由回應凡人的抱怨來彰顯他的神威，而是施行他們永遠無法理解的神蹟。就像馬爾杜克神，他甚至扳倒過一隻巨龍。在迦南地，同樣有許多關於神如何對抗巨龍和海蛇的故事，以表明他們有資格統治天界。對〈創世紀〉的作者來說，這種傲慢的姿態不僅沒有道理，而且是瀆神的。因此他們在對創世的記載中，特別表明至高無上的主不會與深海中的生物對戰，因為是祂創造了它們：「上帝就創造了大魚和在水裡滋生的各樣活動的生物。」44

但猶太經書中看以平靜的文字，其實是會騙人的。每隔一段時間，即使是最細心的編選，都無法完全消弭那一具從記憶與傳統的深處冒出，身形彎曲、而且確實曾與上帝

⑫譯註：古希臘神話中，底比斯國王安菲翁的妻子尼俄柏生育眾多，吹噓她比阿波羅的母親勒托有更多子女，引發阿波羅的憤怒，將她的孩子全部殺死。

相鬥的怪獸軀體。無論這怪獸有什麼不同的名稱：喇合（Rahah）、塔寧（Tanin）、力威亞探（Leviathan），它其實就是早在〈約伯記〉成書之前千年就已經寫成的詩作中，那隻歪扭捲曲著身軀的七頭巨蛇。「你能用魚鈎釣上力威亞探嗎？⑬能用繩子壓下牠的舌頭嗎？」[45]上帝在旋風之中對約伯的這個質問，當然是稍嫌誇張的，因為只有上帝可以馴服力威亞探。如果在〈約伯記〉中，祂被描寫成像是波斯國王那樣掌管陸地與海洋的統治者，那麼當祂在對控告祂的不公的人說話時，祂也會借用大量古代典範以表現祂的權威。難怪約伯只能皺著眉頭說：「我知道，你萬事都能做。」[46]

然而，約伯還是從未懷疑過上帝的權威，只是不能理解祂的正義觀。對此，上帝無話可說。〈約伯記〉成書的時候，世人第一次意識到有一個無所不能、公正不倚的神的存在，這部經書卻竟敢堅持深究其中的含義。猶太學者們將此納入他們的經文彙編，這個事實非常清楚地說明了他們是如何艱難地面對一個新生而急迫的議題——邪惡的源頭。對其他多神信仰的民族來說，這個問題幾乎不曾存在。畢竟，宇宙中有越多的神，對於人類的苦難就會有越多可能的解釋。因此，在只有一位神的宇宙中，我們要如何理解人類的苦難？可能只有智慧之主（Ahura Mazda）的信徒，和猶太人一樣相信宇宙是由一位全知全善的主所創造，才會需要思考這方面的問題。

或許只有在上帝寶座前的撒但面前，也就是加諸約伯那麼多磨難、之後卻從故事中神祕消失的撒但面前，能夠從波斯人解釋邪惡力量的說法中得到某種暗示：邪惡是以平等且與良善對立的形式存在。即使真是如此，這卻不是猶太學者們願意接受的說法。雖然他們非常尊崇對居魯士大帝的記憶，卻無法接受經籍中有任何章節內容會出現類似阿爾塔與德魯加[14]之間發生的宇宙大戰。只能有一位獨一無二的上帝。暗示邪惡可能是對上帝權威的永恆威脅，和把邪惡的出現歸於祂的創造比起來，更是瀆神之舉。當耶和華跟居魯士大帝說話時，祂表現出對「對宇宙是真理與謊言之爭的所在」這個說法嗤之以鼻的態度：「我造光，又造暗；施平安，又降災禍；做成這一切的是我——耶和華。」 47

在猶太經籍的其他部分，都未曾出現過如此赤裸明白的聲明。如果上帝是無所不能，祂必然也是公正不倚。這就是猶太人所擁有的兩個互相關聯的概念，無論其中如何內含緊張關係，還是被奉為他們對神的理解之核心。或許上帝支持古羅馬人攻陷聖殿不是對祂犯錯的選民的懲罰，而是因為祂同時是混亂與秩序的始作俑者，只是這個可能如此

⑬編註：在中譯本聖經中，此句譯為：「你能用魚鉤釣上鱷魚（或譯海獸）嗎？」

⑭譯註：阿爾塔（Arta）與德魯加（Drauga）是波斯宗教信仰中，分別代表財富幸福與虛偽欺詐，也就是善與惡力量的神，兩者的對戰反映出「善惡二元論」的基本教義。

怪異，實在令人難以想像。祂所有的事功都是為了秩序的維護。祂的目的有時候可能會被蒙上神祕的面紗，但祂不會因此而無法理解人類的絕望、照顧可憐的人，或者在人悲傷時給予慰藉：

困苦貧窮人尋找水，卻尋不着；
他們因口渴，舌頭乾燥。
我—耶和華必應允他們，
我—以色列的上帝必不離棄他們。48

過去從未有過如此不協調的各種特質，被影響深遠地整合在單一的神身上：權威與親密，威脅與同情，全知與關懷。

而這位全能、全善、統治全世界、維護宇宙和諧的神，就是選擇猶太人為祂偏愛子民的神。他們或許在羅馬軍團前顯得無助，無法阻擋征服者侵犯他們最神聖的聖殿，也是一個不可能贏得統治世界權力的民族，但他們卻能以這樣的信念告慰自己：他們的上帝是唯一的真神。

盟約

不久之後，確切證據就會浮現：龐貝終於遭神懲罰。西元前四十九年，古羅馬世界陷入內戰，隔年在希臘，這位曾經統治羅馬長達二十年的人，在戰場上被敵對軍頭凱撒將軍擊潰。僅僅七週之後，龐貝大將軍就死了。他的沉淪之快速與全面震驚全世界，並且讓猶地亞地區的人們欣喜若狂。就像制服怪獸利維坦一樣，上帝現在將「巨龍的傲慢」[49]碾碎。有一位詩人模仿〈詩篇〉將事件細節記錄下來：龐貝如何在埃及尋求庇護，如何被長矛穿刺，和他的屍體如何在浪潮當中沉浮，無處安葬。「他未能意識到上帝是唯一的真神。」[50]

在猶太人的想像當中，龐貝之死的場景特別鮮明有力。沒有任何一個地方，會比埃及更明顯而快速地印證他們的主的力量。在他們繼承遺產、擁有迦南地之前，以色列的子民曾經在這個國度為奴。他們的人數越來越多，讓法老害怕，於是「嚴厲地強迫以色列人做工」[51]。但法老和他所信奉的眾神如今已經歸於塵土。十次瘟疫蹂躪了他的王國，尼羅河變成血流，各種害蟲橫行於國土每一個角落，整個王國陷入黑暗之中。只是，還是有很長一段時間，法老依然頑固不改，一直要到最恐怖的事情發生——所有埃及家庭裡的新生兒在一夜之間都被殺死，「以及一切頭生的牲畜，盡都殺了」[52]——他才終於讓以色列人離開。即使如此，他還是很快就反悔了。他領著戰車隊伍追捕逃跑的奴隸，將他們圍困在紅海邊。但奇蹟仍未停止。強烈東風吹起，海水從中分開出一條道路，以色列子民穿過海床，到達遙遠彼岸。法老和他的戰士們繼續向前追趕，「海水回流，淹沒了戰車和戰車長，以及那些跟着以色列人下到海中的法老全軍，連一個也沒有剩下。」[53]

此刻，在這個眾神偏好施恩於國王和征服者的世界上，以色列的神的特殊性得到再一次的確認：祂選擇偏愛奴隸。有關祂如何解放他們祖先的記憶，將會永遠被猶太人守住並且珍藏。如白天的雲朵、夜晚的燈火，祂比之前或之後都要更加明顯可見：先是如光柱一般引導他們穿越沙漠，接著現身在篷帳之中。祂特別對一個人施與非凡的恩典，因為上帝告訴他：「你在我眼前蒙了恩，並且我按你的名認識你。」[54]在以色列歷史上，沒有任何一位先知能像摩西（梅瑟）一樣，與上帝擁有那樣特殊的關係。他是在法老面前代表上帝說話的人、召來瘟疫蹂躪埃及的人，也是舉起手杖分開紅海的人。

兩者之間最令人驚奇也最親密的接觸，是上帝與摩西在西奈山上的會面。以色列人聚集在山腳的平原上，山頂被厚厚的雲層給遮住，四周雷電交加，巨大的公羊角鳴聲，「小心不要爬上山或接近山邊。任何人只要碰到這座山，都註定身亡。」但當公羊角的聲音越來越響，山丘開始震動，上帝本人在煙火之中降臨，摩西便被召喚爬上山坡。天際與地界相遇，天堂與凡間相遇。接下來發生的事，將會証實歷史環繞其運轉的軸心確實存在。

猶太人不曾看輕這樣的信念。當摩西爬上西奈山時，他們確信接著發生的所有事，因為其結果仍然在他們的掌握之中。在《妥拉》中，最初是由上帝親自執筆在石碑上寫下的誡命：「除了我以外，你不可有別的神。」[55]接著是另外九條簡潔明白的指示：當守安息日，當孝敬父母，不可為自己雕刻偶像，不可妄稱耶和華的名，不可殺人，不可姦淫，不可偷盜，不可作假見證陷害人，不可貪戀。這十誡的效力，都以第一條為憑藉。畢竟，還有其他的神不像以色列的神一樣，賦予道德規範如此重要的價值。有些神重視美貌，有些重視知識，有些則是看重力量。

十誡不只是指示而已，更是以色列上帝身分的表現。祂的選民不是被召喚來與他為奴，而是作為人來接近祂，分享祂的天職。所以即使祂已經將十誡交代給摩西，祂還是要警告說：「你的上帝是忌邪的上帝。」[56]祂的愛是特別的，如果被背叛或拒絕，會變為殘酷威脅。當摩西在失蹤四十個晝夜，最後終於從西奈山下山時，他發現以色列人已立起一座金牛雕像並且崇拜它，氣憤地將石板砸碎，並且下令處死三千人。但上帝的憤怒更加可怕。祂一開始的想法是將整個以色列民族完全抹滅。摩西再度爬上西奈山向祂要求寬恕，祂才表現出慈悲。

即便如此，猶太人也從未懷疑神聖的守護者對他們的愛：「對你們的上帝來說，你們是一個神聖的民族。上帝選擇你們，成為這世上所有民族當中最被鍾愛的民族。」祂在將十誡交給摩西之後，又給了他一整套更加完整的誡命，作為這一點的驗證。這其中包括了：祭壇如何建立、教士如何潔淨自身、祭品如何奉獻，而且教士們不是唯一需要遵循這些誡命的族群，所有以色列子民都必須遵守。在上帝交給摩西的誡命當中，明白規範人們可以吃的和不能吃的東西，可以和不可以發生性關係的人，如何紀念安息日，如何對待奴隸，要將果園中的殘果留給窮苦的人，甚至不可留鍋蓋頭造型。違反這些誡命，就會給以色列招來可怕的懲罰。只是，如同十誡一樣，這些誡命所展現的並非獨裁者的威權，而是信徒的虔誠。上帝身為天地的造物者，賜給以色列子民的是一個重大而前所未見的榮耀：一個盟約。

沒有任何其他民族曾經想過這件事是可能的，畢竟神見證各種條約的簽訂，但從未參與。凡人有什麼資格可以想像與神締約結盟？只有猶太人敢抱著這種前所未見、甚至瀆神的傲慢態度。他們已經與上帝締結同盟的想法，成為他們理解神聖的基石。約櫃之所以建造，就是為了收存寫在摩西所持有的石碑上的這份盟約；在所羅門建造的聖殿中心所在的至聖所裡，被崇敬地安放著的，也是這份盟約。即使當巴比倫人將耶路撒冷摧毀，上帝與祂的選民所訂下的盟約也未曾失效，其中的約定依然不變。猶太經籍在約櫃消失之後的幾個世紀裡不斷被反覆編輯，其主要考量就是要將這些約定莊重地銘記下來，讓每個研讀經籍的人可以不斷在心中重新確認這份盟約。

在《妥拉》最後部分的記載中，摩西在約書亞征服迦南地之前死去。雖然他將以色列人從埃及王國的束縛中解放，帶著他們在曠野之中飄流四十年，卻未能踏上應許之地。「至今，沒有人知道他的墳墓所在。」[57]籠罩著他的葬身之處的神祕感，也同時讓他的故事為何被如此傳述變得神祕難解。在埃及，沒有任何關於摩西的資料，沒有關於瘟疫的紀錄，更沒有關於分開紅海奇蹟的記載，就好像這個人在猶太經籍以外不曾存在過一般。但有關摩西的神話的分量，以及依據一位學者所說「他是作為一個記憶中的人物，而非歷史人物」[58]的說法被接受的程度，就足以讓他在西奈山上的際遇有了超凡且無可比擬的力量。

《妥拉》的作者們，當他們在擬定自己與上帝結盟的盟約時，自然會引用當時的社會成規。「我是耶和華—你的上帝，曾將你從埃及地為奴之家領出來。」[59]這就是當時近東地區的成俗：國王會以響亮的自我吹噓為重大宣示開場。當上帝警告以色列人，如果他們不聽從，他們頭頂的天空就會變成青銅，腳下的地面就會變成黑鐵，祂的語氣和亞述王國的征服者們一樣，充滿威嚇之意。當祂承諾會「照樣處置你所懼怕的各民族」[60]，祂提供給祂的子民的保護，就和法老會為他的同盟所做的一樣。他的盟約中的條文，雖然是以近東地區各國外交人員熟悉的表達形式寫成，卻帶給猶太人完全無可比擬的重要物件：神直接寫下的律令。

這套律令無須凡人加以補充，這也就是猶太聖書中的清楚訓示。即使大衛和所羅門領受油膏標示他們的獲選，但這也不會賦予他們如漢摩拉比和他的巴比倫繼承者們理所當然擁有的權力：國王發布法令的權力。與美索布達米亞王朝相較之下，以色列的王朝蒼白無力，只有在完全放棄盟約之後，它才有可能確認自己的權威。而依據猶太經籍的記載，這也正是之後發生的情形。國王們變得傲慢，他們為眾神（而非上帝）焚香致意，並且自行頒布法令。

之後，在耶路撒冷被巴比倫人征服之前幾個世代，一位名為約西亞（約史雅）⑮的國王宣稱在聖殿中有令人驚奇的發現——一部久已失傳的《律法書》（Book of the Law）[61]。他召集教士「以及所有的百姓，無論大小」[62]，向他們唸出書中所列的法令。這部神祕的書冊被證實就是盟約的紀錄。約西亞要他的臣民適當敬拜上帝，但並非以他自己之名。他和他最低賤的臣民一樣，都受上帝律法的主宰。立法的權力是神聖的特權，因此，在猶太經籍中，作者會不斷質疑，以色列人作為上帝的選民，是否需要俗世的國王，因為「耶和華會治理你們」[63]。

如此就得到了明證。雖然耶路撒冷王朝在西元前五八七年被戰勝的巴比倫王消滅，但《妥拉》仍被留存下來。偉大的世俗權威起起落落，征服者來來去去，但猶太人在經歷浮浮沉沉的數個世紀之後，還是堅守盟約。因為如果沒有盟約，他們就會像其他民族一樣，在各個帝國無情的翻攪動盪中消逝無蹤：如巴比倫，如古波斯，如馬其頓，如古羅馬。

即便如此，許多猶太人還是無法逃避某種難以消弭的恐懼：如果他們遺忘了盟約的具體細節，將會如何？衛道人士為了印證這樣的焦慮，會指向原本住在被亞述人毀滅之前，一直都是猶太王國土地上的人們。這些人也和猶太人一樣認定自己擁有五角星。但兩個民族的相似之處，卻只是更強調了兩者的不同。撒瑪利亞人拒絕承認耶路撒冷的神

⑮約西亞（Josiah, 686-609BC）是古代中東國家南猶大王國的第十六任君主。

聖，藐視在摩西時代就已寫成的經文的權威，堅稱自己才是保存了未曾受到汙染的上帝律法的人。無怪乎對猶太人來說，他們看起來就像是一個變態的雜種民族，因此也就成為一種警示。棄絕上帝的律法，就不再「真是有智慧，有聰明」[64]的人。只有盟約可以引導猶太人瞭解世界的事務。古羅馬軍團攻陷耶路撒冷，就證明了違法亂紀會得到如過去一樣迅速立即的懲罰，而龐貝悲慘的下場也印證了上帝如何堅守他的立場。

對盟約意涵的思考，不只是讓猶太學者相信他們因此可以理解過去的種種事務，更讓他們可以掌握未來。在先知書中，末日到來時的景象如此鮮明生動：降臨地球的大毀滅，新釀的酒乾涸，葡萄樹枯萎，豹子與山羊同臥，還有一個小孩領著「少壯獅子、牛犢和肥畜」[65]。統領宇宙的正義王國註定要出現，耶路撒冷就是都城，而大衛族裔中的一位王子將會是國王。「他要以公義審判貧寒人，以正直判斷地上的困苦人，以口中的棍擊打全地，以嘴裡的氣殺戮惡人。」[66]這個王子將以受上帝膏油祝禱的身分，統治這個王國，也就是祂的「彌賽亞」（默西亞），或翻譯成希臘文的「基督」（*Christo*）。

在先知以賽亞（依撒意亞）所見的景象中，這個頭銜曾經被賦予居魯士大帝，但在龐貝褻瀆聖殿之後，這個頭銜有了更迫切的重要性。彌賽亞會出自大衛的子嗣，會賦予盟約新的活力，去蕪存菁，並且將失落的部族重新安置於耶路撒冷，對這件事的熱切期待在空氣中劈啪作響。所有異邦的習俗將完全從以色列被清除乾淨，彌賽亞會將所有失德統治者的傲慢，像陶器一樣地砸毀。「他會讓舉世之民在他的桎梏之下，臣服於他，在舉世注目之下榮耀上帝，並且滌清耶路撒冷，恢復它在時間之始的神聖。」[67]

龐貝被殺之後不久，彷彿末日即將到來。古羅馬軍閥之間的爭鬥繼續震動著地中海地區，軍團對戰，軍艦對峙。猶太人不是唯一仰望天空、夢想著未來美好的民族：

現在，最原初的正義和黃金年代已經回歸，
初生之兒已經被從天上送到人間。
因為這個男孩的誕生，黑鐵世代將會過去，
接著的黃金世代，會承繼這個世界。[68]

這些由古羅馬詩人維吉爾（Vigil）所寫的詩句，大聲說出對黃金年代的希望，而這樣的希望在義大利和在猶地亞一樣普遍可見；幾年之後，這樣的希望得到了回應，但坐上世界之主寶座的卻不是猶太裔的彌賽亞，而是一位自稱是神之後裔的人。

奧古斯都（Augstus）是凱撒的養子，擊退龐貝的人，他的一生功業讓他在死後得以被正式納入天界之列。不僅如此，也有人宣稱他是裝扮為蛇的阿波羅神的子嗣，確實，也並不難相信他可能同時是「神之子」（*Divi Filius*）。當時看來，他對古羅馬人的統治在似乎在解體邊緣，他卻讓帝國在全新而強大的基礎上重新站穩腳跟。對奧古斯都這樣的人來說，和平不是一種消極被動的美德，他是舉著劍才能將新秩序帶給這個世界的。古羅馬帝國境內各行省總督被賦予維持秩序的責任，獨享使用暴力的特權。他們可以下令執行可怕的制裁行動：擁有可以將任何違逆帝國的人判處火刑、丟到荒野餵食野獸，或施以十字架釘刑的權力。

西元六年，猶地亞被納入帝國直接統治，派往當地的行政長官「得到奧古斯都的完全授權，包括判處死刑的權力」[69]。面對他們臣服於帝國威權的殘酷事實，猶太人也被羞辱地揭開痛處。古羅馬帝國的佔領不僅沒有降低他們對世界將要面臨巨大改變的期待，世界末日很可能將要到臨，反而強化了他們的期待與想法。猶太人以不同的方式回應這個局面。其中有些人流亡到耶路撒冷東方的荒野中，與世隔絕；其他人緊守著聖殿，將救贖的希望寄託於祭司們所律定的祭典儀式。更有其他被稱為「法利賽人」（Pharisees）⑮的猶太學者，在心中想像著一個以色列的國度，在其中，上帝交給摩西的誡令，絕對要遵守且不容妥協，並且普世皆然，因此每一個猶太人都可以成為教士。「因為他沒有任何藉口可以無知。」[70]

在一個帝國自我宣稱受到普世景仰的時代裡，獨特性可能會被視為一種挑釁的姿態。越來越多不同的族群納入帝國統治範圍，在心中謹守盟約的猶太人就越堅持自己與眾不同的身分地位。古羅馬的精英分子們熟知人類的各種習俗，對他們來說，猶太人像是一種背悖常理的典型。「我們所崇敬者，他們盡皆藐視；我們視為禁忌者，他們卻又容許。」[71]

這些異常之處雖然一定會引人疑竇，但也同樣會讓人嘆服。在古希臘知識分子圈中，猶太人一直被視為一個充滿哲學家的民族。他們出現在亞歷山卓港，在大圖書館外的繁忙街道上，他們逃離埃及的故事，也就是希臘語所稱的「出埃及記」（*the Exodos*）成為一個令人著迷的話題。有些哲學家宣稱摩西其實是一個叛逆的祭司，他的追隨者則是一群痲瘋病人；其他人則認為他是一個有靈視能力的人，試圖掌握宇宙的奧祕。他禁止以人的形象描繪神，並且教導眾人只有一個神的道理，因此受到稱譽。對於奧古斯都

⑯ 譯註：猶太教在第二聖殿時期（536-70BC）的思想派別之一，「法利賽」原意為「分離」，意指那些為保持純潔而與俗世保持距離的人。法利賽教派之後重建為拉比猶太教，成為正統猶太教信仰的根本。

時代的學者們來說，他看起來就像是一個適合存在於正在快速全球化的世界裡的思想家。「在將我們含納其中的萬物，包括陸地與海洋，我們稱之為天堂、宇宙和萬物本質者當中，只有唯一是為上帝。」[72]

對摩西教誨的這種詮釋，其實比較受斯多葛學派而非《妥拉》的影響，但這並不會改變一個重要的事實：猶太人對神聖的理解，的確非常適合一個人們彼此間的距離正在縮短、所謂的邊界也正以前所未見的規模在消弭當中的時代。以色列的神是「治理全地的大君王」[73]。盟約的作者將祂與猶太人以特殊的方式結盟，但祂同時也可以承諾愛那些「與耶和華聯合，事奉他，愛他名，作他僕人的外邦人」[74]。在古羅馬地中海帝國的巨大熔爐裡，這種人越來越多。多數人的確選擇躲在猶太會堂以外的邊緣地帶，並且接受自己比不上猶太人的社會地位，但他們仍然是「敬畏上帝的人」（theosebeis）。

但是，特別是男人，他們會躲掉表現虔誠的最後一個步驟——對摩西的敬仰，不一定能轉化為接受割禮的意願。在猶太人的生活當中，那些在外人看來最荒謬的部分，例如割禮、禁食豬肉，會被佩服摩西教誨的人認為是後來才加上的，是「迷信的國王和祭司」[75]所為而加以拒斥。猶太人自己當然不贊同這個說法，但在對先知和他們經文的普遍熱情中還是看得出來：對他們的神的信仰越快速傳播，《妥拉》律法的約束力就會越降低。

即使如此，還是會有改宗者。在一個多數猶太人講的是希臘語而非希伯來語的時代，希臘人（或甚至任何人）都非常有可能變成猶太人。在最早的大都會亞歷山卓，這一點比在任何其他地方都更加清楚明白。越來越常見的情況是，只要有猶太會堂建立的地方，就會有改宗者。在羅馬，精英階級對外來宗教教派的疑慮，一向都是這些教派對大眾吸引力的指標，對這一點的反應特別強烈。保守分子不需要參考《妥拉》，就可以意識到猶太上帝與他們所居城市的眾神之間，在本質上互不相容。「改宗者學習到的第一件事，是鄙視眾神，貶斥他們的國家，並且將他們的父母、子女和兄弟，視為可有可無。」[76]猶太人也不會是唯一一個會害怕多元文化的世界可能會導向何方的民族。

始終存在於猶太經籍中內在的緊張關係，終於呼之欲出。其言行被經籍記載的神，應該如何被最有效地理解：是訂下盟約的上帝，還是人性的造物主？這個問題已經醞釀多時，而像古羅馬帝國這樣勢力廣及全球的政體，如此聲勢浩大的崛起，不能不也強化了這個問題的迫切性。猶太人與非猶太人（也就是世上所有其他人）彼此之間的互相猜疑，與對彼此的著迷並存。在耶路撒冷東方的荒野中，有人聚居在孤零零的山丘間，以合乎《妥拉》教誨的方式生活，憎惡失德之人；相對的，在亞歷山卓也有一群說希臘語的摩西研究者，可能會毫不猶豫地表達出對古羅馬秩序的讚譽，或讚美奧古斯都是一位

「虔誠的導師」[77]。就如同法利賽人會夢想以色列變成一個教士的國度，這些學者也會夢想著讓各地方的人們都能遵循摩西的律法：「野蠻人，希臘人，住在大陸和島嶼的所有人，東西方的國度，歐洲與亞洲，簡言之，就是範圍廣及兩端，整個適合人居的世界。」[78]

或許，先不論上帝的憤怒，猶太人被納入奧古斯都統治的全球帝國的事實，反而更點出了非常不同的重點：祂為全人類所安排的計畫，即將實現。

第3章

使命

西元19年，加拉太

奧古斯都崩逝後五年，加拉太聯邦（Koinon Galaton）①的顯要們召開一場嚴肅的會議。這位偉大統治者雖然上了天堂，與其神聖之父一同統治世界，但他們仍然忠於對他的記憶，因此想要將他尊為他們的神與救世主。加拉太就像帝國的其他地區一樣，在和平與秩序降臨之前充滿了戰亂。加拉太人在其歷史的大多數時間裡，是以他們的暴力傾向著稱。

在奧古斯都崩逝前三個世紀，有兩萬個從遙遠的高盧地區移民而來的加拉太人，橫跨了分隔歐亞兩地的海峽，從歐洲湧到小亞細亞這個以富裕城市、溫順人民與名廚手藝而著稱的區域。在現在屬於土耳其的中央高地區域，加拉太人很快地就為自己建立起家園。雖然山區缺乏資源，但他們利用在地優勢大大地彌補了這個缺失。加拉太地區雖然貧瘠，卻是對鄰國發動攻擊的理想地點。加拉太人高大、紅髮，常裸身作戰，依賴「引發恐懼的能力」[1]為生。三個部落聯合組成的王國被稱為「洗劫者」（Tectosages）[2]不是沒有道理的。

然後，古羅馬軍團出現，迅速地終結了加拉太人猖獗的盜匪傳統。經過了一百多年的代理統治之後，在一個適當時機，奧古斯都甚至連他們空有其名的獨立都加以剝奪。新的行省邊界往外擴張，遠遠超過原有王國的範圍以外，在殖民地的南方地區住滿了退休軍士，新建道路貫穿山區和沙漠。馴服大自然野性的工程師們，確實帶給人們極大的安慰。由巨大的石塊和堅實的礫石鋪成的瑟巴斯特大道（*Via Sebaste*）蜿蜒橫跨加拉太南方地區，長達四百英里，這對行省來說，就是古羅馬威權的擔保與象徵。這條道路不虛其名，因為在古希臘語中，「*Sebatos*」的意思就是「奧古斯都」，也就是「神聖至尊」之意。單純地行走在這條道路上，就是對奧古斯都大帝（*Divi Filius*）的致敬，他是上帝之子，通過努力和智慧，已將人類帶入黃金年代。

現在，即使在他死後，他也並未放棄這個世界。加拉太的各個城鎮因為如此確信而能有共同的認同與目標。對這樣的共識，有很大的需求。奧古斯都帶給這個地區的秩序一方面要能使人心生疑惑，但同時也要能讓人安心。在他們仍然意氣昂揚的獨立年代，這些部落首領們曾經聚集在橡樹旁的空地上，在星辰之下享受盛宴，並且將戴上花環的囚犯獻祭給他們的神，但這樣的情景已不復見。現在的加拉太人居住在他們祖先所劫掠、由大理石建築構成的城市裡，而這些城市遍布於古羅馬殖民地的行省當中，當地通行的語言是希臘語。

①譯註：加拉太（Galatia）位於古代安納托利亞（今土耳其）中部高地的地區，為古羅馬帝國時期的一個行省。

加拉太聯邦不再能完全以他們的過往自我定義，這三個加拉太部落反而發展出一種新的身分標記。「奧古斯都的最愛」（*Sebastenos*）的頭銜，是由統治者親自賜予他們的。對加拉太的社會精英而言，向他們的神聖保護者致敬，不只是權宜之計，更是他們強烈感受的義務。這就是為什麼在奧古斯都升天五年之後，朝廷下令奧古斯都對自己一生功業的記錄，必須在整個加拉太地區抄錄傳播。其實在他崩逝那一年，這些紀錄已經被刻在一塊銅板上，並且收藏在羅馬的陵墓當中。其中一份抄本刻在羅馬一座剛受祝聖的神廟牆上，另一份以紅色蝕刻在三拱門的廊柱上，還有一份抄本旁邊以奧古斯都本人和他幾位騎在馬上的家族成員的雕像加以裝飾。人們造訪加拉太的城市，就會被不斷提醒奧古斯都一生功業之偉大。他的降生讓萬物秩序步上新的軌道。戰爭結束，世界一統，這些銘文跟一個感恩的民族宣示了「好消息」（*Euangelion*）。②

過去確實從未見過一位神的名聲傳播得如此之快、如此之廣。「橫跨島嶼，橫越大陸，所有人都以神廟和祭品向他敬拜。」[3]在加拉太，經過幾個世代，對奧古斯都和他之後一代又一代的帝國繼承人的崇拜不僅更深，更是公民生活的生機活力。在荒涼的草原和高低起伏的山脈之間的城市，並非自然生成。在加拉太的荒野地區，也就是鄉下人（*pagani*）居住的地方，城市中由奧古斯都建成的廣場和噴水池彷彿是來自另一個世界的景象。早在加拉太人來到這裡之前許久，這個地區是以當地原住民的野蠻、女巫的能力，和復仇心強烈的神而惡名昭彰。其中一個神，不是將說謊的人弄瞎，就是讓他們的生殖器腐爛，因而讓人害怕，另一個神則是對冒犯他的女人，痛擊她們的胸部。類似這種令人恐懼的神，特別適合存在於荒野之中。

成群雲行各處的僧侶們，在行旅中一面跳舞，一面演奏笛子和定音鼓，是加拉太地區的道路上常見的景觀。其中有些人沉迷於壯觀的狂歡儀式，以逐步準備產出各種預言而知名，但對於其中最被稱揚的一些人來說，這兩者之間並沒有關聯。加利人（*Galli*，扮裝成女人的男人）是被供奉在加拉太地區最頂峰的大地之母西貝萊女神[③]的奴僕。面對這位在當地眾神之中擁有最強大力量、最受崇敬的神，他們以小刀或尖石將自己的睪丸割除來表現自己的臣服。這種意在安撫眾神的壯舉，在地中海地區促成了對古羅馬皇帝的信仰，也鼓勵這些扮裝者擴大自己的視野，將他們的信仰帶上新鋪設的道路。這些

②「他終結戰爭，他諭令和平，他的現身，超越了所有人對好消息的期待。」這段寫於西元前二十九年的銘文，刻在小亞細亞愛琴海岸邊，普里埃內城內的一塊石板上，在這塊石板上，「*euangelion*」以複數形式「*euangelia*」出現。

③西貝萊女神（Cybele）：在古代安納托利亞（今土耳其）的古弗里吉亞地區，當地信仰的大地母神，天上眾神和地上萬物之母，體現大自然生生不息的力量。

人越來越常見於羅馬，自然也引起當地保守分子的不安，其中之一就曾嚴厲地說：「如果神欲求這樣的崇拜，那麼她根本就配不起任何崇拜。」[4]

這些扮裝者確實冒犯了古羅馬價值觀，卻不會對奧古斯都的信仰造成可見的威脅。西貝萊女神原本就在羅馬受到崇拜超過兩個世紀以上；詩人維吉爾在描述這個世界新的「黃金年代」[5]時，就想像她是慈眉善目地看望著塵世。只有堅持唯一真神的猶太人基於自己的原則，拒絕認可奧古斯都的神聖性。因此，在加拉太地區紛紛新建神廟奉獻於他之後的幾個世代，來自各地的訪客中對他的地位最具顛覆性的，竟會是一個猶太人，或許也就不讓人意外。「但從前你們不認識上帝的時候，是給那些本來不是神的神作奴僕。」[6]造訪加拉太的保羅（保祿）如此寫道。

保羅在奧古斯都死後大約四十年造訪此地，在這裡（但我們無法確知何處）病倒，並且得到心思細膩的好心人收留。這個不屈不饒又充滿個人魅力的訪客，即使在病床上都不會沉默不語。他的照顧者不僅無須忍受他對這些君主充滿藐視的否定，而應該是將他當作「上帝的使者」[7]專注聆聽，意味著他已經在「敬畏上帝的人」（*Theosebeis*）之中得到了庇護。保羅的希臘語流利，又熟讀《妥拉》，因此是教導他的東道主認識猶太上帝榮光的理想人選。他之後充滿感情地回想起：「那時你們若能行，就是把自己的眼睛剜出來給我，也都情願。」[8]在加拉太地區，即使奧古斯都的功績被公開鐫刻在每一座城市當中，對君主的崇拜讓時間的節奏都有了神聖性，有一件事仍然非常清楚：還是有人渴望從一個猶太人身上學到什麼。

然而，即使是猶太人也有各種不同的型態，而保羅要說的話會對《妥拉》造成的顛覆，不比對古羅馬君權的影響要小。大約在他抵達加拉太之前十年的時間裡，他的生命其實是上下顛倒的。他年輕的時候是個法利賽人，熱切且近乎暴烈地投入個人的學習研究，是一個「比別人更積極地遵行猶太教規，更熱心遵奉祖宗的傳統教訓」[9]的學者，試圖探究猶太人可能接受的信仰的邊界。因此，當那些遊走四方的耶穌追隨者們，在面對這個可憐人遭受十字架釘刑時，仍然堅持祂將自死中復活、升天，並以天父之子的名統治，這無可避免地會在保羅心中激起巨大的震驚和反感。這樣的宣告不容存在，這是一種令人反感的愚昧，必須被噤聲。

保羅原本已經準備好要親自摧毀這個教派，但他的人生轉捩點卻出人意外地，以意氣風發而令人狂喜的姿態降臨。幾十年之後，保羅的追隨者之一，傳統稱作路加的歷史學家，對於保羅到底發生了什麼事提出一種說法。依據他的說法，保羅從耶路撒冷到大馬士革的路上，突然出現一道炫目的光，並且從光裡傳來聲音——後來當保羅受到反對者的質疑時，他就是以這句問話來反駁的：「我不是見過我們的主耶穌嗎？」[10]顯現在他眼前的異象，是對上帝的全新認知，是神聖之愛的展現，並且說明了時間如何像鳥之收起雙翼、像船之收束船帆一樣，已經自我收束停止，萬物皆已改變，並且將他折服。保羅在和那些同他一樣確信耶穌就是基督（也就是救世主）的人的通信當中，絕不可能無視這樣的奇蹟。他被召喚來傳佈「好消息」，做基督的使徒，就是他一生當中最讓他感到驕傲、也最讓他感到謙卑的懺悔：「我原是使徒中最小的，不配稱為使徒，因為我曾迫害過上帝的教會。」[11]

如果這些事之異常會讓保羅感覺難以理解，那麼也必然會讓加拉太的人們感到震驚。他那麼藐視奧古斯都大帝的自命不凡，而他所頌讚的上帝之子卻也不願與其他的神分享統治世界的權力，甚至認為根本沒有其他的神存在：「但是我們只有一位上帝，就是父，萬物都出於他，我們也歸於他；並只有一位主，就是耶穌基督，萬物都是藉着他而有，我們也是藉着他而有。」[12]保羅在他的所有通信中，都認為一個被送上釘刑的罪犯竟會以某種方式成為以色列的神，是理所當然之事。而這樣的想法對加拉太人，和對猶太人一樣，都讓人震驚。

對古羅馬君王的信仰，其本質就是命令與聲勢，要能像皇帝、大元帥一樣地統治帝國，就要像一個凱旋的大將軍一樣地宰制一切。在加拉太地區每一個城鎮當中、在每一個廣場上，君王的雕像就是要提醒他的子民，他和神之子一樣理所當然體現塵世顯赫之姿。難怪，即使保羅對加拉太人宣稱只有一位上帝之子，說祂並不試圖抵抗而是甘心承受鞭苔，並且以奴隸的身分死去，他仍會把十字架的事描述為一個「障礙」[13]。保羅不會想要減緩十字架帶給人們的不快，它「對猶太人是絆腳石，對外邦人是愚拙」[14]，他也一點都不會壓抑他的意圖。相反地，保羅樂於接受他傳播的福音為他帶來的嘲諷和危險。在病中復原的過程裡，在他的東道主面前，他毫不遮掩背上的累累傷痕，這些傷痕就是他為基督所承受的鞭苔，「我身上帶着耶穌的印記。」[15]

這一點為何能說服加拉太的人，接受保羅的信息為真？摒棄對古羅馬君主的信仰，不僅會惹來危險，對將帝國諸省各城市拼接為一個多元社會的縫線也會造成危害。即使如此，還是有一些人在保羅所宣示的全新認同意識中，看到的不是威脅，而是解放。猶太上帝對祂的選民的愛，如此不同於加拉太原本那些肆意而為的神所表現出來的樣子，長久以來早已讓那些非猶太人感到羨慕，卻也心生疑慮。現在，保羅走過整個古羅馬帝國的所有城市，親自為他們帶來天地間的事物將要經歷巨變的消息。

過去，猶太人像受教師保護的孩童一般，蒙受由神聖律法守護的恩典，但現在，因為基督的降臨，已不再需要這樣的守護。猶太人不再是唯一的「耶和華──你們上帝的兒女」[16]。他們所擁有的盟約的排他性，已被廢除。他們與其他民族長久以來的區別（以男性割禮為最明顯的象徵）也被超越了。無論是猶太人或希臘人，加拉太人或斯基泰人，只要他們願意相信耶穌基督，都一樣是上帝的神聖子民。保羅告訴他的東道主，這就是上帝命他傳播到世界盡頭、有劃時代意義的信息：

惟獨使人發出仁愛的信心才有功效。[17]

對原本就認同猶太經籍教誨的人來說，這種情感訴求的力量是顯而易見的。亞歷山大大帝在戈爾迪烏姆鎮上，在加拉太人來到這裡、並以他們敵人被砍下的頭顱和扭曲的屍身裝點之前，就曾碰上一個廣被稱頌的奇蹟：一輛被綁在木樁上數個世代之久的手推車，當地有一個預言是這樣說的：「任何一個可以將它解開的人，註定會征服世界。」[18]亞歷山大大帝沒有浪費時間嘗試用手解開繩結，而是用他身上的劍將綁繩一劍斬斷。保羅透過他現在所傳播的信息，也就是先知們早已預言的「耶穌就代表著上帝對這個世界的計畫的完成」，也完成了同樣的壯舉。在猶太人有關他們的寰宇之主的宣示和其他民族的宣示之間，在一個偏愛單一民族的神和鍾愛所有人的神之間，在以色列和世界之間，有一種清楚表現於猶太經籍中的緊張關係被輕輕一筆劃過，似乎就都得到解決了。

在一個先是處在亞歷山大大帝的陰影之下，之後又被古羅馬帝國的巨大所籠罩，已經習慣於嚮往寰宇秩序的時代裡，保羅所宣揚的是一個力量所及沒有邊際、沒有分別的神。保羅從不認為自己不是一個猶太人，卻認為自己作為一個猶太人的與眾不同標誌，包括割禮、禁食豬肉等等，只不過是「糞土」[19]。對基督的信仰，而非世代傳承的身分，才是讓亞伯拉罕的子嗣與眾不同的重點，而加拉太人不會比猶太人更不能擁有這樣的頭銜。過去將他們奴役的邪惡力量，已經被基督在十字架上的勝利給擊潰。原本的事物秩序是租借來的，一個新的時間秩序即將誕生，而過去所有將人們區隔開來的事物，將因此都被消弭。「不再分猶太人或希臘人，不再分為奴的自主的，不再分男的女的，因為你們在基督耶穌裡都成為一了。」[20]

只有當整個世界被上下顛倒過來之後，人們才有可能會認可這前所未見、充滿革命意味的宣示。在這樣一個到處都有皇帝紀念碑物的行省當中，保羅能毫不保留地清楚闡明耶穌之死的恐怖與羞辱，那是因為如果沒有耶穌殉難，他也沒有任何福音可以傳講。基督透過讓自己無足輕重地成為一個奴隸，也就是讓自己沉到與最低賤、最貧窮、受迫害最深的凡人一起困居其中的最底層。保羅不能無視這純粹的奇蹟，他冒著失去一切的危險，還是要對那些可能會認為這樣的事情令人反感、瘋狂或兩者皆是的人們傳講這樣的奇蹟，那是因為他已經親眼見到耶穌升起的異象，而能直視這一切對他和對全世界所代表的意義。

保羅從不懷疑對時空宇宙擁有神聖主權的基督，祂因此而變得具有人性，並且在最極端的酷刑器具上犧牲，這正是保羅認識上帝的依據——祂就是愛。這個世界因此被改變了。這就是保羅要宣揚的福音，而這也讓保羅成為衡量福音中的真理最可靠的標準——他一無是處，甚至比一無是處更糟，因為他曾經迫害基督的追隨者，愚蠢而讓人鄙視，但他還是被原諒並且得到拯救：「因信上帝的兒子而活；他是愛我，為我捨己。」[21]

如果保羅可以，其他人為何不能？

律法的精神

保羅自然不能永遠待在加拉太，為他們宣講福音，因為整個世界都必須聽到。保羅的野心是當時那個時代的產物。過去從未有過任何一個威權，可以控制地中海的所有航運路線，也未曾有過沿海岸而建立起來的陸路網絡。保羅生在加拉太南方海岸的港口城市塔索斯，一直都有地平線應該要被跨越的意識。保羅將他的涼鞋上所沾染的加拉太塵土拍掉，繼續往西方前進，往環繞著愛琴海的城市前進——以弗所（厄弗所）、帖撒羅尼迦（得撒洛尼）、腓立比（斐理伯）。當然，這並非容易的事。「人還把我們看作世上的汙穢，萬物中的渣滓。」[22]保羅說起話來就像一個永遠都在路上的人，並且一路忍受打擊和監禁、船難和盜匪的劫掠。即使在旅途上有那麼多各式各樣的危險，他卻無意安定下來。他的救主為他殉難，他如何能抱怨受苦？因此，他繼續前行。

據估計，到他死前，保羅走過的路超過一萬英里。[23]一路上，總是有新的教堂要被建立起來，新的人們要被引導信奉上帝。但保羅不只是一個有遠見的人而已，他也瞭解策略的重要。他如同所有善戰的將軍一樣，不會無視後方的情形。在那些古羅馬君王手下工程師努力而熟練地建成的道路上，每一天都有為帝國統治而發出的各種公函文件流通，而保羅為服事自己的上帝，也持續而穩定地發送出信息。保羅雖然否認自己曾經學過，但他其實能夠有效掌握修辭的藝術，他是一個傑出、善於表達，並且充滿感情的通信者。一封信上，可能會沾上他的淚滴，另一封可能會充滿怒氣的忠告，再一封會對收信者表達真摯的愛意，而許多則兼有前述三種情感。在壓力特別大的時刻，保羅甚至會從抄寫員手上奪過筆來，用他粗大而顯目的字體自己書寫。讀著他的書信，不只可以追索他的思考模式，甚至可以聽到他的聲音。

當他聽到從加拉太傳來令人不安的消息時，他立即的反應是著手寫一封狂烈而熱情的信：「無知的加拉太人哪，誰又迷惑了你們呢？」[24]保羅非常清楚那緊緊依附在故鄉土地上的邪惡巫術氛圍，但激怒他的並非在地的巫師們，相反地，讓人感到苦澀的反諷是：那些跟他一樣宣稱自己是在宣揚基督福音的人，正在對他的使命造成毀滅性的威脅。他們教導加拉太的教會，接受耶穌為上帝，就是完全接受摩西的律法。這樣的見解抵觸了保羅告訴他們的所有道理，也質疑了他對基督在十字架上殉難的理解。因此毫不意外地，即使他決心要對抗那些「偷着混進來的假弟兄」[25]和他們的教誨，但他並沒有真的出拳，而是「恨不得那騷擾你們的人把自己閹割了！」[26]

這句粗俗而苦澀的玩笑話，誇張了保羅深怕會對加拉太人造成威脅的兩種危險。割禮不比閹割好到哪裡，而屈從於摩西律法就和到處頌揚西貝萊女神一樣，絕對是對基督的背叛。這不是因為保羅本人曾經懷疑《妥拉》來自上帝本身，而是因為在他相信自己受命要宣講的天地萬物大崩裂當中，「受割禮算不了甚麼，不受割禮也算不了甚麼。」[27]命令加拉太人在刀尖下順服，就是認為基督無能拯救他們，而這也將會恢復保羅相信早已因為上帝殉難而被終結的，猶太人和世界上其他民族的區分。這樣的區分會剝奪他的使命所應有的普世性。難怪在他寫給加拉太人的信件中，保羅會時而哄勸、時而懇求他們忠於他的教誨：「弟兄們，你們蒙召是要得自由。」[28]

這種口號也可能如雙面刃，有利有弊。因此，在保羅離開加拉太之後，被他說服信奉基督的眾人之中，還是有人沒有定下來的安全感，或許也就不令人意外。否認城市原有的眾神，也就是否定了城市生活的規律，會危及與家庭朋友的關係，並且對君王不敬。加拉太的危機，讓保羅警覺到：因他而改宗的人們可能會心生一種錯置感，強烈到足以讓其中一部分人，為了摸索著重新自我定位，甚至會認真考慮接受割禮。畢竟猶太人是一個古老的民族，而他們的律法一向非常嚴厲。一種既神聖又獨有的認同感的吸引力，或許比保羅所理解的要更加強烈。

但保羅還是拒絕妥協，反而更加強硬。他敦促改宗者不把自己看作加拉太人，但也非猶太人，而只是上帝的子民、天國的人民，這就是在鼓勵他們接受一種既普世又具革命性的認同感。在一個將地區性的認同意識視為理所當然，並且傾向於對新事物抱著疑慮的時代裡，這是一個大膽的策略，也是保羅拒絕妥協的策略。如果他有意賦予摩西律法任何一點權威，那也只是因為他堅持上帝真正想要的是普世的友好：「愛鄰如己。」[29]

你所需要的，就只有愛。

保羅會在同一封信裡想像他的反對者自我閹割，卻不會有任何片刻讓他停下來思索考量。畢竟，他信息中的真理已經得到了上帝的認可——不只是在前往大馬士革的路途上，也出現在之後的一個場合，在天堂的異象中，他聽到了「隱祕的言語，是人不可說的」[30]。接著，在加拉太有更多奇蹟顯現。上帝的靈在萬物被創造前的初始就已經盤旋在原始水域之上，此時更降臨在保羅的改宗者身上。奇蹟顯現了，證明天上與凡間之間新訂盟約的確切徵兆。當保羅確信上帝的氣息已降臨在加拉太教堂之上，他內在的信念和對反對者的鄙視，都因此可以得到解釋。「因為文字使人死，聖靈能使人活。」[31]因此，被聖靈觸碰的非猶太人們，又何須遵守摩西的律法，因為「主就是那靈；主的靈在哪裡，哪裡就有自由」[32]。

所以保羅寫信給第二個教會，宣講他的信息核心：脫離舊的身分認同而得到救贖。哥林多（格林多）不同於加拉太，它擁有國際知名的魅力。哥林多掌控連結希臘南邊與北邊的狹窄地峽，有著從特洛伊戰爭之前便存在的悠久歷史，有兩座人口稠密的港口的富裕城市，也是行省總督的駐地，還有各式各樣的銀行。即使在古羅馬時期，城中製作的精美青銅器和手段熟練的妓女，都讓人驚呼稱奇。「不是每個人都有幸能造訪哥林多。」[33]

這座城市雖然擁有歷史悠久的名聲，但其實並沒有比奧古斯都在加拉太地區創建的城市要更古老。它就和這些城市一樣，原本是一個建立在原始定居地的殖民地，而古羅馬軍隊早在兩個世紀之前，就以殘暴的力量將它剷除。因此，和希臘的任何一個地方一樣，哥林多就是一個種族的熔爐。被凱撒安置在這裡的古羅馬自由民的後代子孫與希臘財閥，船業大亨和鞋匠，四處遊走的哲學家和猶太學者，混居在一起。在這樣一座城市裡，認同意識很難有深固的根基。不像在雅典，即使是保羅在當地最熱切的仰慕者，都很難假裝保羅喜歡那裡的聽眾；但在哥林多，他卻贏得一群忠實聽眾。他待在城裡，以搭建遮陽棚和帳篷的工作維生，睡在成堆的謀生工具當中，並且讓各式各樣的人改宗。他在當地所建的教堂，同時接納猶太人和非猶太人、富人與窮人、羅馬姓氏的人和希臘姓氏的人，見證他對一種新人類的想像——上天的子民。

對很多哥林多人來說，這樣一群人真的沒有什麼讓人驚訝的特別之處。這個城市長期以來就一直有收容怪人的傳統。回到亞歷山大大帝的時代，哲學家提奧奇尼斯（Diogenes）就曾經住在大水缸裡，並且在眾目睽睽之下自慰，表達對社會規範的藐視而惡名昭彰。但保羅對哥林多人的要求，是要更完全地重新調整他們最根本的信念。將自我託付給基督，就是被丟進水裡受洗，清洗掉過往的認同意識。改宗者獲得重生。

在這個以富裕知名的城市裡，保羅卻宣稱「世上卑賤的，被人厭惡的，以及那一無所有的」[34]才是最尊貴的。在一個向來慶祝各種競賽，也就是相互競爭以爭取最佳地位的城市裡，他卻宣稱上帝選擇愚人，讓聰明人蒙羞；選擇弱者，讓強者蒙羞。在一個將人分為財產與其擁有者，並將這種階級制度視為理所當然的世界裡，他卻堅持奴隸與自由民之間的區別，因為基督本人就是以奴隸的身分經歷死亡，不比希臘人和猶太人之間的區別要更重要，「因為，蒙主呼召的奴僕是主所釋放的人；蒙主呼召的自由之人是基督的奴僕。」[35]

甚至在保羅的眼中，哥林多也改變了。城裡的劇場和體育場不再是為了榮耀古老節慶，而是頌揚他激進的新奇信息的紀念碑。宣講基督福音，就像是一個演員站在全體人民眼前，或者是跑者或拳擊手為了在哥林多地峽上舉辦的競賽而接受訓練。曾經，在這個城市最黑暗的時刻，是一位古羅馬將軍領著排成長列的哥林多人，標示他的勝利，現在則是上帝本人。加入這個遊行的行列一點都不羞恥，相反地，全身薰香地走在這神聖的行列當中，不僅不是被俘的身分，更是完完全全的自由。

然而，就如保羅也發現的，自由也很容易帶來壓力。如果這種自由讓一部分加拉太的改宗者感到昏眩而歡喜地將摩西律法當作支撐的手杖，那麼在哥林多，就是引發了一種以為任何事情都被容許的飄飄然感覺。保羅離開這個城市幾年之後，他得知一個令人震驚的消息：有一位改宗者和他父親的妻子同床共眠。毫不意外地，保羅震驚不已。但當他寫信給哥林多的教會，警告他們要堅決反對亂倫、賣淫、貪婪、酗酒和譭謗中傷時，他也無法忽視他可能會被指控容許這些行為。自由，不就是容許一個人自行其是嗎？從來不逃避挑戰的保羅，選擇直接面對這個質問。他寫信給哥林多人說：「『凡事都可行』，但不都有益處；『凡事都可行』，但不都造就人。」[36]這一點表面上在哥林多教會中引發內爆，卻也引出了一個重要的論證：如果律法可以為遵守的人帶來益處，就會是最恰當的「基督的律法」[37]。誡命之所以是正義的，不是因為上帝的規範，不是因為祂告知先知，不是因為祂在遙遠沙漠裡的一座山上、在火與雷電之間發布，而是因為它們是為全體人類的福祉而存在。

但保羅的追隨者要如何判斷哪些誡命是互惠互利的？對哥林多人跟對加拉太人一樣，使徒透過宣講愛的重要來回覆這個問題。他激動地宣稱，如果沒有愛，知曉對錯也無濟於事：「我若能說人間的方言，甚至天使的語言，卻沒有愛，我就成為鳴的鑼、響的鈸一般。我若有先知講道的能力，也明白各樣的奧祕，各樣的知識，而且有齊備的信心，使我能夠移山，卻沒有愛，我就算不了甚麼。」[38]儘管保羅始終如一地宣講這個信息，但他還是被無法解決的一個兩難問題所困擾。他去過夠多地方，足以理解不同的民族會有如何不同的風俗習慣。他就像是個成功的推銷員，總是要確定能夠將信息有效地傳達給他的聽眾，「對甚麼樣的人，我就作甚麼樣的人。無論如何我總要救一些人。」[39]

儘管他如此宣示，儘管他對何謂猶太人的理解有那麼劇烈的改變，我們仍可以從他的直覺和偏見中，瞭解他還是他所受教養的產物。從他面對古希臘傳統對愛的意義的認知中，可以看出他的嫌惡，這就是法利賽人會有的態度。在保羅所受的教養中，一夫一妻婚姻制是唯一可被接受的性關係型態，兩個男人之間的性關係是完全無法容忍的，他也毫不遲疑地將這樣的教誨視為上帝的意旨。他雖然不再能求助摩西律法以支持這些信念，但這也不會讓他有更多顧忌，相反地，如果真有什麼影響，這只是讓他更加堅定自信。到頭來，保羅還是無法信任他的改宗者們可以自己認識什麼有利於他們、什麼是有建設性的。

其結果潛藏在他的教誨核心當中，就是一個有震撼性意義的悖論。在保羅所宣示的萬物結構的斷裂，和無窮無盡的日常生活中的各種挑戰之間，在如火山爆發的革命和傳統所能給予的庇護之間，存在著他永遠無法完全化解的緊張性。例如，如果男人和女人真的「在基督耶穌裡都成為一了」[40]，為什麼女人無法擁有跟男人完全一樣的特權？保羅困在這個問題裡，發現自己左右為難。上帝的啟示和所受的教養，將他往相反方向拉扯。他深信基督福音的變革性影響在他的改宗者身上隨處明白可見：因為只要確信聖靈降臨在一個女人身上，她在這些改宗者中的地位，就絕不會遜於任何一個男人。保羅本身將這一點視為理所當然，因為女人們為他身涉險境，幫著為他的使命尋找贊助，並且在教會中擔任領導者。但兩性平等的主張，很容易讓希臘人和猶太人一樣震驚，也不能不讓保羅有所保留。

男人可能與女人一樣、不可區別的想法，畢竟是他自己在加拉太對他的反對者所發的詛咒。因此我們可以理解，哥林多教會可能會催生出加利人（打扮成女人的男人）的鏡像（也就是看起來像男人的女人），這是保羅拒絕接受的可能性。保羅嚴厲地告訴哥林多人，女人的短髮跟男人的長髮一樣令人嫌惡；沒有戴著面紗禱告的女人是讓人無法接受的，因為除了其他讓人驚恐之處外，更會冒犯降臨的天使。就像是一個遭遇船難而跳船的男人，會緊抓住升起的浪潮一樣讓人無法接受，因為「基督是男人的頭；男人是女人的頭」[41]。

即使保羅自己發出這些律令，但他也從未忘記自己的侷限。他不是個偽善者，會將自己塑造成摩西再現。如果有人尋求諮詢，他會提供建議，但這些意見不能被誤認為上帝的誡命。他與人們的通信不是另一部《妥拉》。他作為一個使徒的任務，不是制定上帝的律法，而是更為謙遜地幫助祂的信徒自己認識上帝和祂的誡命。「而你們顯明自己是基督的書信，藉着我們寫成的。不是用墨寫的，而是用永生上帝的靈寫的；不是在石版上，而是寫在心版上的。」[42]保羅為了要瞭解上帝說這段話的意思，自然會回到聖經去尋求協助：因為從先知們寫在聖經裡的文字中可以得知，當上帝與祂的選民訂下新盟約的時候，會將祂的律法「寫在他們心上」[43]，因而無所疑慮。

但保羅也知道，這些讓人難以忘懷的承諾，不能為他嘗試表達的概念提供唯一的先例。在他從哥林多寫給羅馬教會的書信中，他非常直率地表明，猶太人不是唯一對是非對錯有清楚意識的民族，其他民族（無論如何薄弱）也多少擁有這樣的意識，但他們又如何能有這樣的意識？如果上帝從未對他們頒布律法，只可能「自己就是自己的律法」[44]。對猶太人來說，這是一個讓人震驚的認知。在《妥拉》書中，沒有自然律法存在的空間。在基督殉難和復活之後，當保羅努力嘗試制定他所相信的律法，並且將它們寫在認基督為上帝的信徒的「心版」上，他毫不猶豫地改寫古希臘人的論述。他用以描述這些論述的詞彙「良心」（*syneidesis*）清楚表明他心中想到的哲學家是誰。保羅在他宣講的福音的核心裡，將斯多葛學派中的「良知」（conscience）概念神聖化。

這個時候，正是長久以來，為界定上帝降臨對全世界的意義的偉大奮鬥中的關鍵時刻。那些在保羅給加拉太人的書信中直接貶斥的對手（也就是那些宣講受洗等於屈從割禮的傳道者）尚未被擊退，但已經呈現敗勢。在整個地中海地區，保羅努力建立起的那些教堂裡，他對上帝意旨的理解註定終將勝出。猶太人道德觀與古希臘哲學從未被如此融合，並帶來如此重要的成效。以色列上帝的律法可以被刻在信徒的心版上，由聖靈寫在信徒的心版上，這樣的想法雖然受到法利賽人和斯多葛學派的影響，對他們而言卻又是非常陌生的概念。

保羅的書信雖然來自一個在塵世中居無定所、無人知曉的流浪者，這樣的概念卻註定會讓它成為有史以來最有影響力、最有改變人的可能性、也最具革命性的書寫文字。經歷了千禧年，在保羅自己都未曾想像過的社會與土地上，這些書信的影響持續不止。他對律法的信念，終將滲入一整個文明當中。

就如同他自己所宣稱的，保羅確實是一個全新開始的先驅者。

光與火

「黑夜已深，白晝將近。」[45]保羅在給組成羅馬教會的聖徒們（*Hagioi*）的信裡，如此寫道。他在地中海地區不停急切地行走，一下子是往猶地亞的行程，一下子是在西班牙的旅途，反映出他對這個世界所餘時間不多而不曾停止的焦慮。宇宙萬物都在勞動。保羅所說的天地之間發生的大革命，確實就是宇宙的秩序。在巨大的喇叭聲中，在天使的歡頌聲中，基督很快將再降臨。即使保羅渴望著上帝的回歸，也會因為這個可能而興奮顫抖。他鼓勵他的信徒們：「願你們的靈、魂、體得蒙保守，在我們的主耶穌基督來臨的時候，完全無可指責。」[46]他用來描述這即將到來之事所用的詞彙「*parousia*」（再臨）能讓任何一個古希臘人產生共鳴。這個世界也曾見過，像「圍城者德米特里」那樣虛有其表的軍閥，竟也曾被捧為神聖的。因此，能夠見到神在地上行走的渴望，被保羅用猶太人對以色列唯一真神的敬畏，加以隔絕。基督將要重臨的展望，同時也是一個具有多元文化訴求的信息。

羅馬已經建好舞台，將要迎來一個令人驚嘆的再臨。當保羅從一個城市走過一個城市，警告大家所餘時間不多，在羅馬都城裡，卻已經有一位能夠盡情享受模糊世俗與神聖之別的年輕君主即位。尼祿（Nero）是奧古斯都大帝的高孫，因為他的養父在死後立刻升天，因此他可以被列為神的兒子。他一出生就已經受到神的偏愛，在一個十二月的黎明時分，可以看到初起的陽光如何將他包覆在金黃色的光芒之中。阿諛奉承者將他比作太陽神阿波羅，頌讚他如何讓散落四處的星辰飛翔，帶來充滿欣喜的新時代，並且為

「被迫沉寂的法律帶來新的氣息」[47]。

他甚至比奧古斯都做得更加徹底，將這樣的宣傳推到近乎凶狠的極限。尼祿以最張揚的方式將他的「福音」（*euangelion*）帶到希臘：免除當地的賦稅，開始興建穿越哥林多地峽的運河，並且在奧林匹克競賽中擔任主角。全世界的資源都為其所用，無論是錢幣、雕像或旗幟，都將他塑造成籠罩在神聖火焰之中的人物。他會在都城的街道上以太陽神的姿態現身，當他首次公開演奏練習許久的七絃琴，他就直接選擇了尼俄伯因為自大而遭天神懲罰的故事，作為吟唱的內容。對尼祿那些眼花撩亂的崇拜者來說，他就像在殘酷和光彩中光芒四射的阿波羅神，在地上的顯現。

當然，對保羅而言，甚至不僅對保羅而已，這一切比愚蠢荒唐更糟。尼祿以馬車手或音樂家的形象出現在大眾面前，他的一意孤行就是無視羅馬的古老偏見：為大眾提供娛樂的人，最後就會變成社會最底層的人。但是，對社會成俗的這種冒犯，不僅不會讓他停手，反而服膺了他的目標。皇帝與使徒至少會同意一件事：在一個剛被神聖力量碰觸的世界裡，沒有任何事物會跟過去相同。作為神之子和世界的統治者，尼祿不會受制於那些單調而令人憂心、約束凡人事物的社會成規。相反地，他就像那個從悲劇中跳出來的人物一樣，殺死自己的母親，將懷孕的妻子狂踢致死，更扮成女性嫁給一個男人，而這就是一個神話般的英雄人物的實際生活情形。在一個由超人統治的國度裡，還有什麼只是禮儀而無實質？古羅馬本身在反覆而壯觀的顛覆當中，就已經成為這種行徑的同謀。

西元六十四年夏天，在羅馬街上有一場為慶祝新秩序誕生的盛大狂歡派對。在城市正中心地區的人工湖裡，堆滿了海怪；在城市的邊緣地帶，有著為數眾多的妓院裡的妓女——既有在街頭接客最廉價的，也有出身純正血統貴族家庭者。就是一個晚上的時間，無論是公民或奴隸，男人們都能造訪這些妓院，並且知道這些女人不能拒絕他們。「一個奴僕可以帶上一個情婦，出現在他主人面前；一個格鬥士在她父親的注視之下，帶上一個貴族家的女孩。」[48]

但在廣袤的都城土地上，在全世界最大城市的住宅區和工作坊裡，還有一些散居各處的民眾，他們拒絕接受成規習俗約束的行徑，甚至讓尼祿都要自嘆弗如。保羅不是羅馬教會的建立者，耶穌的信徒早在他到來之前就已經出現在這座城市裡。即使如此，在保羅從哥林多寄給聖徒們的信裡，一篇有關他信仰的長篇大論，不僅是給「你們在羅馬、為上帝所愛、蒙召作聖徒的眾人」[49]的導言，也是他們所未曾聽聞過的。這篇論述是保羅一生事蹟的最詳細記載，承諾賦予接受者一種遠較尼祿利用任何花招所能給予他們的，更具革命性的尊嚴。

當大眾受皇帝之邀參與街頭派對，那個邀請是要他們享受統治者能帶給他們的稍縱即逝的狂歡樂趣，但在保羅寫給羅馬人的信裡，他承諾要帶給他們的，卻是會讓人更加震驚的事物：「聖靈自己與我們的靈一同見證我們是上帝的兒女。」[50]這種被如此明白宣示的重要地位，絕非尼祿所能想到可以與他人分享的。那些被他們自己勞動的汗水給弄得又髒又臭的屋主們，或者居住在城市郊區的簡陋公寓或作坊裡的居民們，應該沒有資格聲稱自己能夠擁有凱撒的頭銜，但保羅卻宣稱這正是他們的特權。因為他們已經被上帝所領養。

不只是這些屋主們。在尼祿為古羅馬百姓所舉辦的盛大派對裡，即使是皇帝所支持的對傳統的顛覆，也有其明白的侷限。貴族的女兒們被迫成為妓女，並且要對任何人提供性服務，這就是一種徵兆，一種都城裡的多數人都視為理所當然的殘酷事實的徵兆——古羅馬的陽具權威。性，如果不是用以展現權力，就無任何用處。那些被當作性工具的身體之於古羅馬男人，就如同被征服的城市之於古羅馬軍團的槍劍。無論是男人或女人，被穿透就是被標示為具有低等的特質：女性化的、野蠻的、奴性的。如果羅馬自由民的身體是神聖不可侵犯的，那麼其他人的身體就是可以任人競逐爭奪的對象：「每個主人都有資格按照自己的意願使用他的奴隸，這是公認的事。」[51]尼祿剝奪了在他的派對中擔任妓女的貴族女人依法擁有不受侵犯的權利，即使只有一個晚上，他也確實是在醜化古羅馬階級體制，但又不是沒有更根本的主張。在羅馬，男人們不會有任何遲疑以奴隸和妓女來滿足性慾，就如同他們在路邊如廁一樣的自在。在拉丁文裡，射精和小解是同一個字：「*meio*」。

保羅對於這個現象，卻提出了一個完全不同的觀點：「你們豈不知道你們的身體是基督的肢體嗎？」[52]他曾經就是如此要求哥林多人。任何男人，如果知道他的身體已經奉獻給主，怎麼可能會容許它和妓女的身體纏繞在一起，兩人的汗水混在一起，甚至與她在肉體上合而為一？但保羅宣稱人的身體是「聖靈的殿」[53]，並不只是要將大多數哥林多和羅馬男人視為理所當然的對性的態度，斥為對神的褻瀆，他更要賦予那些提供男人服務的人——妓院裡送酒的女孩，彩繪身體讓人狎戲的男孩，被毫無內疚的主人縱慾使用的奴僕——一點救贖的希望。他們和基督一樣地受苦，承受鞭撻和貶抑虐待，就是與祂同享榮耀。如保羅對他的羅馬聽眾們保證，被上帝領養，就是他們的身體會得救贖的承諾：「叫耶穌從死裡復活的上帝的靈若住在你們心裡，那叫基督從死裡復活的，也必藉着住在你們心裡的聖靈，使你們必死的身體又活過來。」[54]

對聽到這個訊息的人們而言，訊息中所蘊含的革命性意義，不可避免地會引發迫切的疑慮。那些擠滿工作坊的人們，就是羅馬聖徒聚會所裡的會眾。他們在聚會中一起共餐，紀念基督的拘捕和受難，男人與女人、公民與奴僕摩肩擦踵，不分彼此。如果所有人同樣都能得到基督的救贖，都同樣受到上帝鍾愛，那麼，藉由最卑微的羅馬家庭來運作的階級制度，又是如何呢？

保羅在提供答案時，暴露了某種矛盾。當然，對那些以基督之名受洗的信眾，他拒絕承認上帝給他們的神聖正義會依據他們的階級而定，而且非常堅定地宣稱：「因為上帝不偏待人。」[55]所有人，無論地位高低，都能從原罪與死亡的奴役中獲得救贖。一家之主與他的奴僕同樣都是上帝之子。因此，每個人都應該由共同的愛結合在一起。然而，即使保羅如此極力主張，他並沒有將這個信息中的激進性推演到合乎邏輯的結論。一個奴隸或許受他主人如兄弟一般鍾愛，以其聖潔而知名，甚至擁有預言的天賦，但他終究還是奴隸。保羅的解釋是：「基於我們所承受的恩典而有不同的天賦。如果一個人的天賦是預言的能力，他應該依據他的信仰加以運用；如果他的天賦是服侍他人，那麼就讓他服侍他人。」而如果他同時擁有兩者，當然他就可以兼顧。

保羅在推廣這個宣示的同時，至少可以辯稱他會實踐他所宣揚的論點。他自願放棄了他的背景所賦予他的特權。如果路加的歷史書寫可以相信的話，保羅不只是法學家和學者，他同時從父親那裡繼承了古羅馬的公民身分。④ 即使如此，他也很少以此自恃。他毫無畏懼地宣傳自己的信念，卻也完全接受權威人士有權力針對他的言論，對他施以懲罰。與其放棄在猶太會堂講道的權力，他寧可一再地屈從於他們所訂的紀律法則：「我被猶太人鞭打五次，每次四十減去一下。」[56] 循著同樣的精神，儘管他瞧不起古羅馬君主們的自命不凡，保羅卻警告羅馬教會不要公開反對尼祿，因為「順服掌權者，在上有權柄的，人人要順服，因為沒有權柄不是來自上帝的」[57]。

保羅確信真正的公民身分來自天上，而這樣的信念，符合他盡可能有效利用世俗權威的決心。如果猶太會堂給他機會，為基督贏得他的猶太同胞，那麼他就會把握住。如果哥林多或羅馬的家族提供他財務上的支持，讓他來自各方的信徒有可以聚會的空間，或有幫忙減緩猶地亞飢荒危機的資金，那麼他也會充分利用他們的慷慨。如果古羅馬政權能維持和平，讓他可以遊歷各國，那麼他也絕對不會鼓勵信徒反抗，以免危害他的使命。因為反抗的風險太大。保羅並沒有時間重新建立一整個社會架構，在他所能有的一點機會裡，真正重要的是如何建立越多教會越好，讓整個世界準備好迎接基督再臨，「主的日子來到會像賊在夜間突然來到一樣。」[58]

漸漸地，整個世界的基礎似乎真的開始動搖。西元六十四年夏天，尼祿惡名昭彰的街頭狂歡之後幾週，羅馬城裡發生致命大火，燃燒數天不止。等到火勢終於被撲滅，整個羅馬城已經有三分之一成了冒著濃煙的瓦礫堆。尼祿為了尋找禍首，盯上教會的聖徒們。官方指控他們的罪名，包括縱火和「對人的仇恨」[59]，證實了他們的信仰其實沒有被詳細地審查過。他們只是代罪羔羊。熱愛奇觀的尼祿表現出只有阿提米絲和阿波羅能有的報復心。其中有一些被定罪的人，被披上獸皮丟給猛犬肢解，其他則有人被綁在十字架上，身上塗抹瀝青，當作火把一般燃燒以照亮黑夜。尼祿坐在戰車上，混跡於因這些景象而目瞪口呆的群眾當中。

依據之後的傳統記載，在被處死的人當中，有兩位知名人士。一個是彼得（伯多祿），另一個被以合乎羅馬公民身分的原則而斬首的人，就是保羅。我們並不清楚他到底是不是真的在羅馬大火之後，或者更早之前就已殉難，但他被處以死刑則是相當確定的。在他死後三十年之間，保羅在羅馬被稱頌為最典型的上帝榮耀的見證者，也就是殉道者（*martus*）。「因為他被鎖鏈綁住七次，被放逐，被以石頭攻擊，在他的傳道遍及東

④即使路加的說法不可信，而學者們對保羅是否為古羅馬公民的問題也有不同的看法，但會有這種說法，就暗示了他的身分之特別。

西兩方之後，在他教導整個世界何謂正義，甚至遠到西域邊界之後，他就會因為他的信仰而得到獎賞，得到尊貴的榮耀。」[60]

保羅失望地死去，因為他沒能看到基督的榮耀回歸。但他的傳道中最具革命性的部分，也就是萬軍之主耶和華並沒有準備要在雷火之中，將以色列從外人的壓迫中拯救出來，而是要將祂的兒子送上古羅馬的十字架，以引進一個新的時代。這一點對他的信徒而言，將會很快得到只能說是可怕的確認。西元六十六年，猶地亞的猶太人心中隱含的怨恨，終於爆發為公開的抗爭，而古羅馬的復仇行動則是恐怖異常。抗爭開始四年之後，耶路撒冷被古羅馬軍團攻陷。聖殿的財富被裝載送往羅馬，建物本身則被焚毀。「無論其歷史之悠久，無論其寶物收藏之豐，無論將它視為已有的人們在世界各地的分佈有多廣，無論其祭典之榮耀如何無與倫比，都證明無法避免它被摧毀的命運。」[61]

這些叛亂者所依賴的上帝，無法拯救祂的子民。很多猶太人被丟進悲慘與失落的深淵，便完全放棄了對祂的信仰。其他人則並不譴責上帝，而是怪罪自己，給自己加上違抗上帝的罪名，並且更強烈地投入對經籍和律法的研讀。還有其他人——那些相信耶穌就是基督，越來越被古羅馬政府歸類為基督徒（*Christiam*）⑤的人們，在上帝選民所遭遇的毀滅當中，發現了一個更令人害怕的相似景象：在十字架上的上帝之子。保羅雖然沒有活到親見聖殿的崩毀，但他一直在期待。早在他第一次見到基督時，他就放棄了相信上帝是一位受永恆盟約約束的戰士，只保護某一個特定的民族。他所宣講的是一種新的盟約。上帝之子因為成為凡身而能救贖全人類。祂並不是軍隊的領導者，不是世俗皇帝的征服者，而是在彌賽亞到來時的犧牲者。這樣的訊息不僅新穎，且讓人震驚，更證明適合一個正經歷創傷記憶的時代：「猶太人要的是神蹟，希臘人求的是智慧，我們卻是傳被釘十字架的基督。」62

因此，當耶路撒冷崩毀之後，當耶穌開始從人們的記憶中慢慢消退，不讓人意外的是，基督徒們開始紀錄他的生平和格言。保羅在他的書信中就經常指涉耶穌的殉難，包括他被逮捕的那個夜晚所受的鞭打，還有他被釘在十字架上的受難，但他也同時肯定他的讀者們都知曉其中的細節，因此忽略了要讓這件事成為他要溝通的焦點。那些在耶路撒冷被毀前後，情勢緊張、讓人驚恐的年代裡寫成的福音，卻有所不同。⑥

⑤依據〈使徒行傳〉（宗徒大事錄）第11章第26節：「門徒稱為『基督徒』是從安提阿開始的。」。這個論點的意涵，加上古希臘文字*Christianos*之特別，強烈暗示：「這個字在羅馬帝國的範圍裡，首次出現在拉丁文。」（Horrell，p.364）泰西塔斯確實明白說過，被尼祿問罪的人們，被以侮辱的字眼「*Chrestiani*」稱呼。因此，毫不意外地，這個詞彙不曾在保羅的書信或福音中出現，但最遲到西元一百年以前，基督徒自己就已經開始用以自稱。

其中寫成最早、影響力最大的四卷福音書，都以基督的死與復活為高潮，但這一點也不是唯一的主題。在其中一卷福音書中，耶穌宣稱：「只有一位是你們的師傅。」[63]雖然祂的教誨方式一點都不像哲學家。祂將那些會自我炫耀美德、指責他人罪過的人，貶斥為像長滿蛆蟲、腐朽不堪的彩繪墳墓一般。祂所宣講的美德標準——包括愛你的敵人，放棄世俗財貨——如此嚴苛而幾乎不可能達到。祂對罪人也特別溫柔，與違反律法的猶太人共餐，與犯下通姦罪的人在井邊談話。祂有運用比喻的天賦：上帝的國就像是一顆芥菜種子，像是小孩眼中看見的世界，像是麵團中的酵母一般。在耶穌喜歡講述的故事，也就是各種寓言中，故事中的情節既可能來自於卑微人們的世界，也可能來自富有或智慧之人的世界，或者來自養豬人、僕人、播種者的世界。

即使如此，這些故事還是有一種怪異之處。人們日常熟悉的事物，一再被表現成陌生而難以辨識的樣子——掉落在荊棘當中的種子，迷途的羔羊，等著婚禮開始的伴娘。所有這些出現在耶穌教誨當中的事物，使得上帝的意旨散發出令人困擾的意味。但是，沒有任何事物會比耶穌本人的性格更讓人難以理解。在過去的文學作品中，幾乎不曾見過像他一樣的人物。要理解這點，只要看基督徒在閱讀福音書的時候如何相信被書寫的那個人物——那個被描寫為正在哭泣、流汗、流血的人物，那個他們熱切且毫不保留地認同其死亡的人物，確實就是如保羅所宣稱的：「上帝的兒子。」[64]

在古羅馬帝國征服耶路撒冷之前六個半世紀，當巴比倫人為這座城市帶來類似的命運時，那些被擄走成為奴隸的人們，想像著這一切終將帶來最好的結果，以保持對他們的神的信仰。以色列將會被重建，而王子們將在她的面前臣服。黑暗終將被掃除。因為上帝本人如此宣示：

> 我還要使你作萬邦之光，使你施行我的救恩，直到地極。[65]

現在，在聖殿第二次被毀之後，黑暗似乎只是更加深厚，那麼，光明前景何在？福音書的作者們為這個問題提供了一個讓人震驚的答案：光明已經出現了，「光照在黑暗裡，黑暗卻沒有勝過光。」[66]基督徒會在適當的時候，將以這個宣示開始的福音書歸於十二使徒當中最年輕、特別得耶穌鍾愛的約翰（若望）。上帝的道（*Logos*）與上帝同在，

⑥ 仍然無法確定這四卷福音書寫成的確切時間，大約估計是在西元五十年代到九十年代之間。成書時間較晚的依據，已經不再像曾經被認為的那麼確定。

也就是上帝本身。上帝創造宇宙，降臨人世，這個世界卻認不出祂。這卷福音書融合了猶太經籍和古希臘哲學思想，與保羅的書信同樣都清楚標示出這個時代的特色。

光明與真理是同義的觀念，確實並非約翰原創，而可以追溯到大流士的時代。但這個觀念在這之後的發展，在波斯國王、古希臘哲學家，乃至於猶太先知的論述中，卻沒有可以類比之處。上帝的道已經化為肉身。他的使徒就是漁夫和收稅人，他們一起在塵土飛揚的路上奔波，一起睡在堅硬的地板上。然後，當耶穌被逮捕的那個夜晚降臨，他們卻拋棄了他。即使是彼得，站在耶穌被捕的庭院中的一盆火邊，也在雞叫之前三次不認主。這樣的背叛似乎無法得到寬恕，但寬恕卻在福音書的最後部分到來。約翰描述復活的基督如何於正在湖邊捕魚的使徒面前顯現，生起火，並且請他們在火上烹煮漁獲。然後在他們吃完之後，他轉向彼得，接連三次問他：「你愛我嗎？」彼得三次都回答是，耶穌也三次命他：「餵養我的羊。」[67]

於是，開始於萬物初始「上帝的道」便與上帝同在、便是上帝本身的福音書，就在這裡，在湖邊的一場烤魚宴中結束。希望生於絕望，和解生於背叛，療癒生於傷痛。

在這個時代的驚濤駭浪中，這個信息不僅會讓許多人心有同感，時間也終將證明，它甚至會讓人非常樂意為之犧牲。

第
4
章

信仰

西元177年，里昂

羅納河谷區的教會焦慮不安。有關他們如此焦慮的消息，不免為依勒內（Iren-aeus）即將踏上的旅程蒙上一層陰影。幾年前，他從出生所在的小亞細亞地區出發踏上旅程，在里昂（Lyon）南方二十英里處的維也納定居下來。高盧人和他們的遠古祖先加拉太人一樣，早就臣服於古羅馬的統治。維也納最早是由凱撒所建立，而里昂則從奧古斯都的時代開始，就是高盧地區的實質都城所在。依勒內從愛琴海地區來到羅納河谷地區，在這裡找到了原來的家以外的另一個家。特別是里昂，就是一個驕傲的國際都會。城裡有一座祭拜奧古斯都的廟宇園區，其範圍之廣大，不比任何在小亞細亞地區的類似建築要遜色。廟區吸引了來自整個羅馬帝國各地的軍士、行政官僚和商人，其中甚至還有一座眾神之母西貝萊女神的祭壇。

在依勒內看來，里昂的最特殊之處，是城裡的基督徒們。他們的陪伴始終是他生命的基石。他在年輕時候就已經坐在地區主教波里加（Polycarpus）①的腳下，波里加是一位「對真理最堅定不移的見證者」[1]，而且根據依勒內的說法，波里加與福音書的作者約翰相識：「我記得他如何說起與約翰、與其他見過我主的人的談話，他如何憶起並背誦他們說過的話語，他如何想起他聽到他們說到有關我主的事，祂的神蹟，祂的教誨。」[2]來到了羅納河谷地區，依勒內為當地初建的教會帶來無比珍貴的事物：得自於一個知名的見證者對使徒世代的緬懷。維也納的教會展開雙臂接納他。他的學識和對基督的忠誠奉獻，確認了他的聲譽。這就是為什麼里昂和維也納的教會長老們，為了急於解決在羅納河谷地區教會之間的各種歧見，並且熱烈期待來自羅馬的建議，會選擇依勒內擔任派往首都的使節。他就在這樣的態勢中啟程。

到達羅馬之後，依勒內因為見證了當地的基督徒們長久以來都是為基督而生，而深受感動。據他所言，連續有十二個人掌管著「由兩位最榮耀的使徒——彼得和保羅——所建立起來的神聖且舉世聞名的教會」[3]。尼祿所發動的對基督徒的迫害，早就已經消失不再。大致而言，城裡的基督徒可以自行其是，相對地，他們也變得稍微更像「羅馬人」一點。

保羅傳述基督將臨的消息，讓大家興奮不已的時日，已經是一個多世紀以前的事了。基督徒們可能還會時時盼望著「基督再臨」，但保羅的訊息中原有的那種激進意味已經變淡了。以保羅和彼得之名的書信，現在被用來嚴格要求女人服從他們的丈夫，奴隸

①譯註：約翰的門徒（69-155BC），士麥那（今土耳其伊茲密爾）主教，基督教會史上最早得到詳細記載的殉道者。

要「凡事聽從你們肉身的主人」[4]。給羅馬城的基督徒的建議是，如果受到君主的迫害，不要尋死，而是要「尊敬」[5]他。依勒內自己身為一個經驗豐富的旅人，非常瞭解世界秩序的基礎為何，並且毫不遲疑地加以認可。他在寫到帝國君主時是如此說的：「因為他們，世界得以維持和平；因為他們，我們可以毫無畏懼地走在維護良好的道路上，並且坐船去到任何我們想去的地方。」[6]

然而，有效組織的交通基礎建設是有其代價的。即使依勒內是為了完成他的任務，他也明白他暫時離開的那些教會正陷於致命的險境當中。沒有系統性的迫害，並不代表著基督徒就可以放鬆。雖然各地的總督受到法律義務的約束，不能趕走基督徒以免危害省區的地方秩序，一般不守管控的群眾卻很樂於自行其是。因此，不讓人意外的是，以自己獨特的崇拜儀式為傲的基督徒，會成為各種淫穢耳語譏諷的對象，說他們亂倫、崇拜長老和主教的生殖器，還說他們施行「拴住一隻狗的駭人聽聞的崇拜儀式」[7]。不論基督徒自己如何氣憤地反駁這些毀謗，無風不起浪的想法，確實很難駁斥。

在里昂和維也納的教會，主要信眾是移民的這件事也沒有幫助。這些外國人拒絕參與城市祭祀儀式，甚至以詛咒「君王的財富」[8]來表現他們對這些儀式的鄙視，他們還將一個被處死的罪犯當成神來崇拜，這些行為很容易激起人們對他們的敵意。在羅納河谷地區，這種威脅特別嚴重。西元一七七年，當風暴終於爆發，那些暴行如此反覆無常地在各地傳布，如此殘暴地展現，對那些受害者來說，彷彿是來自人類世界以外的暗黑之境。暴民在街上遊蕩，四處搜捕基督徒。各種年齡、階級出身的男男女女，在拳頭和石塊雨中被拖到里昂的中央廣場上，然後丟進牢裡。他們被關押在那裡，等著總督興之所至的處置。

兩個高盧地區教會的長老就是從獄中將任務交付給依勒內；那些拒絕總督以背棄基督換取人身自由的勇敢基督徒，也是從獄中被帶到競技場。像里昂這種規模的城市，當然會有一座這樣的競技場：歡呼的群眾聚集在一起，看著罪犯被丟給獸性大發的動物，或彼此相鬥到死，或忍受各種新奇的酷刑。也就是在這樣的競技場中，羅馬人將死亡轉化為表演的天才，其精髓得到展現。但這樣的天才，與里昂的基督徒棋逢對手。「我們成了一臺戲，給世界觀看。」[9]保羅將自己比作在競技場中被折磨至死的人時，如此寫道。

為了對抗羅馬帝國殘酷的威脅力量，基督徒帶來了一個強而有力、但也充滿顛覆性的信念：他們就是一齣宇宙大戲的演員。他們不會在群眾狂呼的暴風中畏縮，不會因加諸在他們身上的屈辱而退縮。相反地，他們會從所受的苦難中昇華，向公眾展現他們對基督的奉獻。不論是被公牛戳刺、被野狗撕咬，或者綁在火燙的鐵椅上烤炙，他們只會

「不斷重複宣示他們的信仰」。無論如何，在很可能是依勒內自己所寫的一份報告中，這就是小亞細亞的教會所得到的訊息。②這封信立即使一個重要發現成真——作為一個犧牲者的身分，會是力量的源頭。這一點推翻了羅馬威權的統治原則，屈服被重新理解為勝利，屈辱被重新定義為榮耀，死亡被重新認識為生命。在里昂那個恐怖的夏天裡，與被施以釘刑的王有關的悖論，是高盧地區最受關注的議題。

對競技場裡的觀眾們來說，基督宗教的殉難觀雖然確實是新的概念，但不至於是完全陌生的。古希臘人和古羅馬人都對自我犧牲的故事不陌生。那些比較有教化意義的歷史敘事中，充滿著這樣的故事。哲學家咬下自己的舌頭吐在暴君的面前，被敵人捕獲的戰士將手伸入火焰當中，以表現自己不屈服的決心。這類型的模範人物，總是出現在古羅馬的學校課堂上。他們教導年輕人的價值觀，正是羅馬能夠征服世界的原因，也闡明了使羅馬民族得以偉大的如鋼鐵般的特質。因此，那些被送到競技場，服從行刑者而被長矛或利劍穿刺的罪犯，竟然也可以擁有這樣的特質，就更顯得怪異。

確實對羅馬官方來說，這些殉難者的自命不凡很容易顯得滑稽可笑，絕對令人反感，甚至近乎難以理解。將里昂和維也納的基督徒判死的總督，如果讀到被送到小亞細亞教會的信件是怎樣記述他的作為的，他的反感會更深。那份信件的作者宣稱：「那些被人們認為低賤的、隱形的、卑劣的事物，正是上帝認為應該得到最大榮耀的。」[10]為了凸顯這個充滿顛覆性的信息，這封信特別強調一個名叫布蘭迪娜的女奴的故事。她毫無畏懼地承受加在她身上的每一種酷刑折磨，她的英勇所發散出來的光芒，甚至讓和她一樣殉難的人們都相形見絀。布蘭迪娜的女主人也被送到了競技場，卻連名字都沒被提及。其他因為害怕而背棄基督的信徒們，則被貶斥為「缺乏訓練、軟弱無力的運動員」[11]。布蘭迪娜贏得每一個回合、每一次競賽，因此得以戴上榮冠。

一個奴隸，「一個清瘦、脆弱、被鄙視的女子」[12]竟然可以與天上的精英並列，安坐於上帝光耀宮殿的榮光之中，甚至比那些在塵世中的地位絕對比她高的人還要更列前茅，就是一個有力的證明：在基督宗教的信仰核心中，存在著一個難解的奧祕。在給亞洲地區的教會的報告中提到，布蘭迪娜被摧毀的身軀在競技場裡彷彿變身了。與她一起殉難的同道者，即使深陷於自己的痛苦之中，也還是「仰望著他們的姊妹，並且在她身上看到了那個曾為他們而犧牲自己的唯一真神」[13]。依勒內一點都不懷疑，當布蘭迪娜這

② 這封信是由優西比烏（Eusebius）事件發生過後一個半世紀的一位教會歷史學家所引用。他確實很有可能，在其中加上了自己的看法。即使如此，他在敘述中提到在依勒內同時期所發生的教義爭議，清楚說明了書信的大部分內容必然是真實的，甚至可能是依勒內親筆所寫。

樣的女人被鞭子抽打時，她和基督一樣感受到那樣的痛苦。也就是這樣的保證讓殉難者勇於承受死亡。基督徒擁抱難以承受的折磨的意願，雖然在判他們刑的人看來就只是瘋狂，其實這是奠基於一個令人敬畏的信念：救主與他們同在。不只是羅馬的古代英雄們願意自我犧牲以換得神廟與領地，基督的存在也是真實的。祂就在競技場裡，就像祂曾經被釘上十字架一樣。模擬祂的受難，就是為黑暗難解的死亡賦予意義。

但是，假設祂其實並未受難呢？依勒內非常瞭解，這是一個比羅馬總督所能提出的更讓人不安的提問。在保羅書信還有四部最早的福音書中，認為基督不僅是一個被送上十字架折磨至死的人，也以某種神祕方式成為以色列唯一真神的一部分，這樣的說法對某些基督徒來說，簡直太過激進而無法容忍。那麼，祂實際上究竟是誰？有些基督徒主張，與其將世俗與神性混在一起，主張祂的俗世性質只是幻覺，不是比較可信嗎？宇宙的主怎麼可能孕生於一個世俗的女子，更甭論曾經歷痛苦與死亡？許多基督宗教導師都嘗試解開這些謎。

依勒內還在羅馬時，接觸了不同的學派，他們都各有自己的意見——自己的一套「異端邪說」（*haereses*）。有些人認為基督是純粹的靈；有人認為肉身的耶穌「只是基督的載體」[14]，更有人說基督和耶穌雖然彼此不同，但都是超自然的實體，都是一群複雜難解的神靈其中之一，居住在遠遠超過地球實體界限以外，被稱為「*pleroma*」（意謂「圓滿」）的地方。這些各自不同的「異端邪說」倒是有一個共同點：對基督真的遭受死亡的想法，都有強烈的抵觸。「我們相信，那人就是一個奴隸。」[15]這是住在亞歷山卓的基督徒巴西利德斯（Basilides）③的意見，他教導說：當耶穌受釘刑的時間到來時，他將自己的形體和一個不幸的過路人交換了，「當那個人因為無知和錯誤而代替他接受釘刑」[16]的時候，耶穌站在一旁笑著。

對依勒內來說，因為他決心要為基督徒確定通往信仰的真道路，也就是所謂的「正統」（*orthodoxia*），類似巴西利德斯的這種論說是一種背棄信仰的邪門歪道。這些認為人們可以模仿基督的說法，荒謬可笑。依勒內說：那些教授「基督只是純粹的靈」主張的人「甚至會嘲弄殉難者」[17]。因此，其結論是具有毀滅性的。布蘭迪娜不僅無法與基督同享榮光，甚至是可悲地被愚弄了。她的受苦毫無意義，仍然是身為奴隸而死。

不同的基督徒會對他們救主的本質有不同看法，或許是難以避免的。依勒內完全瞭解，他就像在一個公開的市場裡與其他人爭搶顧客一樣，所以他會對建立重要而嶄新的

③譯註：出身敘利亞，西元二世紀時在亞歷山卓教授神學，有評論福音書相關著作，但皆已失傳，屬基督教諸斯底主義（Gnosticism）學派，強調個人「靈知」獲得知識的信念。

正統觀念（orthodoxy）充滿熱情。畢竟信仰不會自己流傳，而必須被四處宣揚，並且與競爭對手堅定對決。這一點在高盧地區和在羅馬一樣重要。在里昂，即使曾經歷過西元一七七年毀滅性的迫害，還是會有基督徒對殉難的理想嗤之以鼻，並且否認當地主教的權威。依勒內在他的前任死於獄中之後被選出來繼位，當然會反過來對他們不屑一顧。他將他們的論說貶為唱高調的胡言亂語，認為他們的儀式不過是一種藉口，讓他們可以將春藥強加在容易上當的女人身上。「巫師的狡詐，加上小丑的行為。」[18]

雖然依勒內的忠告有時聽起來會帶有藐視的意味，但他從不懷疑自己正在打一場真正的理念之戰。譴責瘋狂而毫無根據的「異端邪說」，就是對「正統」的認可。真理會因為被謊言構陷，而更顯光亮。他就是抱持著這樣的信念，將那些自稱基督徒的人所提出、但被他譴責為虛假的論說系統性地加以分類。他將這些論說都歸於單一的來源——一個據說曾被彼得感化改宗的撒馬利亞術士，名叫西門（西滿）。

如果說這樣的做法並不公允，那他也不盡然就是如此。像巴西利德斯的這種導師，都會將他們的論說起源追溯到使徒的時代，不過依勒內卻認為這正是一個可以培養出壓倒性力量的戰場。當巴西利德斯宣稱他是從彼得的一個追隨者那裡，透過某種神祕的溝通管道而接收到福音，這不可避免地會凸顯出一個事實：像依勒內這樣的主教所宣稱擁有的權威，來源是多麼豐富和公開。「雖然他們散居在世界各地，甚至遠到地球盡頭，教會從使徒，從使徒的追隨者，得到單一的信仰。」[19]

對曾經在其亞洲家鄉時坐在玻里加主教腳下，曾經在羅馬追尋從彼得時代以來好幾個世代的主教的依勒內來說，他的信仰與教會的開始之間的連續性是不言自明的。他並沒有宣稱藉由任何特權而擁有智慧。正好相反。依勒內嘗試定義何謂正統，自然會公開藐視任何激進的推論。他所捍衛的教會，立於範圍涵蓋整個羅馬世界的基礎上。幾十年前，來自敘利亞的主教安提阿．依納爵（Ignatius of Antioch）在穿過小亞細亞往羅馬前進時，已經驕傲地將它定義為「寰宇的」（*katholikos*）[20]。天主教會才是依勒內所認同的。

即便他宣稱自己在捍衛基督宗教原本的傳統，但如果對手的創見符合他的目的，他也不會不加以挪用。雖然他輕藐地指出其中多數人聲稱的「真理不來自寫下的文件，而來自其他地方」[21]，但真正可怕的不是這種論調。來自黑海岸邊的基督徒馬西翁（Marcion）④是一個有錢的航運鉅子，在依勒內之前四十年來到羅馬的時候，曾經

④譯註：基督教早期神學家（110-160），第一位《新約聖經》編輯，自立教派，成立與羅馬教會平行的教會，自封主教，被天主教廷判作異端。

引起一陣風潮。他對首都教會不願採行他的學說非常氣憤，因此拒絕承認他們，自己另立教會。馬西翁和其他無數的基督宗教學者一樣，反對基督可能擁有肉身、和凡人一樣受限、有一樣功能的想法，但這一點卻絕非他的學說中最讓人大開眼界的。更讓人驚訝的，是馬西翁堅持認為以色列之王根本不是至高無上的真神。祂只是兩個神之中地位較低的一位。至高無上的神是基督真正的父親，祂並未創造世界，並且在祂因無限的慈悲而將他的兒子送到世上拯救這個世界之前，與這個世界也無任何牽連。

馬西翁認為這是一個全新而駭人的教條，但也清楚地顯現在猶太經籍和保羅書信之間的矛盾當中。與其嘗試消除這些差異，他反而建議採取一種準確且萬無一失的量測設計，就好像木匠用以標出直線的墨斗線一樣，作為校準上帝意旨的方法，也就是希臘語中所說的「教規」（*canon*）。馬西翁教導說，基督徒應該只能接受一套封閉的著作選集作為唯一確認的版本，其中包括：保羅書信中的十篇，還有他的追隨者路加寫下來並經過嚴謹編輯過的福音書。這才是基督徒可以確定神聖目的的見證，也是能取代猶太經籍的一部新約。[22]這是一個重要的創見。據我們所知，過去從未有過任何一個基督徒，提出過「教規」的概念，一個讓依勒內認為充滿啟發性而無法忽視的概念。

但是，他自然無法認同馬西翁對猶太經籍的藐視，並且確定會將此放在他自己的教規開頭之處。他宣稱這些經籍是所有基督徒都必讀的：「隱藏的寶藏所在之處，由基督的十字架揭示並加以闡釋。」[23]只是，即使依勒內企圖否認馬西翁的影響，卻還是忍不住違逆了自己的想法。畢竟，如果不是將猶太經籍視為「舊約」，他又能讓它扮演什麼樣的角色？如果不依賴新約的對照，又能指望在舊約中發現什麼寶藏？

依勒內推廣來自於使徒年代的文集，就如同馬西翁早在五十年前已經做過的一樣。除了〈路加福音〉，他還加上了〈約翰福音〉（若望福音）和最廣泛被認為可信的另外兩部福音書：一部據信出自馬太（瑪竇）——受耶穌召喚而追隨祂的收稅者，另一部則是由建立亞歷山卓教會、聲譽卓著的馬可（馬爾谷）所寫。依勒內宣稱，與這些福音書相較，其他任何有關基督生命與教誨的書寫，都是「用沙子編織的繩索」[24]。在經過幾個世代，那些認識使徒的人們的記憶也逐漸模糊了之後，信徒們終於可以在依勒內所訂教規中的那些福音書裡，找到可以明確地固定於過去的基石之上的繫泊處：一部真正的新約。

「我是一個基督徒。」[25]一個在西元一七七年於維也納被捕的囚犯，以這句話回覆審訊者對他提出的每一個問題。他不告訴他們他的名字、他在哪裡出生、他是奴隸或自由民，卻只是不斷地重複堅稱，他除了是基督的追隨者之外，沒有任何其他身分。對法官來說，這種頑固的姿態不僅讓人困惑，更令人氣憤。基督徒拒絕表明自己屬於塵世中任何一個大家所熟悉的民族，無論是羅馬人、希臘人或猶太人，因此讓他們有了與盜匪或逃犯一樣漂泊不定的汙名。他們以身為外邦人、過路客的姿態為樂，以原本應該讓人感到羞恥的事自我誇耀。「對他們來說，故鄉才是異國，異國方為故鄉。」[26]

即使如此，基督徒的確相信他們屬於同一個民族（*ethnos*）。他們共同身分的紐帶橫跨整個世界，並且回溯到過去的世世代代。當里昂和維也納的殉道者為他們的主而擁抱死亡，他們知道自己和其他命運相同的人有著團契的連結，無論他們是在耶路撒冷、小亞細亞或羅馬。他們也知道自己也和之前的殉難者——玻里加、安提阿·依納爵，以及保羅——有著同樣的血脈相連。他們知道自己是天國的子民。

依勒內的功績，是在他們死後努力為他們的這些信念賦予實質內涵和堅實基礎。在他有生之年，他和與他想法相同的基督徒們所成就的事，即使對充滿敵意的旁觀者來說，都已經是顯而易見的事。他們所領導的組織，其規模與影響範圍之大，讓它不只是一般教會的其中之一，而是更氣勢磅礴的「大教會」（the Great Church）[27]，還有過去從未出現過的概念：不源於出生背景，與血統無關，也不由法律規範，而僅僅因信仰而生的子民身分。

活生生的石頭

羅馬統治階級當然會對宇宙秩序應該被如何適當建構，有自己的看法。就如同波希多尼在許久之前就已經為龐貝將軍所指出來的道理：要為全世界這麼多不同民族形塑一個共同遵循的秩序，最有效的方法就是由羅馬的權威統治一切。西元二一二年，羅馬頒布了一個會讓這位斯多葛派學者窩心的詔令。依據這封詔令，整個廣大帝國內的所有自由民，都能成為羅馬公民。這份詔令出自一位名叫馬可·奧理略（Marcus Aurelius Antoninus）的暴君，體現了羅馬帝國越來越清楚的普世特性。

馬可·奧理略是非洲貴族之子，但在不列顛被擁立為帝，並且因為他對高盧風格的熱愛而被暱稱為「卡拉卡拉」（*Caracalla*），也就是「連帽衫」之意。就和曾經遊歷世界各地的人一樣，他瞭解人類的習俗可以如何多元，但這也讓他煩惱不已。卡拉卡拉踏在他被謀殺的兄長屍體上奪取了政權，他知道眾神的支持於他有恩，卻沒想過他以個人之名獻給眾神的奉獻可能會無法取悅他們。儘管他的批評者嘲弄他只對擴大稅收範圍有興趣，他還是願意賦予整個帝國所有人公民身分。他認為人們越有羅馬特質，他們的信仰就一定越能取悅天界。「因此，我認為我的作為無愧於眾神的威嚴。」[28]卡拉卡拉的神聖支持者授與他和羅馬統治世界的權威，終於可以收到他們所應得的回報——專屬於他們的宗教信仰（*religio*）。

在虔誠的羅馬人的想像中，這個世界有著深刻的古代氣息。這會讓他們想起太古時代的儀式：在他們的城市的最早期，獻給眾神的榮耀，第一次為羅馬贏得了神的恩典。就如同古希臘城邦中持久不去的恐懼，源自於祭儀被忽略的後果。任何為了取得眾神護佑而應盡的義務、任何傳統或風俗習慣，都構成了某種形式的宗教。「犧牲的祭品，處女的貞潔，以尊稱與頭銜裝飾的整個聖職組織」[29]都是宗教。即使如此，卡拉卡拉和眾人一樣，明白羅馬也只是眾多城市之一，因此更需要以宗教信仰統一全世界的民族。帝國皇帝在他的詔書中誇耀，宣稱他可以帶著排成一列的眾人「走向眾神的聖殿」[30]。

西元二一五年秋天，當他抵達埃及時，可以清楚看出他心中有一座特定的聖殿。他在夜間進入亞歷山卓，「行進隊伍妝點著火炬和鮮花」[31]，與這座城市共享最受歡迎慶典的光芒，夜暗的街道被燈火點亮以榮耀塞拉皮斯神（Serapis）。這位神祇在卡拉卡拉的情感中佔有一個特殊的位置。甚至在來到埃及之前，他就已經下令在羅馬建立一座塞拉皮斯神廟（Serapeum）。在亞歷山卓神廟上的鐫刻，宣稱卡拉卡拉為「*Philoserapis*」，意謂「獻身於塞拉皮斯」。

這座城市中最具多元文化特色的神對人的吸引力，是顯而易見的。儘管如此，塞拉皮斯的信仰卻不是皇帝想要推廣的最主要教派。我們可以看到神將統治宇宙的權杖交給了另一個人——皇帝自己，並且將之鑄印在錢幣上。如神聖之父塞拉皮斯在天界的統治，光彩耀人的卡拉卡拉在塵世中擁有同樣的普世統治權威。在他賦予帝國所有子民以公民身分之後，只有皇帝本人有資格在他們自己和他們所信仰的神之間扮演中介的角色。一向將羅馬人與超自然的力量聯繫在一起，並由職責與義務所構成的巨大網絡，現在更擴大到涵蓋整個世界。在這張網路上戳個洞，不只是瀆神，更是叛國。

這個概念的完整意涵，很快就會讓整個亞歷山卓的街道血流成河。據謠傳，卡拉卡拉會將敢公然在他的塑像前便溺的人處死，當然不是可以無禮以對的人物。但那些認為他裝模作樣的姿態滑稽可笑，甚至確定要讓他知道的亞歷山卓人，卻太晚認清這點。卡拉卡拉將這些人召集到一個公開的集會上，命軍隊將他們包圍，並且將他們砍成碎片。沒有比這更殘酷的方式可以讓人們清楚瞭解這個教訓：瀆神是不可寬容的。身為一個羅馬公民，是一種榮耀，更肩負著責任。任何對皇帝的汙辱，就是對眾神的褻瀆。

卡拉卡拉的怒氣在那一整個冬天繼續悶燒著。他的兵士們在街上巡弋，任意殺戮掠奪。多數亞歷山卓百姓除了畏縮屈服，靜待皇帝離去之外，別無選擇。但不是所有人都是這樣。那些可以在境外找到避難處所的人選擇悄悄溜走，其中有一個人，以其對神聖本質、對凡人與天上關係有深刻思考而特別知名——在這個以學術研究知名的城市中，最優秀的學者。

然而，俄利根（Origen）⑤不能和亞歷山卓的知識分子們一樣，享受那種既有的怡然自得。早在卡拉卡拉來到之前，他就曾經聽聞並且深怕羅馬帝國的殘暴能力。西元二〇二年，他十七歲的時候，他的父親就被逮捕並斬首，而俄利根自己在之後的多年當中，常常必須躲開那些「挨家挨戶，四處奔走」惹事的憤怒群眾。身為基督徒父母的小孩，他自小就堅定護衛信仰的決心，更因為敵對勢力的挑釁而更強化。就和其著作在完成幾年之後就已經傳到亞歷山卓的依勒內一樣，俄利根也害怕「大教會」正受到持續不斷的攻擊。唯有為教會的範圍勾畫出邊界，人們才不會誤認；唯有以堡壘工事環繞，才有希望能加以保衛。

亞歷山卓與基督宗教世界的任何地方一樣，也迫切需要這樣的做法。在這個城市裡，有許多敵對的勢力。這裡是巴西利德斯建立其學校的地方，許多個世紀以來，這裡也是猶太社群最能展現其國際化面貌的地方。最重要的，這裡是建立這座城市的偉大征服者建立最重要的紀念碑——刻印在埃及土地上的希臘文明景觀——的地方。全世界沒有任何一個地方（甚至包括雅典和羅馬）對荷馬和亞里斯多德的研究，可以比這裡有更豐富的成就。即使是那些最熱衷的基督追隨者，居住在亞歷山卓，他們也都能體驗到古希臘文明飽滿耀眼的力量。

不過，俄利根不會氣餒。基督徒們或許沒有任何紀念物，可以和那些吸引卡拉卡拉來到此處的大型紀念碑相比，或者和塞拉皮斯神廟的巨大相提並論，但他們根本不需要這些東西。「我們這些相信耶穌基督的人，就是人們所說的活生生的石頭。」[32]這就是以全世界的基督徒為材、以基督本身為「主要的基石」[33]，俄利根用以對抗敵對勢力的偉大神殿。不同於其他民族的故鄉，基督子民的故鄉所在，遠遠超過祭壇、爐火、田野所設下的範圍。如果不是相信基督是他們的主，這個故鄉也不可能存在。活在俄利根之前一個世紀的安提阿．依納爵最先給了它一個自此永存的稱呼，他稱之為「基督宗教」（*Christianismos*）[34]。

俄利根寫道：「我們每一次的領悟，我們都歸於我們所理解的信仰。」[35]基督徒稱

⑤譯註：出身亞歷山卓的哲學家、神學家（185-254），基督宗教早期宣教師的代表人物，融合古希臘哲學思想，闡述基督宗教神學教義，雖然多項主張曾在基督宗教大公會議被判為異端，但他所提的「永遠受生」概念，成為「三位一體」教義的基礎。

之為「基督宗教」的概念如此新穎，無法不為他們看待世界其他領域的方式染上一絲獨特的色彩。依照俄利根的看法，巴西利德斯和類似他的人所教授的各種異端邪說，不只是構成一些不同的意見或哲學，更是針對唯一的真教會難以根除的拙劣模仿。「猶太教」（*Ioudaismos*）這個字在基督降生之前幾個世紀裡，有時候是代表某種猶太生活型態，有時候則代表對這種型態的傳播與維護，此時卻對基督徒有了更精確的意義：猶太教——被認定為相對於基督宗教，屬於猶太人的另一種信仰。

其中最有害的，是那些被保羅視為「外人」[36]所屬的教派，這些人隨著日升日落不斷地樹立偶像。正因為基督徒是以自己的信仰自我定義，他們不能不認為崇拜其他神的民族也是如此自我定義。因此，他們無法理解像卡拉卡拉這樣「獻身於塞拉皮斯」的人，所關切的不是賽拉皮斯神是否存在，卻是如何依據規定的方式祭拜、是否尊重其信仰所要求的各種禁忌、是否獻上適當的祭品。即使是俄利根，他雖然非常瞭解那些獻祭於偶像的人們「不是把他們當作神，而只是獻祭給神的祭品」[37]，也會因為這些儀式所暗示的恐懼而顫抖不止。以血汙濺灑祭壇的做法，揭露了那些要求這種奉獻的眾神的本質：他們以屍體飽餐，他們的胃口像吸血鬼一樣，「他們見血心喜。」[38]討好他們，就是強化那些威脅人類的暗黑力量。

但這裡有個矛盾。即使俄利根敵視他居住的大城市所表現出來的那些誘惑和自大，他仍舊是個徹徹底底的本地人。他可能比他之前的任何人，都更完整地將亞歷山卓的各種傳統融於一身。這座城市雖然有多元的文化景觀，但從不是真正的民族融爐。許多希臘人對猶太學問的興趣，或者猶太人對哲學的喜好，總是會受摩西盟約中的律法所限。然而，基督宗教提供了一個容許猶太人與希臘人相遇、交流、融合的場域。沒有人能比俄利根更有效地證明這一點。從他的著述中，可以清楚看到基督宗教從猶太人所承繼的遺緒。他不只跟一位猶太教師努力學習希伯來文，甚至誠心誠意地將猶太民族視為家人，視為教會的「小姊妹」或「新娘的兄弟」[39]。俄利根並不一定會反對馬西翁的看法——正統基督徒是「愛猶太人」的人。

當然，俄利根將豐富偉大的猶太經籍融入基督宗教正典，並且奉為「舊約」，比任何他之前或之後的人有更多貢獻。像他這樣一個誠實但也心思細膩的批評家，不會拒絕這樣的挑戰。他非常直接地承認，猶太人的神聖經典，也就是他們的「聖經」（*biblia*）中，充滿了「謎語、寓言、曖昧模糊的話語，跟其他各種形式的隱晦」[40]。但所有這些話語都來自上帝。表面上的矛盾只暗示著被隱藏的真理，對讀者的挑戰就是讀出這些真理。經籍就像是一座豪宅，其中有無數上鎖的房間和同樣數量、散落在宅內各處的鑰匙。俄利根宣稱，這種讓人難忘的意象，來自於他的希伯來文教師，但當他努力尋找鑰匙、打開房間的時候，用的方法卻來自非常不同的來源。在亞歷山卓偉大的圖書館裡，學者們一直在努力精進解讀古典的各種方法：將其中的素材當作寓言看待，其所使用的語言則是需要系統性研究的課題。俄利根自己的評述兼採了這兩種方法。或許《舊約聖經》的偉大豪宅屬於猶太人所有，但探索這座豪宅最有效的方法，卻是希臘的。

「無論人們正確地說了什麼道理，什麼人或在何處說，都是屬於我們基督徒所有。」41 上帝對希臘人說話，就像他對猶太人說話一樣。這一點並非俄利根所提出的理論。就如同保羅在他的書信中，已經同意引用斯多葛學派的「良知」概念，許多基督徒也在哲學中看到神聖的真實靈光。然而在過去的教會裡，從沒有人能像俄利根一樣地完全掌握這個道理。他自小就接受古希臘文學經典的教養，對他同時期哲學家的最新思想成果十分熟悉，並且在這些成果中看出了與他奉獻一生的目標同樣的追索——尋找上帝。

依據俄利根的看法，基督宗教不僅可以與哲學兼容並存，甚至是哲學的終極表現形式。他宣稱：「不能像哲學家一樣思考的人，不可能真正盡到奉獻上帝的本分。」42 果然，即使在離開亞歷山卓之後，俄利根從未遺忘他深植於這座古希臘文化首都的根底。先是在西元二一五年，也短暫逃離卡拉卡拉的統治，之後在西元二三四年永遠定居在凱撒里亞（Caesarea）——一個位在他稱之為「聖地」（Holy Land）之處的海港，並且在那裡建立一個足以體現他的故鄉最優秀一面的學園。他的一個學生日後回憶說：「沒有任何主題是禁忌，沒有任何素材被藏匿或丟棄。我們被鼓勵研究每一種無論是或不是希臘的學說。所有源自於心靈的美好事物，都能供我們享有。」[43]

俄利根當然不會主張研究哲學的本身就是目的。他警告他的學生們說，接受這樣的想法，就會像是在沼澤中、迷宮裡、森林中永久地漂流迷失。儘管哲學家的推論可能是錯誤的，他們仍然可以幫忙闡明基督宗教的真理。在亞歷山卓，精練的文本研究傳統幫助俄利根闡明了猶太經籍的複雜內涵，他也運用哲學嘗試解開一個更深奧的謎——上帝的本質。

這個問題有迫切的必要性。保羅所宣講的福音，也就是讓他和所有第一代基督徒生氣蓬勃的信念和啟示：一個被釘上十字架的罪犯，以某種不特定但明確的方式成為天地造物主的一部分，這構成了基督宗教信仰的核心。但這也引發了一個明顯的疑問。當基督徒賦予耶穌神聖的地位，他們還可以宣稱自己只信奉單一的神嗎？當希臘哲學家屈尊關注這個新興信仰時，他們和猶太學者一樣會持續地思考這個問題。這個挑戰無從迴避。因此，真正的困難是找到一種適當方式，來表達一個看似無法表達的謎。需要與上帝合而為一的不只是耶穌，還有聖靈。當俄利根碰上這個謎時，解答的輪廓就已經相當清楚。神的合一不是因他的兒子和聖靈之故，而是通過他們。一為三，三合一，上帝是三位一體。

俄利根比他之前的任何人都要更全面、更出色地從哲學中汲取資源，為教會建構一種全新的神學思維（*theologia*）——有關上帝的科學。他非常清楚，他用以探究神聖思維中各種悖論的語彙，是之前就曾被色諾克拉底學派或芝諾學派的人所長期使用的。他在凱撒里亞的學園雖然堅持將基督宗教正典視為終極的智慧所在，但還是可以在他的教導中，看出一個可以追溯到亞里斯多德或更早之前的傳統。在俄利根為他的信仰所做的一切努力之後，沒有人可以指控基督徒只會求助於「無知的，愚蠢的，未受過教育的人」[44]。在一個理所當然地將教育視為階級指標的社會裡，這個成就的重要性是難以估量的。

對那些缺乏哲學根底的人抱有根深蒂固的藐視，知識則被廣泛地視為社會階級的明確標記，在這樣的社會裡，即使基督徒也無法避免這種偏見的影響。當依勒內稱巴西利德斯這樣的導師為「有智之人」（*Gnostics*），他是把他們自稱自己比其他人更有知識的說法，當成定義他們的特點：「他們輕視傳統，堅稱他們明瞭教會長老們不懂、甚至連使徒都不明白的事，只有他們可以辨識出純粹的真理。」[45]這就是當俄利根在努力建構一個可以滿足有識之人的神學時，所必須抗拒的誘惑。事關重大。宗教教派終究很少被視為哲學學派，反之亦同。基督宗教具有普世意義的訴求，不能只奠基於遍布在美索布達米亞到西班牙之間的各個教會，而必須能得到各個不同階級、不同教育程度的人們認同。在一個將哲學思想與最好的雕塑、來自異國的香料並列，視為富人特權之一的社會裡，俄利根本身就是一個活生生的悖論：一個反對精英主義的哲學家。

個人身分認同可以透過信仰加以定義，這個想法本身就是一個重要的創新概念，有知識者和無知者都可以藉此合而為一，而「不論其人數多寡，成為一個單一群體」[46]則是同樣令人震驚的想法。俄利根觀點的精妙之處，在於從希臘哲學傳統中創造出一個全新的心靈世界，一個連最無知的人都可以分享的世界。當他讚頌上帝是「純粹的智慧」[47]，他的論證並沒有超過亞里斯多德之前就已經說過的話。但哲學只是俄利根所要教授內容的開始。神聖的「精神」（*nous*）不僅不是在冷冰冰的完美靜止中徘徊，而是已經降臨到塵世。其奧祕連最偉大的學者都無法瞭解，同時又會令勞動者和廚房女傭感到驚奇。

從偉大的希臘和猶太文學寶藏得到啟發的俄利根，有時候會將基督描述為「神聖的理性」，或是「一面乾淨無塵、足以照見上帝行止的鏡子」[48]，但他也會承認自己跟最小的幼童一樣地茫然無知。神的智慧如何進入到一個女人的子宮，生為一個哭喊要求餵奶的小孩的這種問題，即使對他來說，其中隱含的悖論都是難以承受的。「因為當我們在基督身上看到那些充滿人性的特質，從每一方面都顯示出人類共同的弱點，我們卻也看到那些神聖的特質如此明白地表現出神的原初與不可言喻的本質，以至於人類狹隘的認知無法理解。人類的認知被驚奇與欽佩所折服，不知該如何是好。」[49]

這種豐富學養和單純驚奇的融合，一方面可以看出是源自於亞歷山卓的溫床，同時卻也新奇地令人不安。俄利根不像傳統哲學家那樣沉思天堂的奧祕，或者認為這只是有學問的人或有錢人所獨享的特權，他創造了另一種傳播哲學概念的模式。而且，這種模式將被證明會有重大影響。他拒絕以傳統哲學家的方式行事，不僅沒有破壞，反而更提高了他的聲望。俄利根在六十歲之後，可以充滿驕傲地回顧自己一生志業的深遠影響，甚至讓某個皇帝的母親被他的名氣吸引，而召他教導她認識上帝的本質。

雖然這種名氣讓人欽羨，也會刺激敵意。那是一個危險的時代。卡拉卡拉帶給亞歷山卓街頭的暴力，只是未來更黑暗時代來臨前的不祥之兆。在之後的幾十年裡，悲苦的事態不是單一而生，而是成群現身。卡拉卡拉自己在戰事之間略作休息的時候被謀殺，他卻只是一長串在暗殺和內戰風暴中被殺的皇帝其中之一。同時，蠻族的戰士們充分利用越來越混亂的情勢，也開始逐步滲入到國境之中。在帝國東部的門戶地區，一個新生的、大流士之後最強大的波斯帝國，帶給羅馬帝國一連串的羞辱。

看來眾神發怒了。正確的宗教信仰，明顯地被漠視了。在卡拉卡拉大規模地將眾人歸化為羅馬公民之後，過錯因此不僅是在羅馬，而是在整個帝國。因此，一個官方的飭令在西元二五〇年前期發布，規定除了猶太人之外，所有人都必須要為眾神獻祭。不服敕令等同於叛國，處以死刑。基督徒第一次發現自己直接面對法律，被迫要在生命和信仰之間做出抉擇。很多人選擇保命，但也有很多人選擇犧牲自己，被捕的眾人之中也包括俄利根。雖然他被鐵鍊綁在木架上，但他拒絕放棄自己的信仰。他沒有被處死，在承受多天折磨之後獲釋，卻已不成人形。他終究未能復原。一年多之後，這位年邁的學者死於施行者加諸在他身上的折磨。

主持他的案件的法官，基於對他的聲望的尊重，並不樂見加諸於這個優秀人士身上的磨難。羅馬官方就像過去一樣，認為基督徒拒絕獻祭眾神的態度，既執拗又有顛覆性。這些堅稱自己對帝國一片忠誠的公民，為什麼會拒絕表態、拒絕以簡單的方式宣示效忠，讓他們感到困惑。一個由傳統與愛國心認可的祭儀竟會冒犯人，也是他們難以理解的想法。俄利根在悲苦和憤怒中受到折磨。

當然，如果帝國本身就是基督的國度，一切會如何不同！這似乎是一個似乎遙不可及的幻想，但就在被捕之前幾年，俄利根就曾想到提出這個想法。他宣稱：「如果羅馬人擁抱基督信仰，他們的禱告會讓他們征服敵人，或甚至在上帝的保護下，他們根本不會有任何敵人。」[50]

只是，相信可以為基督贏得一個皇帝的信仰，就真的像是相信奇蹟一般。

守住信仰

西元三一三年夏天，迦太基（Carthage）這個城市正面臨崩潰。迦太基自古以來就是羅馬爭取西地中海地區控制權的對手，在被羅馬軍團毀滅之後，和哥林多一樣被重建為羅馬帝國的殖民地。面對西西里海岸線的有利位置，讓迦太基為非洲地區無可爭辯的首要都城。迦太基就和羅馬及亞歷山卓一樣，已經發展為基督宗教的中心之一，而依據迦太基基督徒的說法，這個地位是由「殉教者的鮮血」[51]孕育而得。在非洲地區，教會長久以來就非常重視受迫害所留下的傷痕。西元二五八年，西普里安（Cyprian）——一位最受敬重的迦太基主教、知名學者——被司法處死的事蹟，就是以一種對他們信仰而言非常激進的理解，對殉難意義與價值的確認。

純潔無暇就是全部，與世界的邪惡之間沒有任何妥協餘地。不值得為之犧牲的信仰，沒有任何一點價值。這就是為何在西元三〇三年，當帝國發布基督徒不是交出經籍就是面對死亡的命令後，非洲地區的教會就站到最前線抗拒這道命令。行省地方官員一心要解散教會，便擴大解釋這道命令，要求每一個人都必須要獻祭眾神。頑固的基督徒被圍捕，並以鎖鏈綁縛，被帶到迦太基。他們之中有大批人被處死。兩年之後，當這樣的迫害終於消失，整個非洲的基督徒的信念——上帝要求信仰的純粹、絕對、無瑕——得到了更多殉難者鮮血的滋養。在迦太基的教會受到最無情的迫害之後十年，這個城市的氛圍仍然是焦慮、煩躁和不安的。城市大主教馬約里努斯（Majorinus）的死，在多次緊張局勢時曾被當作避雷針。但當時還是有一個最主要的問題：在度過了將教會從非洲地區剷除的考驗之後，基督徒要如何最有效地捍衛他們信仰的神聖？

在基督降生三個世紀之後，這個議題的影響，遠超過教會自身的存在。大城市裡的主教們正逐漸成為公眾人物。如果國家傾向將他們當作迫害的目標，那麼，偶爾也有一位皇帝會選擇對他們施以恩惠。回到西元二六〇年，俄利根被捕受到折磨之後十年，帝位的轉移帶給教會一個特別重要的權利：擁有資產的權利。主教們不但已經擁有相當重要的神職任命權，還因此獲得更大的影響力。他們是經由選舉而獲任命的事實，更擴大了他們的領導權力和範圍。他們對越來越多群眾所擁有的權威，是任何羅馬官員都會勉予尊重的，即使是在西元三一三年所發動的毀滅性迫害，也無法對其有任何減損。事實上，行省官員無法根除教會，只是更提高了那些抗拒權威的教會領導者的聲望。

西元三一三年夏天，一位新任主教被選出接任馬約里努斯的職務。依照羅馬統治階級的傳統標準，他看起來不像是一個會讓人印象深刻的人物。多納圖斯（Donatus）來自迦太基遙遠南方，位在沙漠邊緣的一個無名小鎮，一片「除了毒蛇之外，空無一物的焦黃土地」[52]。這位嚴峻而粗獷的外省人，正因為他排斥任何階級的標記，更可以宣稱他對迦太基的影響力無關乎財富或出身。權力使他變成一個危險的人物，而人們因此對他心生畏懼。

然而，這位新任主教最主要的敵人卻不是行省官員，而是他的基督徒同胞。多納圖斯（Donatus）不是唯一宣稱擁有迦太基教會領導權力的人。他有一個對手。兩年前，凱西里安（Caecilian）贏得主教選舉，但他的獲選卻遭到嚴厲的質疑。他雖然是一個有能力、強悍而經驗豐富的教會管理者，但也因為藐視殉道者所受的上帝恩寵而惡名昭彰。即使在情況最好的時候，這種名聲都會讓許多迦太基的基督徒無法接受他，但是，現在的情況卻不是最好的時候。非洲教會被從上到下整個撕裂。雖然許多教會領導者支持某個主教的信念：「寧可是自己，而不是聖經被丟進火中燒毀。」但其他人則不。一些深陷在迫害的熱焰之中的基督徒，選擇交出聖經。對多納圖斯和他的追隨者來說，這是無法原諒的叛教。

那些交出手上保有的聖經的人，那些被蔑稱為叛徒（*traditore*）的人，不再被視為基督徒。他們為了保命，犧牲了自己的靈魂。他們的聲音因為感染而已經發生病變，只有重新浸潤在洗禮的水中，才能期待自己的罪可以被洗清。但這些叛徒不僅絕不承認自己的罪過，甚至讓凱西里安擔任他們的主教，而他本身不僅被暗中傳聞就是叛徒，甚至合謀迫害那些拒絕交出聖經的信徒。在這兩種對立的看法之間，在選擇對抗這個世界的人和願意與這個世界妥協的人之間，在多納圖斯的追隨者和凱西里安的追隨者之間，會有什麼修好的可能？一個不祥且令人不安的事實馬上被凸顯出來：共同的信仰可以將基督徒結合為一體，同樣可以將他們分化。

多納圖斯意圖統合這樣的分裂，自然會轉向天上尋求協助。他的追隨者確信，如果虔誠地從字面上理解主教所說的每一個字、每一句話，就可以與上帝直接溝通。儘管如此，因為沒有出現足以說服凱西里安的追隨者的神蹟，多納圖斯知道自己迫切需要另外的權威性。幸運地，在他獲選為主教一年之前，一個神蹟出現。或者說，西元三一二年發生的事件似乎也至少讓基督徒受到了驚嚇。那一年，一場新的內戰震撼了義大利。

自稱羅馬帝國統治者的君士坦丁（Constantine）攻入城裡，在太伯河畔的米爾維安大橋（Milvian Bridge）贏得一場關鍵戰役。他的對手已經淹死在河裡。君士坦丁高舉掛著手下敗將首級的長矛，進入這座古老的都城。

來自非洲地區，被召來覲見新君主的行省官員們，都恭謹地對這個戰利品表達欽羨之意。不久之後，這件戰利品被送到迦太基以證明君士坦丁之偉大。但還有其他更出人意表的事情——一疊信件被寄到迦太基，這些信透露出對基督宗教的同情。行省總督接到這些信件的指示，令他們將從教會沒收的所有資財全部歸還原主；精明的經營者凱西里安在此之前已經寫信給君士坦丁，獻上最熱烈的祝賀，並且得到皇帝親自保證，對「最神聖的上帝教會」[53]的寬容。不久之後，皇帝的另一封信寄到了迦太基。在這封信裡，總督被指示為凱西里安和他的神職同僚免除一切公費負擔。儘管多納圖斯因為他的對手所受到的偏愛而感到震驚，但他更驚覺這種偏袒可能造成的更大影響。君士坦丁不僅是要寬容地嘉惠教會，他幾乎像是以基督徒的身分書寫這些信件。

之後的發展證實就是如此。長久以來，有許多關於君士坦丁如何信靠基督的精彩故事被不斷傳誦：如何在米爾維安大橋戰役的偉大勝利前夕，在天空中看見十字架，接著在夢裡見到救主親臨。他在往後的一生當中，不曾再懷疑他統治世界的權力要歸諸於何人。儘管他是如此地虔誠感恩，他還是必須有足夠的時間，來充分理解他的新庇護者所擁有的激進且令人困惑的本質。一開始，他將基督宗教的神看作只是一個共同主題的不同表現。只有一個全能上帝的說法，終究不是猶太人或基督徒的原創。至少從色諾芬尼（Xenophanes）的時代開始，哲學家們就已經在教導這樣的概念。上帝（Supreme Being）統治宇宙，就如同皇帝統治世界，並且將管理的權力授權給行政官員，這是被許多羅馬帝國的人們視為理所當然的想法。

卡拉卡拉在抵達亞歷山卓之後，基本上就是選擇塞拉皮斯來扮演這樣的角色。其他人則是將這個角色賜予朱彼特（Jupiter）或阿波羅。長達一個世紀以來，其目的都是要為所有羅馬公民定義出一個單一的、普世接受的宗教信仰，從而能讓帝國在重重危機之中得到上天的眷顧。君士坦丁藉由承認基督的至高無上，熱切希望能見到基督徒和他們的公民同胞聯手，一起實現這個迫切的目標。西元三一三年，君士坦丁發布了首次將基督宗教合法化的文告，卻故作神祕地拒絕說出「坐在天上的神」[54]的名。這種模糊其詞，是刻意而為的。無論是基督或阿波羅，君士坦丁希望讓他的臣民自己選擇認定誰才是那「至高無上的神」[55]。他的用意是要模糊任何的意見分歧。

多納圖斯之後從迦太基乘船渡海來到羅馬。人們很難想像會有比他更不容易妥協的人。他在被選為主教之前，就和追隨者採取了一個重要的步驟：向君士坦丁抱怨凱西里安，並要求將他免職。儘管皇帝本人對基督徒之間的這種分裂感到困惑，他還是同意讓多納圖斯在羅馬主教們組成的會議中，提出他的訴求。但這立刻被他們否決。多納圖斯提出申訴，但還是被否決。他繼續投訴，騷擾君士坦丁。當他在西元三一六年逃過疲憊不堪的皇帝對他的監視並且回到非洲之後，他的脫逃只是更證實了君士坦丁對這位主教頑抗不從的負面觀感。從此以後，在多納圖斯門徒和凱西里安門徒之間的激烈對立中，後者會得到羅馬帝國權威的支持。

「皇帝與教會事務何關？」[56]多納圖斯的質問雖然充滿憤怒與怨恨，但其實是稍嫌浮誇的修辭。君士坦丁不會比任何主教更不相信自己肩負著捍衛基督徒團結一心的重任。多納圖斯所體現的傳統——也就是堅信當教會成員拒絕接納那些陷入罪中的同胞時，教會將更得上帝喜悅——讓君士坦丁感到困惑和氣憤。他惱怒地說：「如此爭吵不休，或許會惹怒那最崇高的神不僅對人類不滿，也對我不滿。」[57]君士坦丁支持凱西里安以安撫帝國各地的主教，只要他們同意支持皇帝統一教會組織的希望，就會得到他的支持。同時，多納圖斯卻必須接受一個痛苦的事實：他對非洲基督徒所有的領導權，在行省以外地區只能得到極少人的認可。在其他世人看來，凱西里安的追隨者們才是真正的「上帝信徒」，而多納圖斯的追隨者們仍舊只是「多納圖斯門徒」而已。

如果說，主教們在君士坦丁在米爾維安大橋戰役的勝利所帶來的全新環境中，被迫慌張地努力適應，皇帝自己也是如此。他全心奉獻，嘗試理解服事基督的意義，卻發現自己踏上一條陡峭難行的學習曲線。他與多納圖斯的爭論，讓他清楚明白在教會中真正面對的是什麼：一個儘管他擁有統治世界的權力，卻完全無法掌控的組織。不像那些在傳統上扮演羅馬帝國與天界之間中介者的教士們，這些主教對於他身為奧古斯都的繼承人，而有權力主導的那些祭典儀式毫不在意。他們反而對應該比較適合哲學家辯論的議題，堅持爭論不休，讓君士坦丁深受挫折。

西元三二四年，君士坦丁警覺到亞歷山卓的神學家們對於固執地爭論基督本質有著根深蒂固的高度興致，他對此也毫不掩飾自己的不耐。「如果你們這些精妙的爭論，都只是為了微不足道或毫無意義的問題，又何須擔心你們的觀點是否前後一致？為何不將你們之間的分歧，交付給各自的心靈和思想加以保管？」[58] 但君士坦丁也想到，他的提問可能是幼稚的。基督究竟是誰、祂如何可以同時是凡俗的與神聖的、所謂「三位一體」（Trinity）如何最好地定義，這些議題終究不是沒有意義的。如果上帝的存在本質有爭議，那麼祂如何被適當地敬拜，又何以確認祂認可羅馬統治世界的權力？君士坦丁之前的歷任君主，自古以來皆是以適當的祭品與榮耀來取悅天界，卻嚴重誤解了對一個君王的要求究竟是什麼。「重要的不是你如何敬拜，而是你敬拜什麼。」[59]君士坦丁漸漸明白，真正的宗教信仰，與儀式和在祭壇上灑濺鮮血或薰香無關，而是與正確的信念有關。

接著，是一個關鍵的時刻。西元三二五年，在他建議互相敵對的神學家們嘗試消弭彼此異見的一年之後，君士坦丁召集帝國各地，乃至於帝國疆界以外地區的主教們，舉行了一場宗教會議。[60]這種會議有著恰如其分、專橫傲慢的遠大目標：確認各地教會都會遵循的一篇有關信仰真諦的聲明——一部信經（creed），規範信徒言行標準的教規，也要被定義和確認。為實踐這項偉大計劃所選的地點，是小亞細亞西北部的尼西亞城（Nicaea）卻顯然不是基督宗教的重鎮。君士坦丁自己「身穿仿若光芒四射的華服」，以一種融合優雅和最微弱威脅的姿態，迎接來自各地的賓客。經過了一整個月的辯論，終於確認了一部信經，訂下二十條教規（canon），而那些拒絕接受的代表，則都被正式驅逐。

神學與威權鼎盛的羅馬帝國體制融合為一，帶來了前所未見的創新——一種宣稱其具有普世意義的信仰。會議代表來自從美索布達米亞到不列顛的廣大範圍中的各個地方，光是出席人數之眾多，就足以讓這些代表在會議中的思考審議所具有的分量，不是任何一位主教或神學家可以企及。基督宗教正統第一次有了連像俄利根這樣的天才都很難給予的內涵：一個對基督宗教神祇的解釋，可以用來精準地判定異端。若依據《尼西亞信經》（*Nicaean Creed*）加以權衡，俄利根本人有關「三位一體」本質的表述，遲早會被譴為異端。

一套和俄利根一樣以哲學語言寫成的全新表述，宣稱聖父與聖子是「同質的」（*homoousios*）。《尼西亞信經》宣稱基督是「神唯一的兒子，由父所獨生，出自父的本質，出自神的神，出自光的光，出自真神的真神，受生而非受造」。過去從未有任何一個會議，曾提出影響如此深遠的文字。基督徒長久以來的困境——如何闡述位在他們信仰核心的悖論，如何解釋為何一個在十字架上被折磨至死的人依然是神聖的——終於得到了有效的解決。這部信經即使在完成之後，經過好幾個世紀，都還是可以將原本可能分裂的教會連結在一起，為完整為一的基督宗教子民的理想注入實質內涵，其成就已經遠超過君士坦丁對這場宗教會議的期待。只有一個經驗豐富的帝國行政管理體系才有可能做到這點。在卡拉卡拉將整個羅馬世界的所有人納為公民之後一個世紀，君士坦丁有了一個重大的發現：最能有效團結人民為一體的做法，不是透過共同的儀式，而是藉由共同的信仰，將他們彼此加以連結。

但他也已經發現，信仰可以讓人團結一致，也可以使人分裂。他在尼西亞的成功只是部分而不全的。主教們和神學家們繼續爭論不休。就連君士坦丁自己在人生中的最後幾年裡，也發現他對《尼西亞信經》的忠誠開始磨損。他在西元三三七年崩逝，他的兒子君士坦丁二世（Constantius）在繼承帝國東半部的統治之後，積極地否決這些教條，反而宣揚基督從屬於天父的理論。過去只有默默無聞的宗派主義者才會關注的爭議，現在卻成了帝國政治的重要內涵。贊成或反對《尼西亞信經》的爭議，為帝國野心無休無止的擾動不休加上全新的對峙層面。君士坦丁和他的繼位者相信，整個人類的未來危在旦夕。皇帝信奉正確的宗教信仰，以確保舉世安定的責任，也意味著一件事：神學家越來越可能和將軍、行政官僚一樣，得到他的關注。如果上帝恩典無法保證，軍隊或稅收還有什麼價值？基督宗教是「對真上帝的真信仰」[61]，除此無他。

在迦太基地區的人們當然早就明白這點。西元三二五年，當凱西里安從尼西亞回來之後，他在那場會議中的參與，並沒有減輕多納圖斯的追隨者對他的厭惡。即使當多納圖斯在三十年後死於流亡途中，兩派的分裂仍然無法修復。這其實一點都不讓人驚訝。挑起雙方追隨者對彼此仇恨的，並不是兩位對立的主教的個人野心，也不是極力要在非洲地區維護秩序的行省官員所能輕易理解的其他因素。當多納圖斯門徒將一位主教的衣服剝光，把他帶到高塔頂端然後推入下方的糞堆，或者在另一位主教的脖子綁上死狗屍體串成的頸鍊，或者將再一位主教的舌頭拉出來並且砍斷他的右手，他們的所作所為可能看起來會像是經過算計，其目的是要迷惑羅馬的行政官僚。

教義學說的差異會讓基督徒分裂，是君士坦丁不得不接受的現實，但在非洲地區，將信徒撕裂的卻不是教義學說。他們對彼此有更深的仇恨。如果多納圖斯門徒從天主教徒手上搶過一座教堂，他們一定會把牆壁塗白，以鹽巴洗刷地板，並且清洗所有傢俱。他們相信只有透過這樣的方式，才能清除這棟建築受到的汙染——那些與世界妥協的對手所帶來的汙染。

在地上重建伊甸園，最有效的方法是什麼？是如多納圖斯門徒所主張的，築起一道牆擋住野玫瑰和蕁麻的突刺，只照料那些明顯沒有雜草的狹窄花壇裡的花？或者是如他們的對手所堅持的，在全世界灑滿種子？「願上帝的花園廣圻無限。」因此，一位天主教主教在回應多納圖斯門徒指控他「接受世界現有的樣子，而非世界應有的樣子」時，如此敦促這些反對者：「你為什麼向上帝否認東方和北方的基督徒同胞？更不要說西方省分和那些與你沒有共同團契的無數島嶼上的基督徒同胞了，你們這些人數稀少的反叛者甚至還與他們為敵！」[62]

這種激烈分歧而激起的仇恨，對那些不在非洲教會傳統中成長的人來說，會感到困惑，最終也證明無法解決。君士坦丁自己曾短暫介入多納圖斯派的爭議，之後卻轉向注意其他更迫切的問題。天主教徒和多納圖斯門徒之間的恐怖行動對峙，雖然很快就變成地方性的事務，但因為那並沒有干擾從外省到羅馬的糧食運輸，因此就不再受到關注。凱西里安和多納圖斯都過世之後數十年裡，殺戮仍然持續，分裂繼續擴大，雙方各自堅持的道德正當性甚至更加根深蒂固。

史上第一次，基督徒言行的兩個基本面向，被帶到帝國行省的公共舞台上正面對決。上帝的子民究竟應該被視為一群神的選民，或者一群罪人，這是一個沒有確定答案的問題。即使天主教領導階層成功地將他們的對手與教會主流隔離開來，但多納圖斯門徒的主張所具有的吸引力，還是無法被完全壓制。一個指標，指向了一個全新而激進的未來。縱觀基督宗教的歷史，拒絕與一個腐敗、受汙染的世界妥協，追求一種毫無汙染的純潔狀態，這種渴望會不斷地顯現出來。隨著時間推移，這種趨勢的影響，遲早會讓教會以外的世界也感受到。

有一種模式已經被建立起來，在未來千年的時間裡，將會開始慢慢形塑政治的面貌。君士坦丁接受基督為他的主，將一種全新的、不可預測的、會不斷裂變的權力根源引入了他的帝國核心。

第5章

博愛

西元362年，培希努

新任皇帝在穿越加拉太時，在他造訪的每一座神廟中都發現衰敗的跡象。塑像的漆掉落，祭壇上不見獻祭留下的血跡。遠古眾神的趾高氣揚，近來已淪為畏縮難堪。或許，沒有任何一個地方會比培希努（Pessinus）①要更清楚顯示出這一點。從遠古時代以來，眾神之母西貝萊就一直常駐於此。她那些去勢的祭司們，一度統治這座城市。西元前二〇四年，就是從培希努送出第一座女神雕像到羅馬。近五百年以來，朝聖者依然跋涉到此向眾神之母致敬，雖然人數也確實越來越少。即使在培希努本地，西貝萊的影響也逐漸消退。她那座巨大的神廟幾個世紀以來主宰著這座城市，卻越來越不像是為了彰顯她的神力，而是見證她的衰落的紀念碑。

這樣的震撼，大大傷害了朱利安努斯（Flavuis Claudius Julianus，即「叛教者」朱利安）的情感。朱利安努斯是君士坦丁的外甥，自小被教養成一個基督徒，並接受宦官監管以保持其信仰不變。他年輕的時候曾經抗拒基督宗教，到他在西元三六一年成為皇帝之後，便致力於將那些「放棄永生眾神，卻信奉一具猶太屍身」[1]的人，從基督宗教的手中爭取過來。

朱利安本人不僅是優秀學者、氣盛的將軍，他也和那些被他輕藐地稱作「加利利人」的基督徒一樣，對自己的信仰十分虔誠，而西貝萊女神則是他特定奉獻的對象之一。他相信，她就是將他從童年信仰的黑暗中拯救出來的人。因此一點都不令人意外的，他在往東前進準備與波斯王國開戰的途中，會暫停前進而改道往培希努而去。在那裡看到的景象，讓他震驚不已。即使在他獻上祭品，並且表揚那些始終堅持敬拜城市之神的人之後，他還是無法不因為希貝萊遭受的忽視而感到憤怒和沮喪。很明顯的，培希努的人民不值得她的庇護。在離開加拉太之後，他做了一件使徒保羅在三個世紀之前也做過的事：他給那裡的人寫一封信。

或者應該說，他寫信給那裡的大祭司。在他努力解釋為什麼對西貝萊的敬拜會淪落如此荒誕境地的同時，他並不譴責那些無知脆弱的人。他主張真正應該遭到譴責的就是祭司們自己。他們不僅沒有獻身於窮苦之人，更過著放縱的生活。這樣的情況必須終結。在一個充滿苦難的世界裡，祭司們為什麼可以在酒店中喝得酩酊大醉？朱利安嚴厲地告誡他們，他們的時間可以更好地用來幫助有需要的人。他為了達到這樣的目標，自己出錢提供食物和飲料，每年寄到加拉太地區。「我下令其中的五分之一要送給服務祭司的窮人們，其餘的就分送給旅人和乞丐。」[2]

①譯註：土耳其小亞細亞地區的城市，建有尊奉羅馬人視為眾神之母的庫柏的神廟。

朱利安投身於這樣的社會福利計畫，理所當然認為西貝萊會讚許他的作為。這位皇帝堅持認為，照護虛弱不幸的人，是眾神最主要的關懷。如果加拉太人可以理解這一點，那他們就可能會重新恢復他們古老的敬拜習慣。「教導他們，行善就是我們自古以來的做法。」[3]

毫無疑問地，這個論點對那些主持西貝萊敬拜儀式的祭司們來說，是個新鮮的事。在朱利安幻想裡的那些無私的苦行者背後，其實隱藏著一個完全不是那麼嚴肅的現實：那些祭司們的熱情不是指向善行義舉，而是跳舞、變裝和自我閹割。眾神根本不關心窮人，其他說法都只是「空口說白話」[4]。當朱利安在寫給加拉太祭司的信中，引用荷馬有關招待賓客應該遵守的法則（連乞丐也適用）時，只是讓人更意識到他的錯誤認知有多麼嚴重。《伊里亞德》書中那些神所偏愛的、尊貴而掠奪成性的英雄人物們，一向鄙視弱者和受壓迫者。

依恃著朱利安賦予的各種榮耀，哲學家們也是如此認為。飢餓之人不值得同情，最好將乞丐逮捕並且放逐。憐憫之心可能會讓智者失去自制力。只有那些擁有善良性格的公民同儕因為別人的過錯而陷入困境時，才值得幫助。當然，在朱利安所敬仰的眾神的性格中，在他所崇拜的哲學家的論述中，幾乎沒有任何論點可以證明，窮人只因為他們自身的窮困就有權利得到幫助。雖然這位年輕皇帝真的痛恨「加利利人式」的論點，並且對這些論點如何影響他最鍾愛的子民而感到遺憾，卻無法認清他對抗這些論點的計畫當中所蘊含的反諷意味：計畫本身，就有無可否認的基督宗教意涵。

「對每個人來說，我們自己的人民得不到我們的支持，是多麼明顯、又多麼可恥的事，因為沒有猶太人需要乞討，不敬神的加利利人不僅支持他們自己的窮苦人，也扶助我們的窮苦人。」[5]朱利安不能不因為意識到這一點而感到痛心。基督宗教善行有深植的根源。使徒們遵循猶太傳統和他們的主的教誨，已經將「記念窮人」視為新成立的教會所必須承擔的神聖責任。一個又一個世代的基督徒堅守著這樣的誡命。在羅馬帝國境內的所有教會裡，每一週都會為孤兒、寡婦、囚犯、海難受害者和病人募款。隨著時間過去，會眾規模日大，加上更多富人受洗，為扶助貧苦大眾而籌募的善款數目也跟著成長。整個社會安全保障的體系逐漸浮現。藉著嚴謹的組織，這些體系一步步地將自己嵌入地中海地區諸多偉大的城市。

君士坦丁大帝招募各個地方主教，也同時招募了他們作為首要支持者的這些慈善工作網絡，為自己所用。朱利安因為意識清醒地厭惡加利利人，也非常明白這一點。在古羅馬世界裡，依附者的人數多寡總是權力的指標，而依據這個標準，主教們確實越來越有權勢。在之前的時代裡，富人們會在城市中捐建劇場、神廟、公共澡堂來提升自己的地位，現在則發現教會是一個他們展現企圖心的新管道。這也是為什麼當朱利安想要把類似的訴求套用在遠古諸神的信仰上時，無論這樣做如何不切實際，他還是會在加拉太設置一位大祭司，並且鼓勵他的屬下投入濟貧的事工。朱利安不只是藐視基督徒，他也羨慕他們。

他的仇敵稱他為「叛教者」（Apostate）[6]，一個背棄信仰的人，但朱利安卻感覺自己遭到背叛。他在離開加拉太之後，繼續東行前往卡帕多西亞（Cappadocia）——一個荒蕪崎嶇、但以優質駿馬和萵苣著稱，並且是他熟悉的地方。在他還是男孩的時候，就被多疑的君士坦丁大帝實際拘留在此，因此非常熟悉當地名人階級的特質。特別是其中一個人，幾乎就是他的鏡像。巴西略（Basil）②和朱利安一樣，都精熟古希臘文學和哲學思想，曾經在雅典就學，並且以其演講的能力知名。簡言之，他就是皇帝希望能招募到身邊的那種人，只是巴西略早已踏上和朱利安完全相反的路。他不僅沒有否認自己身為基督徒的成長背景，反而是放棄了自己早年作為律法師（即文士，又譯為經師、法學士）的事業。他將個人所有心力和財富都獻給耶穌，和弟弟貴格利（Gregory）——一位具有原創思想的傑出神學家——很快地就舉世知名。

即使巴西略在朱利安經過卡帕多西亞的時候，並未與皇帝會面，卻因為他的知名度而讓許多人認為，這兩位當今世上最有名的人物應該面對面一起處理這個狀況。③當朱利安在離開小亞細亞一年之後，與波斯人作戰而死在美索布達米亞地區時，他轄下的一名兵士寫下了一篇文字，記載巴西略如何在幻象中見到耶穌親自派遣聖人將一隻長矛送到他的手上。在皇帝死後，沒有人承繼他的反革命，巴西略和貴格利的聲勢因此不斷壯大。西元三七〇年，哥哥被選為卡帕多西亞首府凱撒利亞的主教，兩年之後，弟弟也被派任為通往加拉太主要道路上的尼撒地區的主教。兩個人都以他們扶助窮苦大眾的事工而知名，兩個人的影響力都因此而遠及於他們家鄉以外的各個地方。朱利安的洞見得到確認：博愛確實可以孕生權力。

然而，這並不表示朱利安的策略已經註定失敗。對受壓迫者的關注不會憑空被召喚而來，能讓巴西略和貴格利這樣有錢又受過教育的人，受到啟發而奉獻生命濟助窮人的邏輯，源自於他們信仰的根本道理。貴格利勸戒大家：「不要鄙視這些落魄的人，不要認為

---

②譯註：巴西略（329-379）與姊姊瑪格蓮娜（Macrina, 327-279）、弟弟尼撒的貴格利（Gregory, 330-395）出身於卡帕多西亞富有虔誠家庭，同為基督教會早期發展的重要人物。

③之後會有人偽造一封朱利安寫給巴西略的信件，在信裡，皇帝對收信者表達了高度讚賞。

他們不值得尊重。想想他們是什麼樣的人，你就會理解他們應有的尊嚴；他們具有我們救主的身分。因為這位富有同情心的主，將他自己給了他們。」[7]貴格利比他之前的任何人都更清楚地追溯了基督選擇以窮人之身而生、而死的意涵，並得出合乎邏輯的結論。哲學家認為發出惡臭的勞苦大眾所不可能擁有的尊嚴，其實是所有人都應該擁有的。沒有任何人的生存狀態應該如此悲慘、受到鄙視、脆弱不堪，而無法見證上帝形象的存在。上帝對於被遺棄者和無家可歸者有著神聖的愛，祂也要求凡人對他們付出同等的愛。

西元三六九年，就是這樣的信念，促使巴西略在深受饑荒危害的凱撒利亞的外圍地區，開始推動一項激進的建設計劃。在他之前的許多基督教領袖已經蓋過一些「窮人之家」（*ptocheia*），但從未有過如此野心勃勃的規模。一個充滿敬畏的欽慕者將之後被稱作「巴西略之家」（*Basileias*）的機構，形容為一座名副其實的城市，除了是給窮人的庇護所之外，也是第一間實質上的醫院。

巴西略本人曾經在雅典學習醫學，不會排斥照顧病人。即使是那些因為肢體畸形或化膿而被嫌惡的痲瘋病患，也會受到主教以吻相迎，並且被收容照顧。越是身心殘破不堪的男男女女，巴西略越能在他們身上見到上帝的榮光。一個被餓得奄奄一息的父母送到奴隸市場販售的小男孩，一個被迫犧牲才能讓他的手足獲得一點食物的小孩，都會讓主教對富人發出特別嚴厲的責難：「你的櫥櫃裡的麵包，屬於飢餓的人；你的衣櫥裡的斗篷，屬於無衣可穿的人；你放著不穿的鞋子，屬於赤足的人；你的金庫裡的錢財，屬於貧困的人。」[8]有錢人只要資助一座自我誇飾的建築，就足以獲得急公好義美名的時代，已經真的完全過去了。

巴西略的弟弟甚至做得更加徹底。貴格利有感於奴隸制的存在，他不僅譴責貧富差距懸殊的現象，更認為這個社會機制本身就是對上帝不可饒恕的冒犯。他主張造物主將人性定義為自由的，因此也就是無價的。「整個世界都無法為任何一個凡人的靈魂，訂出適當的價格。」[9]對他的信眾來說，這個觀點實在是太過激進、太具煽動性，而無法被認真看待。因為就如同他的哥哥巴西略所說的，那些智力或能力都較為低下的人，如果不當奴隸，怎麼活得下去？因此毫不意外地，貴格利的廢奴主張無法得到支持。多數基督徒，甚至包括巴西略自己，都還是理所當然地認定：雖然奴隸制的存在該被詛咒，卻也是必要之惡，只有當天與地合為一體的時候，這樣的惡才會不再存在。貴格利雖然慷慨激昂地堅稱擁有奴隸就是「認為自己擁有的權力超過上帝擁有的權力」[10]，就是踐踏每個人都有權力擁有的尊嚴，他的堅持卻像是掉落在荊棘中的種子一樣，悄然無跡。

但是，也有種子落在土質優良的土地上。痲瘋病患和奴隸並非最不能自我保護的上帝子民，在整個羅馬帝國之內，被父母遺棄的孤兒在路旁或垃圾堆上哭泣是常見的景象，其他數以百計的孩童則可能是被丟進下水溝裡自生自滅。除了一個古怪的哲學家之外，沒有人問過這樣的事是否合理。的確在某些城市裡，他們會依據古代律法而正面看待這種事情：將畸形嬰孩處死是為了城邦之利。古希臘時期最知名的城邦之一——斯巴達，就是這種做法的典型，而亞里斯多德更以自己的聲望對此加以肯定。特別是女嬰，更容易被無情地除掉。而那些從路邊被救回來的嬰兒，則一律被當作奴隸收養。在妓院裡多的是那些從小就被父母拋棄、長大後成為妓女的女人，人數多到可以提供給小說作者許多書寫內容。只有少數一些民族（奇怪的日耳曼部落，必然的還有猶太人）可以不受那些不受歡迎的小孩影響。幾乎其他所有人都將這種事視為理所當然，一直到基督宗教子民出現之前。

如果我們將這些嬰兒棄置在垃圾堆裡，最可能會被影響的人，既不是巴西略，也不是貴格利，而是他們的姊姊。瑪格蓮娜（Macrina）不僅是九個兄弟姊妹中最年長的，也是最有影響力的。就是她說服了弟弟放棄法律，將自己奉獻給基督，同樣地，她也被貴格利讚譽為最有智慧的教導者。她博學多聞、充滿魅力、堅定苦行，徹底棄絕一切世俗喜樂，讓她同時代的人都充滿敬畏之情，但她又非完全棄絕這個世界。

當饑荒肆虐卡帕多西亞時，「窮人身上的肉像蜘蛛網一樣地黏在他們的骨頭上」[11]。瑪格蓮娜會去垃圾堆中探尋，將救出來的女嬰帶回家，當自己的小孩一樣扶養。無論是瑪格蓮娜教導貴格利或貴格利教導瑪格蓮娜，他們兩人都相信，即使在那些最無助的新生嬰兒身上，都可以瞥見神聖的徵兆。在卡帕多西亞和其鄰近地區，即使按照其他地方的標準，遺棄新生嬰兒也是一種特殊習俗，那裡應該也是近來開始流傳見到耶穌母親異象之處，這或許並非巧合。馬利亞——天主之母（Theotokos）、「孕育神的人」，她十分明白在貧窮、害怕、無家可歸的時候生養一個小孩是什麼感受。在〈馬太福音〉（瑪竇福音）和〈路加福音〉中也有相關的記載。由於羅馬的徵稅規定，馬利亞不得不從家鄉加利利前往伯利恆，在馬廄裡生下耶穌基督，並且將祂放在稻草堆上。瑪格蓮娜將一個挨餓嬰兒的小小身軀抱在臂彎裡，確信她就是在做上帝也會做的事。

但貴格利在他姊姊死後書寫讚美她的時候，並沒有將她與馬利亞相提並論。她出身好家庭，生來就擁有財富，但她晚上總是睡在木板床上，就像是睡在十字架上一樣；因此，她在臨終前祈求上帝帶她進入祂的王國，因為「我已經與祢一起殉難」[12]。貴格利並沒有選擇他的哥哥——知名主教、「巴西略之家」的創立者巴西略——而是將他的姊姊與耶穌基督相提並論。

痲瘋病患會受到有尊嚴的對待，富人會被敦促禁絕奴隸制，就是對傳統秩序再一次的顛覆。這些階層體制是如此堅固、古老、根深蒂固，並不會如貴格利所希望的那麼輕易地就被推翻；儘管如此，在他的講道中，他卻暗示著在遙遠的未來將會有的迴響。在羅馬統治階級緊緊擁抱的全新信仰中，有許多東西是內在的，而他們幾乎無法理解。「將你自己不願享用的東西，給那些飢餓的人。」[13]貴格利的勸告在過去會像是瘋狂之舉，此時，卻是富人們越來越清楚自己必須面對的難題。

分享與照護

西元三九七年，在羅亞河邊的一個小鎮裡，有兩群對立的群眾聚集在一座空蕩蕩的石屋前面，石屋裡的地上躺著一個奄奄一息的老人。他在午後終於嚥下最後一口氣，接著，屋外的兩方人馬為了要將他的屍體帶到哪裡而爆發了激烈的衝突。這兩群人分別來自普瓦捷（Poitiers）和圖爾（Tours），都積極為自己的城鎮爭取。人影漸長，太陽也終於落下，但爭論依然不休。來自普瓦捷的群眾彼此說好要在見到第一道曙光時，偷偷將屍體帶走，於是坐下守靈，卻都慢慢睡去。來自圖爾的群眾見機不可失，偷偷潛進石屋。他們將屍體從原本躺著的煤渣堆上抬起來，穿過窗戶偷偷送到屋外，沿著河岸往上游快速離去。他們一抵達圖爾，就受到群眾的熱烈歡迎。這個老人被安葬在城牆外的一座墳墓，為一次勝利的遠征打上證明的印記。

類似這種由那些對他們身邊死者所具有的力量，而感到驕傲的人們所講述的故事，有著可敬的傳統。④在希臘，英雄們的骨骸——因為其巨大而很容易被辨識出來——長久以來就被視為戰功的紀念品。整具屍骨被從岩盤鑿出並取走，並不是一件鮮為人知的事。墳墓也一樣，大量的土堆積在陣亡英雄的骨灰之上，千年以來都是朝聖者造訪的地點。甚至，朱利安在成為皇帝並公開宣示他對古代諸神的崇拜之前，就決定要造訪特洛伊。在那裡，地區主教帶領他造訪了荷馬筆下英雄們的墳墓，還有獻祭他們的神廟。這些主教看到朱利安挑起的眉毛，只是聳聳肩。「人們崇拜一個勇敢的，而且是他們同胞的人，不是自然的事嗎？」[14]為祖先戰士而感到的自豪，非常深刻。

被圖爾群眾帶走安葬的老人，曾經是一個戰士。他確實曾在朱利安麾下的騎兵隊服

④這個故事寫於事件發生之後兩個世紀，其可靠性很難衡量。即使有其價值，但同時代的記載並沒有提到普瓦捷和圖爾兩方人馬的爭奪。

役。然而，瑪爾定（Martin of Tours）⑤之所以受到追隨者的景仰，不是因為他在戰場上所立下的戰功，也不是因為他的家世背景、外貌、光彩，或其他被傳統認定專屬於英雄的任何特質。身為出了名傲慢的高盧貴族一員，瑪爾定曾經讓許多人感到震驚、撇嘴表示不解。「他看起來像個農夫，他穿的衣服質料粗糙，他的頭髮讓人丟臉。」[15]但這些特質就是他的魅力所在。他的神祕魅力讓許多貴族不僅不鄙視他，甚至會受他的啟發而放棄他們的領地，過起跟他一樣的日子。他們一整個社群，就在圖爾下游三英里一處名為馬爾穆捷（Marmoutier）的草原上，住在空地上的小木屋裡，或者在面向懸崖蜂巢狀的洞穴中。

這像是一場為羅亞河岸帶來一絲遙遠的埃及風情的冒險行動。之前就曾有一群男女在埃及的沙漠地區——一個盜匪和野獸出沒的地方——共同生活了許多年。他們的野心是要拒斥文明的幻覺，一生守貞自制，做一個「獨居之人」（*monachoi*）。羅亞河谷地區的確不是沙漠，而住在那裡的修道士（*monachoi*）們也沒有想到要犧牲任何自己擁有的事物。他們還是保有自己的土地，也還有農人為他們耕作。就像還住在莊園時會利用閒暇時間做一些事一樣，他們在這裡也會閱讀、交談、釣魚來消磨時間。儘管如此，以他們曾經有過的尊貴、奢侈和世俗的期待，這樣的生活對他們而言，無疑地仍是某種犧牲。從某個角度來看，這種行為幾乎可以說是壯烈的。

如果真是如此，那我們以高盧貴族的崇高標準來評斷，瑪爾定就代表著一種全新的、令人不安的英雄類型——基督宗教式的英雄，而這就是他的魅力之本質。正是因為他拒斥世俗規範，而受到追隨者景仰。他不願接受朱利安的捐贈，卻公開要求解除軍職。「從過去至今我都服侍於你，從這一刻開始，我就是耶穌基督的僕人。」[16]無論瑪爾定是不是真的說過這話，他的追隨者都認為不難相信他曾經說過。他在空無一物的地板上，頭靠在一塊石頭上嚥下最後一口氣，這就是衡量他如何度過一生的標準。即使是那些最嚴厲的軍事紀律要求，也無法與他持續加諸在自己身上的艱苦相比。

在這樣一個富人以黃金和絲綢妝點自己，像孔雀一樣地裝模作樣的時代裡，瑪爾定的追隨者們和他一起住在戶外的小屋裡，穿著最粗劣的衣服，像新兵一樣地仰望著他——一個久經沙場的戰士。他選擇像個乞丐一樣的生活，在高盧地區贏得了比其他任何基督徒都要顯赫的聲名。西元三七一年，他甚至被選為圖爾主教。這件事對城裡那些特別在意階級的精英人士，甚至對瑪爾定自己，都造成極大的震撼。帶著他當選消息而來的人們，讓他

⑤譯註：瑪爾定（316-397）出生於匈牙利，曾於法國服役，接觸基督教並受洗，退伍之後成為修道士，被選為圖爾主教，西歐地區修道主義代表人物。

措手不及，急忙逃走躲進一座穀倉，一直到鵝群叫聲洩露了他的藏身之處。故事就是這麼說的。許多相關的類似故事，證實了瑪爾定的高知名度。他是高盧地區第一個升任為主教的修道士，因此具有特殊的權威性：正因為他無意高升，他才被推舉高升。

勢利總被視為羅馬社會的特點，而對任何具有這種特點的人來說，瑪爾定的這件事足以讓他們震驚不已。一個衣衫襤褸的前士兵竟然會成為圖爾最有權勢之人，這件事讓人們意識到這個世界已被顛倒過來，最低劣的成為最高尚的；不僅如此，瑪爾定對權力所附加的其他事物——主教宅邸、奴僕、華服——的鄙視，對那些以此衡量個人地位的人來說，更不啻是一個極大的侮辱。依照他的仰慕者的看法，這一點讓他擁有一種無須倚靠任何世俗媒介的力量。有許多令人難以置信的故事都和這種力量有關：焰火如何在他的命令下消退，以魚為食的水鳥如果太過貪婪而冒犯他，會如何遵從他的命令而飛走。他的追隨者們沒有人會懷疑這種權威的來源。因為他們相信：瑪爾定被上帝欽點。

「你若願意作完全人，去變賣你所擁有的，分給窮人，就必有財寶在天上；然後來跟從我。」[17]當一個有錢的年輕人詢問該如何做才能獲得永生的時候，耶穌如此回答。這個富人因此非常難過，就退卻了，但瑪爾定不曾退卻。即使身為主教，他還是完全遵循著他的救主的指示，不住進配置給他的宅邸，卻住在馬爾穆捷的一座小屋裡。在他臨終之前，天際傳來吟唱詩篇的歌聲，證明他確實已經在天國為自己累積了許多財富；他在生前為病人和可憐人所行的奇蹟，同樣也是明證。有關他的事蹟的各種傳聞，被充滿珍愛地收藏著：癱瘓的人如何因他的觸摸而能夠行走，痲瘋病患如何因他的親吻而被治癒，甚至一個將自己吊在屋頂自殺的人如何死而復生。

這些故事是對富人們的挑戰，並且在不斷的重述中越來越形尖銳。這些軼事可以被用以教導信徒，其效果並不亞於講道。瑪爾定與尼撒的貴格利不同，他不是一個偉大的學者。他的門徒們最仰慕的並不是他的言辭，而是他的行止。不同於貴格利受俄利根的強力啟發，將上帝視為「最卑微者的幫助者，弱者的保護者，無助者的庇護所，被拒斥者的救主」[18]的想法，瑪爾定的天才則表現於他讓人難忘的姿態。有關他的故事，是他最真切、影響最深的遺緒。

其中有一個故事特別讓人印象深刻。故事發生在瑪爾定年輕的時候，在他離開軍旅生活之前的一個深冬。那一年異常寒冷，一個衣著襤褸的乞丐在高盧北部的亞眠城門口邊冷得發抖，穿著暖呼呼的市民們踩過雪堆，卻沒有給他任何東西。接著是瑪爾定走過來。他穿著軍服，身上沒有半毛錢，只有手上的兵器。但他身為軍人，身上確實穿著厚重的軍用斗篷，於是便拔劍將斗篷切成兩半，將其中一半分給這個乞丐。

沒有任何其他有關瑪爾定的故事，會比這個故事更被珍惜、更常被一再傳述。這一點都不令人驚訝，因為這個故事呼應了耶穌自己說過的一個寓言。如〈路加福音〉所記載的，故事場景是在一條東向通往耶路撒冷的路上。兩個旅人——一個祭司和一個聖所管事——走過一個被盜賊攻擊、棄置路邊等死的猶太同胞，沒有停下。接著走來一個撒瑪利亞人，將傷者帶到一個客棧，付錢給客棧主人，請他幫忙照顧。這不僅會讓那些最早聽耶穌說這故事的人（也就是會理所當然地認定撒瑪利亞人很可鄙的人）受到震驚，也會讓那些在遙遠高盧地區的人受到驚嚇。

羅馬的都城特質，為這個地區根深蒂固的部落意識加上了自利的論點：如果富人們真的會對那些不幸的人有任何一絲責任感，這也只會針對那些住在同一座城市裡的人。但瑪爾定並不來自亞眠。他出生在阿爾匹斯山東側山腳下，在義大利長大，甚至根本不是高盧人。他對一個在高盧的風雪中發抖的陌生人所表現出來的同情，比任何法律規定、任何講道，都要更生動而清楚地闡明了他畢生奉獻的原則：那些擁有資財的人，要對那些一無所有的人表現出沒有界限、沒有限制的博愛。傳言說，瑪爾定在與那個乞丐相遇的第二天晚上，做了個夢。在夢裡，他見到耶穌基督穿著他那一天送給乞丐的半件斗篷。「然後上帝告訴他，就像祂在地球上所行的一樣，『你為那些最不幸的兄弟中的任何一位所做的任何事，都是為我而做的。』」19

因此，瑪爾定的聲譽的影響力，毫無疑問；那些從病床上將他的屍身搶回來的人為圖爾贏得的獎勵，也無庸置疑。即使在他死後，據傳他在生前所行的奇蹟也並未中止：他會出現在病人和弱勢者的夢裡，將彎曲的四肢矯正，讓啞巴能夠發聲。但，如果這樣的事蹟在圖爾的名門家族中會激發出奉獻的精神，也同樣會引發不安的情緒。在馬爾穆捷，修道士們立下各種標示牌，標明瑪爾定祈禱、坐下、睡覺的地方；但在圖爾，他在人們的記憶中卻不是那麼討喜。在他之後繼任的主教，雖然在瑪爾定的墳墓上建了一座小小的聖壇，卻並未加以宣揚。

在由世俗精英階級掌控的教會高層，瑪爾定的存在令人尷尬。他的衣衫襤褸，他的缺乏教養，他對終結貧富差距的要求，都不受歡迎。瑪爾定的仰慕者們認為這都是因為他就像是一個活生生的責難一樣，讓其他主教蒙羞。只是毫不意外地，主教們卻不同意這樣的說法。他們對自己的角色有更高層次的一種理解：萬物自然秩序的守護者。如果他們將所有一切都送給窮人，他們如何能被期待還保有權威？上帝為什麼會希望看到整個社會結構崩毀？如果沒有富人，慈善從何而來？

在這個富人們也慢慢都成為基督徒的世界，這些問題不會消失。

天堂裡的寶藏

在圖爾這樣一個省區小鎮以外的遙遠地方，在充滿了昂貴香料的甜蜜氣味的宅邸裡，以各種顏色的大理石與金銀裝飾得熠熠生輝，閃耀著鉅富的模樣。最富有的家族擁有歷史悠久、遍布羅馬帝國各處的地產。憑藉著他們的血統和財富，這些家族的家長們是帝國裡最高等級的群體，其源起可以追溯到古羅馬興起之初的元老院，也就是這個階級嚴明社會的頂端。元老院成員甚至會嘲弄皇帝（當然是私底下），認為他不過就是暴發戶。沒有其他的勢利眼，可以與元老院裡的那種勢利眼相比。

然而，對信奉基督宗教的富人們來說，這些姿態又如何與他們救主最令人難忘的一個警告「駱駝穿過針眼，比財主進上帝的國還容易」並行不悖呢？西元三九四年，有人針對這個問題提出了一個答案，但因為過於激進而對帝國精英階級造成衝擊，讓有些人緊張，讓更多人驚駭。保利努斯（Meropius Pontius Paulinus）本人，就是特權的典型人物，他有非常好的人際關係，並且在義大利、高盧和西班牙地區都擁有大批地產，享有身世背景帶給他的一切優勢。他也有才華，既是羅馬中心一幢令人敬畏的建築裡的元老院一員，又是執政官。他在很年輕的時候，就已經為自己贏得美名。即便如此，他仍然受自我懷疑之苦。

保利努斯因為瑪爾定曾經神奇地治癒他的眼疾，而成為一個狂熱的崇拜者，並且因此相信最嚴重的盲目是因世俗財富所致。受到他的妻子特蕾莎鼓勵，他開始思考做出一個能引人注目、棄絕一切的姿態。經過幾年嘗試之後，當這對夫妻生下一個兒子，卻又在短短八天之後就失去這個小孩，他們終於下定決心。他們計劃「以脆弱的財富為代價，買下天堂和基督」[20]。保利努斯宣稱他們會將所有地產和財富賣掉，並且將收入救濟窮人。此外，他更放棄元老的職位以及與妻子的性關係。他們成了一對承諾以扶貧為志的伴侶，一起離開特蕾莎的出生地西班牙，往義大利而去。「致命的血肉羈絆，因此被破除了。」[21]

保利努斯在之後的一生中，都會住在那不勒斯灣的內陸地區，諾拉（Nola）城裡的一座小屋。年輕時候，他曾經在這裡擔任過一任總督，此時卻將自己奉獻於祈禱、守夜、分發救濟品。曾經被揮霍在絲織品和香料上的黃金，這時候被用來為窮人購買衣物和麵包。當那些「身穿著搖曳生光的衣服，馬匹身披華麗鎧甲，女人乘坐鍍金馬車」[22]的富有旅行者來到這裡，看到這一切而目瞪口呆時，眼前就是保利努斯——一個活生生的對他們奢侈用度的譴責。他因為只以少量豆類維生而導致的蒼白面容，他像奴隸一樣亂七八糟的頭髮，他的整個外表就是為了要使人震驚的。他的身體更發出惡臭。在一個沒有任何東西比剛洗完澡、撒過香水的身體更能代表擁有財富的時代裡，保利努斯卻讚揚沒有洗澡的人身上的臭味是「耶穌基督的味道」[23]。

但是，對億萬富翁而言，發臭的身體和昂貴的香水一樣，是一種時尚選擇。在保利努斯宣稱要放棄一切財產之後幾十年，他也確實堅持如此做到了，但他的功業的具體細節卻還是模糊不清。倒是有一件事是確定的：他絕不缺錢去投入他選擇要做的事。窮人不是他的雄心的唯一焦點。他依循羅馬鉅富最誇示的傳統，特別鍾愛偉大的計劃（*grands projets*）。他捐助教堂而非神廟，並沒有因此讓內部裝飾之華麗奢侈有所減損。他雖然明確地拒絕接受他身為元老的收入，但保利努斯的內心仍然清楚地是個貴族：他所做的一切，都是一個偉大人物的慷慨施捨。或許這是為什麼他雖然以「能夠穿過針眼的駱駝」而知名，但他自己卻很少引用這句眾人皆知的俗語。

他反而更喜歡福音書裡的另一段話。在這個耶穌自己說的故事裡，有個名叫迪夫的財主，拒絕提供吃食給坐在他的宅邸門口、一個名叫拉撒路（拉匝祿）的乞丐。兩個人都死了之後，迪夫發現自己深陷烈火之中，而拉撒路則高高地站在亞伯拉罕的身邊。迪夫大喊：「我祖亞伯拉罕哪，可憐我吧！請打發拉撒路來，用指頭尖蘸點水，涼涼我的舌頭，因為我在這火焰裡，極其痛苦。」但亞伯拉罕拒絕：「孩子啊，你該回想你生前享過福，拉撒路也同樣受過苦，如今他在這裡得安慰，你卻受痛苦。」[24]這就是會讓保利努斯不安，而決定要不惜代價避免發生的命運。每一項慈善義舉、每一次發送金幣，都是在他的舌頭上滴一滴清涼的水的承諾。把財富分送給需要的人，或許就可以用來熄滅來世的烈火。這就是保利努斯所堅信的：「並非財富本身冒犯了上帝或令祂無法接受，而是它如何被人們用於何處。」[25]

以這個想法來幫富有的基督徒解除焦慮，似乎也是可以讓每個人都得到好處的建議。窮人們受益於富人們的慷慨大方，富人們對窮人們表現博愛，為他們自己在天堂累積財富。一個人給予的越多，他最終獲得的獎賞就越大。儘管這是對「駱駝和針眼」的令人不安的反思，但傳統承繼的財產卻也因此可以被保留下來。對那些和保利努斯一樣從字面意義來理解福音書的基督徒們而言，階級仍然有其意義。

然而，也不是所有人都如此肯定。原本穩固的事物秩序正在搖晃著，自古以來明確不移的信念正在遭受攻擊。西元四一〇年，在保利努斯宣佈放棄財產的十五年之後，更巨大的沉淪震驚了全世界。羅馬，遠古帝國的女主人，臣服於蠻族哥德人（Goths）的圍城，城裡所有黃金也被洗劫一空。元老們被剝奪一切，為他們的都城支付贖金。整個地中海世界都被撼動。但還是有部分的基督徒，對此並沒有同感憤怒，而是在羅馬的浩劫中再次見證人們對財富的原始慾望。「浪濤上的海盜、道路上的盜匪、村落裡的小偷、四處可見的掠奪者，這些人全部都被貪婪所驅使。」[26]哥德國王如此，元老們也是如此。少有財富不是靠著壓迫寡婦孤兒而被累積起來的。財富存在的本身，就是針對窮人的陰謀。無論信奉基督的富豪如何希望，慈善濟貧的本身也不可能讓財富因而被神聖化。地獄的烈焰正在等候著。富人們絕不可能站到亞伯拉罕的身邊。

對上帝意旨的這種解讀，雖然對保利努斯來說似乎有些嚴肅冷酷，卻與他自己對福音書的解讀一樣。宣示這個道理的人，一定會這樣引用他們的救主：「基督並沒有說『邪惡的有錢人有禍了』，而是簡單地說『有錢人有禍了』。」[27]但在那個見證羅馬浩劫的動盪時代裡，激進人士卻不會限制自己只能引用聖經。他們野心勃勃地想要瞭解，基督有關財富和貧窮的教義，對一個由億萬富豪主宰的社會可能意味著什麼，還有貧富之間的差距如何消除，於是他們便轉向當時最受時人歡迎的苦行者來尋求靈感。伯拉糾（Pelagius），一個身材魁梧、才智過人的不列顛人，在羅馬定居之後，就為自己取得了這樣的名聲，成為廣受上流社會歡迎的人，而且他的教誨，有著遠超過貴族私人沙龍的吸引力。

伯拉糾相信，人被創造為自由之身。無論他是否遵守上帝的教誨，都是他自己的決定。原罪只是一種習慣，也意謂著完美是有可能達到的。「我們沒有理由不行善，除非我們自小就習慣為惡。」[28]伯拉糾在表述這則箴言時，心中想著的是個別基督徒的生命，但在他的追隨者當中，也有人將其套用於整個人類歷史。他們認為人類被逐出伊甸園之後，人性便墜入了貪婪的致命習慣中。強者從弱者身上偷取，壟斷了所有財富的源頭。土地、牲畜、黃金都成了少數人而非多數人所擁有的資產。財富可能是上帝賜予的祝福，不曾被剝削所汙染——這種想法其實是荒謬的自我欺騙。掉進乞丐發抖雙手中的錢幣，沒有一個最終不會被邪惡的方法奪走——透過鉛鞭、棍棒、烙鐵。

但伯拉糾認為，如果個別的罪人可以洗盡他們自己的罪孽，並且遵守上帝的命令而獲得完美，那麼所有人也都可以做到。這一點的證明就在路加所寫的〈使徒行傳〉（宗徒大事錄）裡。他在書中描述保羅在往大馬士革路上所遭遇的異象，而這段描述也被編入新約聖經。在新約聖經裡，為了啟迪所有人而被保留下來的說法，記載著耶穌基督第一代的追隨者共同擁有一切。「他們又賣掉田產家業，按照各人的需要把錢分給大家。」[29]因此，建立一個公正平等的社會，正是得到聖經直接認可的一種抱負。只要能達到這個目標，就不需要任何慈善之舉。像保利努斯這種譁眾取寵的慈善家，就會和聚集在他教堂裡的乞丐合為一體。「沒有了富人，哪裡還會有窮人？」30

當然，作為一篇宣言，這樣的說法實際上不會比尼撒的貴格利廢除奴隸制度的呼籲，要更令人難以置信。羅馬浩劫之後的幾年內，帝國西半部確實更成為強者的遊樂場。那些將帝國各部連結在一起的肌腱開始斷裂。帝國的大部分地區已經崩解。保利努斯大張旗鼓擺出棄絕一切的姿態之後一個世紀，維持著鉅富階級存在的複雜社會組織架構已經完全消失不存。原本從撒哈拉沙漠延伸到北不列顛地區、單一權威的羅馬帝國，被一群蠻族強取豪奪，幾個彼此對立的王國——西哥德人、汪達爾人，和法蘭克人——將其取而代之。在這個新世界裡，那些能設法免於落入赤貧的基督教貴族，不容易對此感到內疚。對他們而言，瑪爾定和保利努斯欣然接受的貧困，是他們不惜一切代價都要避免落入的命運，而非應該遵循的典範。他們希望主教和聖人告訴他們的，不是告誡他們財富本身就是邪惡的，而是另外一種非常不同的觀點：財富確實是上帝的恩賜。在西方世界的各個蠻族王國裡，這一點確實是教會神職人員提供的說法。

在這些神職人員背後，有一個擁有巨大權威的大人物。這個人，在保利努斯還是帝國人們談論的對象時、在伯拉糾還是羅馬最受歡迎之人的時候，是在非洲海岸邊一個遺世獨立的港口地區擔任主教，但他的影響力其實已經遠遠超過前述兩人。對希波的奧斯定（Augustine of Hippo）⑥來說，正是信徒的民族多元性和各種不同社會階級的聯合，構成了基督宗教最大的榮耀。「所有人，上至皇帝，下到穿著破爛的乞丐，都會因為看到整個人類都匯聚到被釘上十字架的上帝面前，而感到驚訝。」[31]奧斯定自己就明白被帶到上帝面前是什麼感覺。他是到了三十歲時才改信基督。如果他沒有彷彿置身幻覺一般，在家中花園裡聽到一個小孩反覆地說「拿起來讀」，因而讀到〈羅馬書〉中有關保羅的段落，或許他就永遠不會成為基督徒。在這之前，奧斯定確實過著浮躁不安的生活。

他在受洗之前，就已經從默默無聞的邊省地區，逐步攀升到帝國宮廷的邊緣；他從一個城鎮遷徙到一個城鎮，從迦太基到羅馬，再到米蘭；他涉獵過各種宗教信仰和哲學派別；他甚至曾在教會裡追求女子。這樣的人非常明白人性能有多少不同面向，儘管如此，在他從義大利回到非洲故鄉，並且到了適當時機被選為希波主教時，已經敢於想像一個無論在實際上或名義上都十分廣泛（也就是普世）的基督宗教信仰。「現在就是所有人都要走進教堂的時候了。」[32]這樣的信念雖然鼓動了比他更為激進的伯拉糾追隨者，但

⑥譯註：俗稱聖奧古斯丁（354-430），早期西方天主教神學家、哲學家，曾任阿爾及利亞城市安納巴前身希波（Hippo Regius）主教，著作《懺悔錄》被視為西方歷史上第一部自傳作品，死後被封為聖人，也標示著歐洲中世紀的開端。

並沒有讓奧斯定認為階級和財富的差距可能被消弭，或者所有財產都可以共享。恰恰相反。這位希波主教對人性的看法更為嚴肅而悲觀，因此讓他難以想像永遠都不需要博愛慈善的世界。所以耶穌自己也曾警示：「常有窮人和你們在一起。」[33]富有的人和貧困的人，只要世界還存在著一天，兩者都註定會並存。

奧斯定對社會動盪會通往何處的疑慮，至少有部分是源自於他的個人經驗。在希波，就如同在非洲其他地區一樣，教會內部的分裂爭議始終非常激烈而且毫無保留。在城外道路上遭到伏擊的危險，始終存在著，酸性物質的攻擊更是特別危險。奧斯定身為天主教主教，始終明白自己是潛在的攻擊目標。他曾經指控多納圖斯教派的激進分子，說他們是一群不僅反對他的權威，更反對任何維護秩序的事物的叛亂分子。他們會攻擊村莊，抓住有財者（那些「出身不凡、教養良好的人」），將他們綁在磨坊上，「用鞭子逼迫他們像最低賤的畜生一樣推著水磨轉圈」[34]。

奧斯定並不認為窮人的心靈會比富人的心靈更為純潔。所有人都一樣沉淪。和全人類共同的罪相比，階級的區分一點都不算什麼。這意謂著像保利努斯這樣的鉅富，即使放棄他全部的財產，並不會比福音書所描述的那個在耶穌見證下將僅有的全部財產——兩個小銅幣——都捐給聖殿金庫的貧窮寡婦，要更得到救贖。這也意謂著，要建立一個能消除極端貧富差距的世俗社會，而所有人都因此平等的夢想，終究只是個——夢想。

伯拉糾認為基督徒有可能沒有任何罪惡地活著的想法，對奧斯定來說，不僅是個幻想，更是有害的異端思維。這樣的思想，會讓所有相信的人陷入受詛咒的危險。在一個墮落的世界裡，無論任何男女都不可能臻於完美。猶太智者耶穌．便．西拉在幾個世紀之前所制定的教義，認為夏娃在伊甸園裡的違抗，讓她的所有子嗣都必須承受和她一樣的原罪，這一點多半都已經被猶太學者所遺忘，但奧斯定沒有忘記。每一天，都是要求懺悔的一天：不僅祈求寬恕，更要佈施行善。對任何有能力的人——從最貧窮的寡婦到最富有的元老——這就是要彌補原罪這個致命汙點的最可靠途徑。

只要擁有的人能將之用於良善的目的，地位和財富就不會是本質上的邪惡。那些伯拉糾的信眾中比較激進者所提出的共享所有資產的瘋狂要求，可以被斥為愚蠢之舉或不切實際的幻想。「放棄驕傲，財富就無法為害。」[35]在西羅馬帝國崩潰之後幾個世紀裡，奧斯定的訊息找到了許多聽眾。在崩毀的帝國秩序的瓦礫廢墟中，這個訊息可以讓地方上的貴族和蠻族軍閥，領悟到他們的權威可以如何被建立在全新而穩固的基礎上。如果那些屬於大理石宅邸的往日時光已經永遠不再，那麼現在有另一個衡量偉大的指標可能更容易贏得上帝的祝福：守護需要依賴他人的人，並且不只施捨他們救濟品，還要提供武裝保衛。權力如果被用以保衛無權力者，就可能得到上天的眷顧。

或許，有關這一切論證的證據，並不能在圖爾找到。在那裡，在瑪爾定死後一個世紀，朝聖者的奉獻焦點是他的墳墓，而不是他位於馬爾穆捷的小屋，所有被保留的有關他的記憶，都早已被清掃一空。一個接一個充滿雄心壯志的主教，用巨大的教堂建築、庭院和塔樓來妝點他的葬身之處。在墳墓本體上方，則是一座閃閃發光的鍍金圓頂。⑦在控制著通往圖爾的道路上，則是一座宣示令人敬畏的權威性的紀念碑。瑪爾定在生前避開了世俗權力的束縛，卻在死後成為強大領主的典範。如他一向所為的，他繼續以各種慈善形式照顧病人、受苦的人、以及窮人；在他的奇蹟編年史中，書寫者親切地記錄了他如何治癒孩童，提供食物給貧困的寡婦。雖然，瑪爾定在羅馬帝國瓦解之後的不安歲月裡，和每一位領主一樣懂得如何照顧自己。

即使是最貪婪的國王也對他的權威敬畏三分，肯定會以某種勉為其難的尊重態度來對待圖爾。在西元五世紀的最後幾年，成功統治高盧大部分地區的法蘭克軍閥克洛維斯（Clovis），志在炫耀地向瑪爾定祈求他在戰事中給予支持，並且會在得到他的支持後送上適當而精美的禮物。克洛維斯的繼承人，之後被稱為法蘭克王國（Francia）的統治者，則傾向於完全避開圖爾，也真的如此做了。他們對自己王朝的新貴特質非常敏感，知道最好不要跟王國守護者的魅力光彩競爭。等到適當的時機到來，當他們之中的一人取得那件瑪爾定在亞眠城門口割成兩半分給乞丐的軍用斗篷，這很快就成為證實法蘭克王國偉大的徽章。平時，它由一群特別挑選的教士（*capellani*，或稱為專職司鐸〔chaplain〕）所守護，到了戰時則由皇家專屬戰車載運，令人敬畏地見證聖潔如何能成為權力的源頭。

瑪爾定之死，不僅沒有減弱、甚至更提升了他的權威。不同於保羅的時代，「聖徒」（Saints）不再被視為活在世上的忠實信徒。這個頭銜現在保留給那些和瑪爾定一樣死去，並且加入他們救主身旁的人。他們比任何皇帝都要受人鍾愛，得人祈願，和為人畏懼。在一個充滿暴力和貧窮的時代陰影中，他們的榮耀為國王和奴隸、為雄心勃勃的人和卑微不堪的人、為戰士和痲瘋病患，同樣提供救助。

在這個墮落的世界裡，似乎沒有任何地方會太過黑暗，而無法被天堂的光芒照亮。

---

⑦也就是說，假設這座曾經在西元十世紀時，被傳說會「像一座金山一樣在陽光下閃閃發光」的圓頂，其實早在西元六世紀時，就已經被鍍上金裝。

第
6
章

天堂

西元492年，加爾加諾山

山上傳來一個似乎令人難以置信的故事。一頭公牛離開牛群，遊蕩至一個洞穴的洞口。這頭公牛的主人因為牛變得野蠻而感到憤慨，就以毒箭射牠。那支箭的軌跡被突如其來的一陣風給吹偏，反而「擊中了那射箭的人」。目睹奇蹟的農民轉述這個事件，引起當地主教的興趣。他為了儘快掌握這個事件的意義，開始齋戒。三天過後，一個籠罩在光芒中的光彩美麗身影出現在他面前。那個人影告訴這位主教：「你要知道，發生的事就是一個徵兆，表示我是此地的守護者，我會看顧著它。」[1]

加爾加諾（Gargano）①是一片從義大利東南角深入亞得里亞海的岩石海角，長期以來就一直是個充滿神奇鬼怪故事的地方。在古代，會有朝聖者爬到山頂，在那裡以黑羊獻祭，然後披著羊皮過夜。他們在睡夢中會瞥見未來。根據荷馬的說法，有一個古希臘時代的預言者就埋葬在附近。這位預言者能跟古希臘人闡明阿波羅的意志，並且在這位弓箭之神以瘟疫之箭懲罰人們的時候，指示人們如何平息他的憤怒。然而，時代已經改變。西元三九一年，一位信奉基督的古羅馬皇帝下令禁止犧牲獻祭。阿波羅的尊貴地位在義大利已被剝奪。保利努斯在他的詩歌中反覆稱頌這位神祇遭受流放。阿波羅神廟也被關閉，雕像被砸碎，祭壇被毀壞。到了西元四九二年，阿波羅已不再於那些睡在加爾加諾山坡上的人們的夢中現身。

阿波羅的地位開始衰微，其實可以追溯至君士坦丁大帝信教之前。西元三世紀時有過類似的震撼，刺激多位古羅馬皇帝試圖根除基督宗教信仰，此舉卻證明了對古代諸神的崇拜有同樣的毀滅性影響。在戰爭與金融混亂局勢當中，神廟開始崩毀。有些已經完全毀壞，其他則被改建為兵營或軍事庫房。朱利安在培希努所目睹的衰敗，與其說是信仰危機所致，不如說是源自於人民傳統敬拜模式的崩壞。當然，有些主教如果得到機會，自然會毫不猶豫地加上致命一擊。異教神明對犧牲獻祭與祭壇上鮮血氣息的渴望，始終讓基督徒深感恐懼。面對他們大義凜然且激進的憤慨，即使是最崇高自重的異教信仰也會無力對抗。

西元三九一年，有著亞歷山卓地方特色的暴徒把目標轉向塞拉比尤姆神廟，將之夷為平地；四十年後，帕德農神殿正式禁止崇拜雅典娜。之後的時間會見證它被改變為一座教堂。儘管如此，無論基督徒如何大聲宣揚，這些知名紀念碑其實是證明規律存在的例外。無論聖徒傳記的作者們如何聲稱他們筆下的英雄成功摧毀大片神廟、如何將之轉化為對基督的信仰崇拜，現實真相卻非如此。大多數神廟失去原來賴以維持運作和舉行儀式的贊

①譯註：位在義大利東南部普利亞大區福賈省的丘陵地區，山海景觀優美，知名觀光地點。

助，也只是被單純地棄置不顧。畢竟，大片石塊建物並不容易被推倒毀壞，將它們棄留給雜草、野獸與鳥糞，是當下比較簡單的做法。②

到了西元五世紀末，只有在最荒僻的鄉野地方，才會有人依舊堅守著「過去的墮落風俗」[2]，在泉水邊或十字路口點著蠟燭，對陳舊不堪的偶像獻祭。他們所在城市的主教將這些可悲的人們稱作「*pagani*」——不只是「鄉下人」，更是「鄉巴佬」。然而源自這個詞的「異教徒」（**pagan**）的稱呼很快就有了更廣泛的意涵。從朱利安的時代開始，這個稱謂越來越頻繁地被用來指稱那些既不是基督徒、也非猶太人的人們——無論他們是高貴的參議員或低賤的農奴。許多不敬拜以色列唯一真神的人們，從主張無神論的哲學家到施展骯髒咒語的農民，都被這個稱謂貶抑為一個龐大且無個別差異的群體。「異教信仰」就如「猶太教」一樣，都是基督宗教學者編造的概念，讓他們能用來對教會本身舉起一面鏡子，自我反省。

除此之外還有更多意涵。基督徒在異教徒的偶像崇拜與邪教信仰當中，看出一種威脅整體時空的暗黑力量。就如俄利根在亞歷山大被燒毀的祭壇當中，對吸血鬼般的嗜血欲望深感恐懼一樣，奧斯定即使已經禁止犧牲獻祭，還是要對古代諸神和「褻瀆力量的可怕枷鎖」[3]保持警戒。在像加爾加諾這樣的地區，情勢特別險峻。在這個眾神的身影經常在人們夢境中現身的地方，正是他們可以躲藏避難的偏僻所在。當然，沒有任何基督徒會認為只是將他們的神廟關閉就已足夠。黑暗勢力的邪惡既狡猾又頑強。他們以掠奪者的姿態潛伏著，等著基督徒背棄對上帝的責任，嗅出每個能夠引誘他們犯罪的機會，而這一切都在基督本人的教誨中已經清楚闡明。祂曾經宣稱，祂的使命就是「將惡魔驅逐」[4]，而這種衝突不僅限於凡人的世界裡，戰勝惡魔的挑戰橫跨天地各方。

這也就是為何當加爾加諾的主教被發散耀眼光芒的身影拜訪時，他會對出現在他面前的並非阿波羅，而是來自天上的上帝麾下將領，感到如此釋然。從亞伯拉罕的時代開始，天使就一直扮演著使者的角色。天使（angel）在希臘語當中就是使者之意。大多數天使，包括當亞伯拉罕舉刀要殺死以撒時向他顯現的天使，或是在「出埃及」前夕為埃及初生兒帶來死亡的天使，都是無名無姓的。他們的存在是為了服侍上帝。在舊約聖經當中，天上景象被反覆地描繪：包括擁有六對翅膀、在上帝的寶座之上頌讚全能上帝的天使撒拉弗（色辣芬）和聚集在祂左右的無數天軍。當基督徒試圖想像天使的模樣時，

②依據近來的研究成果，我們可以很有信心地說：在古典時代晚期，多數神廟並沒有被大規模地改成教堂或毀壞。(*Lavan and Mulryan*, p. xxiv).

他們自然將其想像成為皇帝服務的官僚，身著深紅束腰外衣並配戴勳章，就如同〈約伯記〉作者以波斯國王的宮廷為本，想像上帝的宮廷一樣。

然而，也並非所有天使都是無名無姓的。在新約聖經中，有兩位天使被賦予名姓。其中之一是加百列（加俾額爾），為馬利亞帶來她將要生下基督的消息。另一位天使米迦勒（彌額爾），則被簡單定義為「天使長」（*archangel*）[5]，也就是上帝的所有僕人當中最重要的一位。他擁有獨屬於天堂之主所能有的魅力，可以發揮跨文化的吸引力。猶太人稱他為「偉大的王子」（*the great prince*）[6]、死者的守望者、以色列的守護者；異教徒則將他的名字刻在護身符上，並且用咒語召喚他的顯現。他甚至在培希努與西貝萊女神共享神殿。

基督徒們因為被保羅警告不要崇拜天使，因此在傳統上不願公開敬拜米迦勒。然而在羅馬帝國僅存的其餘疆域，在地中海東部地區，他的名聲卻越傳越廣。據傳他曾經出現在加拉太，接著又現身在建立於西元三三〇年、作為第二個羅馬城的君士坦丁堡，城中一座由君士坦丁本人所打造的教堂當中。然而，在米迦勒於加爾加諾駐留並自稱為其守護者之前，他從未在西方世界現身。

很快地，更多奇蹟接踵而至。一夜之間，在被誤闖的公牛所發現的洞穴當中，出現了一整座教堂和天使長在大理石上留下的神祕足印。加爾加諾的人們有幸得到天堂守衛者的守護。米迦勒在山上顯現之後的一個世紀裡，義大利文明的每一個部分都開始衰微崩解。戰爭，緊接著是瘟疫，席捲整個半島。來自各方相互敵對的戰士們，摧毀了被沼澤與雜草覆蓋的土地。無數村莊，甚至城鎮，整個消失無跡。在加爾加諾的山坡上，有黑霧籠罩著山峰以抵禦盜匪掠奪，而且未曾受到瘟疫侵擾，但當地的人們也深知米迦勒的守護有其侷限。他們只需要仰望天空，就可以看到在那裡有「預示將要流下鮮血的火光」[7]，而認知到宇宙間的善惡衝突是無從迴避的。

儘管米迦勒擁有強大的力量，但他與其他天使所面對的是不輕易屈服的對手。惡魔也有首領，並且與米迦勒勢均力敵。儘管惡魔的首領會發出惡臭，有著「鮮血淋漓的牛角」[8]和夜色般的黝黑皮膚，但他並非總是居留在黑暗之中。曾經在太初之時，當上帝正在奠定大地根基，晨星一同歌頌，所有天使一同歡呼時，他和米迦勒一樣，都是代表光明的王子。

〈約伯記〉創作之後，已經過了許多個世紀。在亞歷山大大帝的征服之後，人們對波斯國王及其密探的記憶不可避免地開始逐漸模糊。對許多猶太人來說，「撒但」（*satan*）這個詞彙不再是上帝宮廷當中官員的頭銜，而是作為一個專有名詞使用。即使如此，也並非所有源自波斯的影響都已逐漸減弱。許多猶太人都能認同大流士的信念，認為宇宙就是善與惡、光明與黑暗、真理與虛妄對峙的戰場。撒但——也就是「對手」，或希臘語所稱的「*Diabolos*」③——已經逐漸成形，並且影響著各個猶太教派的想像。

當第一代的基督徒試圖理解為何他們的救世主會化身為人，祂在十字架上所受的苦究竟可能成就什麼時，他們認為最有可能的答案就是祂必須給撒但一個適當的位置。其中一個基督徒解釋道，基督化為血肉之軀，並且「由於他的死，他能夠毀滅那掌握死亡權勢的魔鬼」[9]。果然，在接下來的數個世紀當中，基督宗教學者們會徹底解析聖經，尋找任何有關撒但故事的線索。而俄利根就是那拼湊出最終版本的人：魔鬼原先為路西法（路濟弗爾），也就是晨星、黎明之子，然而他卻渴望坐在上帝的寶座上，最後像閃電一樣，從天際被逐出，墜落到「地府極深之處」[10]。基督徒賦予惡魔一個獨特的、比任何波斯或猶太學者所描繪過的都要更加鮮活的形象。他從未被描繪成如此充滿戲劇性、令人毛骨悚然的形象，從未被賦予如此強大的力量與魅力。

「兩群天使，分別象徵著『光明』與『黑暗』。」[11]當聖奧斯定寫下這段話時，他知道他所要迴避的異端邪說，就是波斯人認為善與惡不分軒輊的原則，這在他年輕時候是接受的，但在他皈依基督宗教之後，就堅決放棄這個論點。因為作為一個基督徒，當然就代表相信唯一全能的神。正如奧斯定所言，邪惡並不是獨立存在，而只是善良的敗壞。確實，即使是凡人，也沒有任何一個人不是「神聖」最純粹但也最微弱的顯現。「那座應許我們統治的城市，與俗世中的城市有很大的不同，就像天上與地上的不同，永生之喜與短暫歡愉的不同，充實的榮耀與空洞的讚美的不同，天使社會與人類社會的不同，太陽與月亮的創造者所散發之光芒與太陽和月亮本身光芒的不同。」[12] 當惡魔以他們強大的權威招引凡人時，所有國王與皇帝所鍾愛的喇叭與戰旗，帶來的都只是煙霧繚繞所致的幻象。畢竟，如果黑暗天使不是光明天使的陰影，它又能是什麼？

然而，在許多基督徒的想像當中，撒但不僅是善的闕如。當他越被鮮明地召喚出來，他就越顯得獨立自主。撒但的邪惡帝國，似乎難以與全能且仁慈上帝的權威抗衡。如果基督已戰勝死亡，為何撒但的勢力範圍仍然如此廣垠？當天國的軍隊全副武裝、做好準備在戰場上與他對戰，墮落世界中的凡人，如何能期望經得起撒但力量的考驗？如果真的實現的話，永久戰勝惡魔之後會是什麼景況？

這些問題的答案是存在的，但得來不易。當然這一點也不令人驚訝。基督徒知道，

③譯註：*Diabolos* 為希臘文中「魔鬼」之意。

在撒但宣示掌握世界的大戲中，他們不只是旁觀者，更是參與者，而且風險極高。這種信念會留下很深的陰影，且註定延伸到久遠的未來。

天堂之戰

西元五八九年十一月，台伯河（Tiber）潰堤。糧倉被淹沒，多座教堂被河水沖走，一大群水蛇被沖上岸，其中最大的是「一隻如樹幹般的巨龍」[13]。兩個月之後，瘟疫重回羅馬。最早死於這場瘟疫的人，其中之一就是教宗。他的死亡讓整個城市都為之心驚膽寒。儘管名義上羅馬受遠在君士坦丁堡的皇帝所統治，但保護羅馬的責任實際上已經轉移到當地主教身上。飽受瘟疫蹂躪，並且遭受掠奪成性的蠻族威脅的羅馬公民立刻選出繼位者。他們的選擇是全體一致的。在一個墮落時代的眾多罪惡當中，他們更渴望一點優雅的氣息。西元五九〇年春天，在君士坦丁於聖彼得墓地上所建造的大教堂裡，一位來自羅馬帝國權威核心的人被祝聖為教宗。

在弗朗西亞（Francia），教宗額我略一世（Gregory）的崇拜者們，以敬畏的語氣傳說他的祖先曾是帝國元老。這種說法雖然有所誇飾，卻也是可以理解的。新任教宗身上確實顯露出某種屬於已消逝的古羅馬偉大時代的氣質。他繼承了位在城市中心西里歐山上的一座宮殿，和西西里島上的一些莊園。他曾擔任過市政長官，而這是一個可以追溯到羅慕路斯時代的職務。他也在君士坦丁堡的帝國精英階層中生活過六年。

教宗額我略一世對羅馬衰落的程度不存在任何幻想。一個在鼎盛時期擁有超過百萬人口的城市，如今卻僅剩兩萬人。奧古斯都大帝建立的柱子被叢生的雜草纏繞；為紀念君士坦丁大帝而建的山形牆被淤泥掩埋。數個世紀以來，廣闊的宮殿、凱旋門、大賽馬場和圓形劇場一直都是世界的中心，如今卻已遭到廢棄，成了一片荒野般的廢墟，甚至連元老院都已不復存在。當額我略一世被視聖為教宗之後，他走上被瘟疫肆虐的街道，抬起眼睛看向天空，聲稱他見到了無形的弓所射出的箭雨從天而降。隨著時間過去，他會越來越害怕所有生命的跡象都將從這座城市當中消逝。「自從元老院的衰敗以後，人民接連死亡，少數倖存者的痛苦與呻吟日復一日地增強。如今已空無一人的羅馬，燃燒起來！」[14]

然而，額我略一世並未感到絕望。他一直堅信，從瘟疫當中得到救贖是有可能的。「天主充滿憐憫與惻隱之心，祂的旨意是讓我們透過祈禱贏得祂的寬恕。」[15]諦聽新任教宗對他們傳達這個訊息的人們，其實早已做好了聆聽的準備。羅馬人與他們古老的宗教信仰和長期填滿城市曆法的各種儀典之間的連結，已經被決定性地打破了。就在一個世紀之前，也就是西元四九五年的二月時，額我略一世之前的一位教宗看著當地的年輕男子，做著從羅慕路斯時代以來每個年輕男子在每年二月時節都會做的事——衣不蔽體地招搖走過羅馬，用山羊皮製的皮鞭鞭打女性的胸部——而對此深有反感；而在這之前半個世紀時，另一位教宗看見有些人會向太陽鞠躬行禮，以迎接黎明到來，這也同樣使他感到震驚。

然而，那些日子已經過去。這座城市本身的節奏——每一天、每一個星期、每一年——都已經歸於基督宗教。「宗教」（*religio*）這個詞彙的意義已經改變，而被用以指涉修士或修女的生活。額我略一世將西里歐河畔的宮殿改建為修道院，並且以修道士的身分居住在那裡，發誓保持貧窮與貞潔，親身體現宗教的意涵，藉以召喚他的信眾懺悔。因此，當羅馬人聽到新教宗敦促他們悔改時，便毫不猶豫地服從。日復一日，他們走在街上，祈禱並吟唱聖歌。在他們遊行的過程中，有八十個人死於瘟疫。接著在第三天的時候，終於得到來自天上的回應。瘟疫之箭不再落下，死亡的狀況有所緩和，羅馬人民終於倖免於難。

受詩人荷馬影響的異教徒，可以完全將瘟疫歸因於憤怒而復仇心切的阿波羅的兇殘。但基督徒對此有更好的理解方式。額我略一世從不懷疑他身處時代所承受的苦難，至少有部分是源於人類的罪惡。顯現於每一縷微風、每一朵雲彩的上帝，總是近在咫尺，沒有人能逃過祂的審判。額我略一世只需要細數自己的過失，就可以瞭解這一點。「我每天都在犯下罪過。」[16]但這並不意謂有罪的人類不能得到救贖。基督的死並非徒然，希望仍然存在。

當額我略一世試圖理解義大利所遭受的災難時，他首先轉向〈約伯記〉。書中的主角人物約伯，雖然不是因為自己的過錯而落入撒但之手，陷入悲慘境地，卻仍以堅定不移的毅力承受苦難。額我略一世認為，這就是理解這個時代所承受衝擊的關鍵所在。撒但再度現身。正如約伯被拋入塵土一樣，清白的人如今要與罪人一起承受苦難。「城市遭到洗劫，堡壘被夷為平地，教堂被摧毀，農田空無一人。刀劍不斷威脅著我們這些仍然倖存的少數人，且以傾盆大雨降在我們頭上。」額我略一世列舉這些苦難，並且毫不猶豫地宣示這些苦難所預示的意涵：「早已預言的邪惡，世界的毀滅。」[17]

長久以來，人們並不認為塵世秩序註定會終結，凡人的存在將與神聖的存在永恆結合。多數人認為時間是循環往復的。即使是認為宇宙註定會被火吞噬的斯多葛學派，也堅信新的宇宙會從大火之中出現，就如之前曾發生過、之後也會再次發生的一樣。因此哲學家從來沒有任何特定理由，會認為有其他不同的可能。他們先是在亞歷山大大帝及其繼任者、接著是在羅馬的統治之下，都受到重視、贊助與款待。安於現狀的人自然可以沉著地期待現狀的不斷重現。但並非每個人都能夠滿足於將時間視為無休無止的循環。波斯人在被亞歷山大大帝征服之後，開始相信時間註定會有終點，且在最後的大清算時，智慧之主（*Ahura Mazda*）將一勞永逸地戰勝「大謊言」。

西元六十六年，對類似結局的渴望刺激猶太人發起反抗羅馬、但註定失敗的叛變。而僅僅在幾十年前，耶穌本人才曾宣示神的國度近在眼前。基督徒從一開始就夢想著救主的歸來，屆時，死者將從墳墓中復活，全人類將受到審判，正義的國度將在地球上永久建立，就如同在天堂一樣。六個世紀以來，這個夢想從未消逝。當額我略一世沉思世界的苦難、預言它即將到來的毀滅時，既有希望，也充滿恐懼。

「世代的終結也要這樣：天使要出來，把惡人從義人中分別出來，丟在火爐裡，在那裡要哀哭切齒了。」[18]耶穌本人曾經如此警告。福音書中有許多類似的預言——在最後審判時，生者與死者會如何被分為兩個群體，就像好的水果與腐敗的水果被區分、小麥與雜草被區分、綿羊與山羊被區分一樣。同樣令人不寒而慄的是，預示關鍵時刻的跡象也被列出來。當額我略一世環顧他所處時代的苦難時，他可以辨認出各種不祥之兆：戰爭、地震、飢荒、瘟疫、恐怖，以及天上的異象。但除此之外，福音書中沒有細節。對那些想要專注凝視末世的基督徒來說，反而是另一部非常不同的聖經書卷為他們提供了「啟示」（*apocalypsis*），也就是「揭開面紗」的意思。

聖約翰是被人們（至少包括依勒內在內的人）確信為耶穌所愛門徒的人，他的〈啟示錄〉（默示錄）為將要到來的最後審判提供了最終極的描述。它就像是一場不安的夢一般，沒有清楚的敘事，而只是一連串縈繞不去的異象：米迦勒和他的天使，與「大龍就是那古蛇，名叫魔鬼，又叫撒但，是迷惑普天下的蛇」[19]之間的天界之戰；撒但將如何被打倒，並且被束縛千年；殉道者如何死而復生並獲得寶座，與基督一同統治千年；一個喝了聖徒之血而醉的妓女，名叫巴比倫，騎在朱紅色的野獸上；在「希伯來話叫作哈米吉多頓」[20]的地方所進行的一場大戰；千年過去之後，撒但將如何被釋放，並且在被永遠扔進燃燒的硫磺湖之前欺騙全世界；死去的人們，無論他們的地位高低，都必須站在基督的寶座前，按他們的所作所為接受審判；有些人會被寫入生命之書，而那些沒有出現於書頁中的，則會被扔進烈火之湖中；新的天與新的地如何出現；聖城新耶路撒冷如何從上帝那裡降到人間；天與地如何合而為一。

在〈啟示錄〉當中的未來景象，比任何異教神諭都更具壓倒性的影響力。阿波羅那些充滿謎團的預言，沒有任何一個可以用來重新結構時間的概念。但在整個羅馬世界中，這一點卻是舊約與新約聖經共同達到的目標。正如奧斯定所寫的，那些不能從基督宗教的觀點理解歷史的人，註定要「在迂迴曲折的迷宮當中徘徊，找不到入口，也找不到出口」[21]。時間的進程就如同箭的飛行一樣確定且直接，沿著一條直線前進——從〈創世紀〉到〈啟示錄〉，從「上帝創造萬事萬物」（Creation）到「審判日」（Day of Judgement）。

額我略一世依據他對時間註定將在何處終結的認識，來衡量世界上的事件，而他當然不是唯一這麼做的人。在加拉太，一位名叫西奧多（Theodore）的知名苦行者，堅持穿著重達五十磅的金屬緊身胸衣，並且只吃生菜，就預言了巨獸（the Beast）即將出現。在圖爾斯（Tours），另一位與教宗同名的額我略（Gregory）也預言了：「我們的主所預示的那一刻，就是我們悲傷的開始。」[22]自東而西，各方都表達了同樣的焦慮與希望。世界末日將近，時間已所剩不多。

儘管如此，還是有人對此有所保留。雖然主教們被賦予引領基督徒走向最後審判的責任，但他們自己也不太願意推算確切的時間。他們拒絕承認〈啟示錄〉中所描述的事件，可以直接對應到自己身處世界的動盪不安。他們摒棄了確認何為巨獸、確認巴比倫妓女是誰的機會。教會領袖長期以來始終擔心聖約翰眼中的末日異象，會如何在那些充滿狂野與暴力想像的人們心中滋生出各種臆測。曾經是哲學家的俄利根，也早就已經駁斥依照字面意義理解聖徒千年統治的想法。奧斯定也同意：「千年只是世界歷史進程的一個象徵。」[23]

希臘東正教則舉行大公會議，將〈啟示錄〉從新約聖經中刪除。在西方基督宗教世界中卻少有人會走到這種程度，因為聖約翰看到的末世異象已經牢牢印刻在他們閱讀的正典當中。但同樣地，西方的教會領袖們也不能不擔心：無知且容易激動的人們會如何理解這些預言。面紗已被揭開，但太仔細觀察隱藏其下的事物卻是危險的。正如額我略一世所說，基督「希望我們不知末日是何時」[24]。

這也並不意味著基督徒應該對此毫無準備。恰恰相反。末日異象也是每個人在死後會等待著他們的異象，因此這種異象必然會讓人不安。基督本人曾如此警告：「被召的人多，選上的人少。」[25]新耶路撒冷與火湖就像是一枚硬幣的兩面。早期的基督徒，作為身處於充滿敵意的異教徒世界中的極少數，這種想法往往能讓他們感到安慰。那些已經在墳墓裡腐敗了數個年頭、幾個世紀、甚至千年的死者，被召喚出來時只有兩種選擇：他們的肉身復活保證會帶來的，不是永恆幸福，就是永遠受苦。他們在世時被拒絕或迴避的公義，會在末日到來時從基督那裡得到。只有那些奉救主之名而死去的殉道者才能豁免於這段等待的時間。當死亡到來的時候，只有他們能被有著金色翅膀的天使在巨大的榮耀中直接帶到上帝的宮殿。其他的所有人，無論是聖徒或是罪人，都被判定必須等待最後審判時刻的來臨。

但是，這並不是西方基督宗教世界盛行的來世景象。與希臘東正教世界相比，西方有關末日、肉身復活與最後審判的駭人威嚴已被淡化。諷刺的是，這一點在相當程度上是受到某一位雅典哲學家的影響。與亞里斯多芬尼斯同時代，並且是亞里斯多德老師的柏拉圖（Plato）曾如此寫道：「當一個人死亡時，他凡身的部分就會消逝，或者看起來是這樣的；但他不朽的部分，則會在死亡臨近時，毫髮無傷且堅不可摧地離去逃逸。」[26]在西方教會形成的時期當中，沒有其他任何一位哲學家，曾對教會當中最偉大的思想家們有過如此深遠的影響。奧斯定年輕時，自認為是柏拉圖主義者，而在皈依基督宗教許久之後，仍然將他的前任導師稱作：「與我們最親近」[27]的異教徒。

靈魂是不朽的、是無形的、是非物質的，這些都是奧斯定從雅典最偉大的哲學家們那裡（而非從聖經當中）所推衍出來的論點。長遠來看，柏拉圖對西方教會的影響會被證實是決定性的。奧斯定的反對者堅決認定，只有上帝才是真正非物質性的，甚至連天使也是由微妙且飄渺的火焰所創造出來，只是這種看法最終還是逐漸消逝無跡。隨著時間流逝，教會的原始教義——認為只有殉道者可以直接被迎入天堂，而其他人（即使是最聖潔的聖徒）的靈魂，都要像拉撒路那樣加入亞伯拉罕，並在那裡等待審判的時刻——這樣的想法與信念已經逐漸消逝。如同奧斯定所教導的那樣，人們能夠直奔天堂，然而即使是聖徒，在他們被米迦勒接納之前，仍然必須接受審判。

當圖爾主教額我略書寫讚美他的守護聖人時，他也描述了魔鬼如何在瑪爾定死去之後造訪他，而他也不得不為自己的生命做個交代。當然，這並不會花上很長時間。瑪爾定很快就前往天堂，與他的聖徒同伴們會合。這個事件讓他更加榮耀。儘管如此，圖爾的額我略在描述這件事時仍然不免有些緊張。畢竟，如果連瑪爾定死後都要受到撒但的審問，更何況是罪人？額我略單單藉由提出這個問題，就是在為一個新時代發言：在這個時代裡，所有的凡人，不僅是殉道者，不僅是聖徒，都要在死亡的那一刻接受審判。

當西方世界的基督徒開始走上自己的道路，這裡就出現了一個深刻的悖論——他們對來世的看法越是獨特，則越能證明這種看法是源自於東方。猶太經文與希臘哲學再次融合產生強大的效果。事實上，在曾經屬於羅馬帝國的地區，在那片散布著廢棄宅邸和搖搖欲墜大教堂的土地上，除了死亡的恐懼之外，看不到有過古老歷史的生命跡象。當靈魂離開肉身軀殼之後，等待著它的會是什麼？如果不是天使和通往天堂的道路，那就是如波斯人所想像的「大謊言」化身那樣的暗黑魔鬼；就是和消失帝國的稅務官員一樣帶著帳簿的撒但；就是一個烈火的坑，受詛咒者在火坑當中所受的折磨，仿若雅典和羅馬異教詩人而非聖經作者所描述的景象。這是一個由許多古老元素編織而成，卻非早期基督徒所能辨識的異象。它對死者的世界會有革命性的意義，最終也會證明對生者的世界有著同樣革命性的影響。

祈禱的力量

在那些比加爾加諾更加荒涼的地方，對上帝有足夠的愛的人，或許可以瞥見天使。然而，這也是相當危險的。在世界的盡頭處，灰暗洶湧的大海一望無際，有修道士們充當基督的先鋒，以他們的祈禱對抗惡魔與他的軍團。人們講述著那些航行到地平線之外的人的故事，他們在那裡發現永恆的火焰山，在那裡，燃燒的火星如雪花般落在被詛咒的人身上；還有天堂的田野，有纍纍的果實與珍貴的寶石。不論這是否真實，但可以肯定的是，確實有一些修士前往大西洋的危險水域，在一塊鋸齒狀的岩石——當地語言稱為*sceillec*的地方——登陸，並且居住在沒有遮蔽的小屋裡。

國王們建造巨大的宴會廳以對抗酷寒與飢饉，這些定居在斯凱林島（*Skellig*）的人，卻將酷寒與饑饉視作通往上帝光輝臨在的路徑。修道士們在滂沱大雨中跪上數個小時，或是空腹從事奴隸所為的勞動工作，都是希望能超越這個墮落的世界加諸於他們的各種限制。在他們的崇拜者眼中看來，分隔天堂與人間的面紗幾乎要被他們的努力給揭開了。「人們相信，凡人過著天使的生活。」[28]在西方基督宗教世界當中，沒有任何地方能像愛爾蘭一樣，有那樣堅韌且聖潔的聖徒。

為基督贏得這座島嶼就是一項奇蹟。羅馬帝國的統治從未抵達這裡的海岸，反而是在西元五世紀中葉，有一個逃亡的奴隸，在當地傳佈基督宗教。派翠克（Patrick）是一位年輕的不列顛人，被海盜綁架並且隔海賣到愛爾蘭。他之所以受到愛爾蘭基督徒的尊崇，不僅是因為他將他們帶到基督的面前，更因為他提供給他們聖潔的模範——無論是當他作為牧羊人時乘船逃離他的主人，或回到愛爾蘭傳播上帝的話語，天使一直對他說話，並且引領他的所有作為。他也毫不猶豫地援引世界末日將至的概念，為自己的使命辯護。

派翠克去世一個世紀之後，愛爾蘭的修士與修女仍然有著他的印記。除了對上帝與他們的「父親」（也就是修道院院長）以外，他們不需對任何人負責。修道院就如同遍布全國的環形堡壘一般，自豪地保持獨立地位。維持這些修道院運作的，是鋼鐵般的紀律。只有「嚴格、神聖、永恆、崇高、正義且可敬」（'strict, holy, and constant, exalted, just and admirable'）[29]的規範，才能將這些男女們帶往天堂。修道士被認為要能精通奇特且只能從書中學習的拉丁語，也要熟練樹木砍伐；要能熟習愛爾蘭所有為數不多且極其珍貴的基督宗教文學經典，也要能在田野中辛勤耕耘。他們和派翠克一樣，相信自己站在末日的陰影當中，也和派翠克一樣，認為自己離開家庭和故鄉的自我流放，是讓他們能完全信靠上帝最可靠的方式。

並不是所有人都前往大西洋海域中，飽受烈風侵襲的偏僻岩岸地區。有些人漂洋過海來到不列顛，向那些仍然崇拜偶像且沉迷異教的蠻族國王傳佈福音——包括皮克特人（Pucts）、撒克遜人（Saxons）、盎格魯人（Angles）。其他人則向南航行，乘船前往法蘭克人的領域。

西元五九〇年，也就是額我略一世當選教宗同一年，聖高隆邦（Columbanus）抵達了法蘭克王國。這位愛爾蘭修士與羅馬貴族不同，他來自遙遠的他方，沒有尊貴地位或家世背景，卻僅憑藉著個人魅力將西方拉丁世界帶上一條全新的重要道路。聖高隆邦受教於祖國特別嚴格的修道院生活，在法蘭克人眼中是一個令人敬畏、甚至害怕的聖潔形象。他不同於法蘭克本身的修道士，有意識地尋找可以居住的荒野。他的第一個隱修地點是法蘭克東部的孚日山脈（Vosges）一座早已被樹叢淹沒的古老羅馬堡壘；接著，則是一座半世紀前被入侵蠻族燒毀的城鎮廢墟。他在那裡建立的勒克蘇伊修道院（Luxeuil）是作為通往天堂的門戶而建。聖高隆邦與他的一小群追隨者清除荊棘，排乾沼澤，並用破碎的磚石建起圍牆，在法蘭克人眼中看來，這些人擁有超自然的毅力。

他們啃食樹皮止餓，經過一整天體力勞動而感到疲倦時，則會更專注學習、祈禱與懺悔。這樣的作息不僅沒有嚇跑潛在的追隨者，反而很快地吸引他們成群加入。進入修道院的圍牆之內，服從聖高隆邦，就是在天使的陪伴下認識自己。這些強加於入門者的紀律，不只是為了打擊他們的驕傲與自負，更是要給予他們天堂的希望，即使他們都是罪人。聖高隆邦從愛爾蘭帶來一個新的教義：如果人們能定期告解，他們的罪是可以控制的。一旦罪人一點細節不漏地完成標準的懺悔儀式，他們就可以重新獲得上帝的恩典。儘管聖高隆邦的組織相當嚴苛，但同時也是療癒的。對那些時時刻刻恐懼著最後審判時刻和魔鬼手中帳簿的人們來說，這個組織給了他們一個珍貴的承諾——人性的軟弱可以得到寬宥。

「既然我們是這個世界的旅行者與朝聖者，就讓我們永遠記住我們道路的盡頭——因為道路就是我們的生命，道路的盡頭就是我們的家。」[30]如果我們不去旅行，不將自己流放在這世上，就是在拒絕天堂賜予地上人們的獎賞。當聖高隆邦在傳述這個訊息時，他已經是一個完全捨棄家庭與故鄉的人。因此，對他的法蘭克崇拜者們來說，他能夠成為宗教力量，也就是完全委身於上帝的生活的真實體現。他的一切作為幾乎都帶有某種超自然的微光。人們傳述著有關他的神奇故事：熊聽從他的命令而不偷竊水果，松鼠坐在他的肩膀上；他如何以唾液治癒最嚴重的工作事故所造成的傷害；他的祈禱如何擁有治癒病患、救回垂死之人的力量。

即使聖高隆邦受到那些能認清權威所在的國王們的青睞，但他卻不屑於按照規則行事。西元六一〇年，聖高隆邦拒絕為當地國王與不同妃子所生下的四位王子祈禱祝福，反而對他們宣告厄運之將臨，而就在他這樣做時，天際傳來一道巨大的雷響。即使面對士兵，聖高隆邦也沒有退縮。他被押送到海岸邊，送上一艘開往愛爾蘭的船，卻以禱告見證狂風三度將船吹回到泥灘上。押解他的衛兵比國王更要害怕他的威力，於是將他釋放。他越過阿爾卑斯山來到義大利，正如他所預言，傳來四位王子慘死的消息。然而聖高隆邦並未回頭，反而在行旅的過程中不斷尋找他所能找到最荒涼的地方，那些野狼與異教徒出沒、遠離世俗誘惑的偏遠之處；而無論在哪裡落腳，他都會建起一座修道院。他的最後一個立足之地，是位在米蘭以南約五十英里處、河流劃過的峽道，一個名叫博比奧（Bobbio）的地方。西元六一五年，這位年邁的流亡者終於去世。

對那些離開天堂、漂泊無依的罪人來說，生命本身就是流放。儘管如此，聖高隆邦脫離家鄉之舉，對法蘭克人與義大利人而言，就是一種特別激烈的懺悔姿態，一種特屬於愛爾蘭的獨特姿態，而這在他們心中所激起的共鳴，可以追溯到西方拉丁世界的過往。奧斯定環顧身邊世界的偉大城市——羅馬、迦太基與米蘭，將上帝之城想像成一個朝聖者，不受世俗憂慮的束縛。「真理，而非勝利；聖潔，而非崇高；至福，而非安寧；永恆，而非生命。」[31]當祈求者們冒險穿越勒克蘇伊修道院週遭的樹林，接近聖高隆邦所建立的據點時，這些就是他們所期望能找到的。由聖徒親手建造、環繞著修道院的圍牆，就宣告了上帝之城對人類之城的勝利。公共澡堂與神廟的碎片——廊柱、山形牆和破碎的雕像，都被嵌入它的結構當中。

這些被改用於宗教用途的瑣碎物件，就是在兩個世紀前，被奧斯定視為展現「世代」（*saeculum*）面貌的東西。這個詞彙有著深淺不一的多種含義。最初，它意謂人類生命的跨度，無論是被定為一個世代，或是人可以期望活得最久的時間——一百年。但它也逐漸被用以表示生命記憶的極限。在整個古羅馬歷史當中，從最初到君士坦丁的時代裡，會不斷舉行紀念一個「世代」過去的百年祭活動，一場「過去沒有人見過，未來也不會再見的奇觀」[32]。這就是為什麼奧斯定會選擇這個詞彙，用來對比上帝之城的永恆不變。奧斯定宣稱，一切被凡人生命所羈絆、被他們的記憶所束縛，並且隨著世代更迭而永遠在改變當中的各種事物，都是「世俗之事」（*saecularia*）。[33]

聖高隆邦的使命所擁有的力量，在於他以生動的方式具體表述了兩個相關範疇的概念：「宗教」（*religio*）與「世俗」（*saeculum*）。即使在他死後，那些有關他的追隨者的故事，更讓他的崇拜者堅信，這樣的使命確實能為他們打開通往天堂的大門。在聖高隆邦自己的人生中，就曾經有一位垂死的弟兄見到天使在病床邊等候，而請他停止禱告，因為禱告只會阻礙天使的召喚；在由他的門徒所建立的一座女修道院裡，一位瀕臨死亡的修女要求將她房裡的蠟燭熄滅：「你沒有看見上帝榮光正在接近嗎？你沒有聽見天使的讚頌嗎？」[34]類似這樣的故事，在所有聖高隆邦或他的追隨者建立的據點流傳，並且賦予他們的修道院某種連最大的教堂都無法匹敵的力量與權威。因為居住其中的人就是宗教的真實化身——「信主的人」（*religiones*）。越過劃出他們所在地域界線的溝渠與柵欄，進入圍牆之內，就是離棄塵世，接近天堂。

因此，不出所料，我們遲早會在聖高隆邦的故鄉聽到最強大的天使以翅膀拍打出的金石聲。幾乎可以確定的是，那些在博比奧學習的愛爾蘭修道士將聖米迦勒的崇拜帶回家鄉。從義大利到愛爾蘭，這位戰士天使長的魅力開始輻散，遍及整個西方世界。過不多久，即使是在最遙遠的、遠在修道士們所能見到並抵達的海洋最深處的尖銳岩石，最終都會得到他的守護。斯凱林島成為斯凱林米迦勒島（Skellig Michael）。似乎沒有任何地方會太過偏僻、太遠離世俗權力的中心，而無法在那裡體會到天使的存在，甚至是聽到他的聲音。

重生、悔改與罪得赦免的召喚，最終將被許多人所接受。

第7章

出埃及

西元632年，迦太基

西元六三二年春天，一艘載有羅馬皇帝信件的船駛入迦太基的巨大港口。從奧古斯都的時代以來，已有無數船隻如此航行。西羅馬帝國瓦解後的幾個世代以來，古老歷史的陰影仍然籠罩在非洲上空。迦太基如同羅馬帝國一樣，位於橫跨東地中海的一大片行省外圍，並以號稱第二羅馬的君士坦丁堡作為首都。迦太基和羅馬一樣，曾經淪入蠻族之手數十年之久，也和羅馬一樣，大約在一個世紀之前被重新納入帝國版圖。但與帝國權威已經崩壞、四面楚歌的義大利不同的是，這片位於非洲的行省仍然穩穩地在羅馬帝國的掌控之下。

皇帝赫拉克略（Heraclius）是一位久經沙場的卡帕多西亞人（Cappadocian），在當地發動政變之後，取得帝位。到了西元六三二年，他已掌權長達二十二年。這樣一位強人的命令自然不會被輕易無視。當非洲行省長官打開來自帝國的信函，自然毫不猶豫盡力遵從。赫拉克略的命令在五月三十一日生效。所有在非洲的猶太人，包括「訪客與居民、他們的妻子、孩子與奴隸」[1]都被迫接受洗禮。

這是一個針對始終讓人困擾的問題的殘酷解決方案。從保羅的時代以來，基督徒就一直對於上帝最初的選民卻頑固地拒絕接受祂的聖子為彌賽亞而感到困擾。根據福音書中無可爭議的證據，猶太人心甘情願地為基督之死負責，而這讓他們更加感到困惑。「他的血歸到我們和我們的子孫身上！」[2]那麼，為什麼在面對如此顯而易見的殺戮時，全能上帝卻沒有施以可怕的報復？神學家的看法是認為祂已報復。畢竟聖殿已不復存在，而猶太人的古老家園不僅早已被羅馬人從猶地亞（Judaea）改名為巴勒斯坦（Palestine），並且被重新奉為基督宗教的「聖地」。與此同時，猶太人本身也像流亡者一樣地生活「以見證他們自己的罪孽與真相」[3]。

上帝的異議有清楚且令人驚恐的證據，因此，熱切服事全能上帝的帝國當局，自然會確定必須加上自己更精進的做法。聖殿遺址已經變成一個傾倒死豬和排泄物的垃圾場，猶太人在一年當中也只有一天可以派代表登上摩利亞山哭泣哀悼，除此以外，一律被禁止進入耶路撒冷。對他們公民身分的法律限制也越來越具壓迫性。他們被禁止在軍隊服役、擁有基督教奴隸，或建造新的猶太會堂。相對地，猶太人被賦予保持傳統生活方式的權利，但這也只是為了讓他們在基督徒眼中更像是一個具有警告意味的奇觀。現在，因為政策的急轉彎，赫拉克略連這一點都剝奪了。

有許多基督徒對此感到震驚，有些人是擔憂心不甘情不願的皈依者可能會對教會造成傷害，另一些人則相信應該要像額我略一世所說的：「謙卑與仁慈、教導與說服，才是在基督宗教信仰的敵人之中，使之聚集起來的方法。」[4]但在赫拉克略頒布法令之前，就已經有許多人開始擔心這種做法已經太遲。同樣困擾著額我略一世的末日意識，已經促使弗朗西亞的一些主教強迫當地猶太人受洗。西元六一二年，在西班牙，西哥德國王也仿效這樣的做法。赫拉克略在其統治時間內也一直意識到：這個世界正在分崩離析。

「帝國將會崩解。」[5]來自加拉太、以生菜維生的苦行者西奧多，在赫拉克略即位的那一年就曾經如此預言，而這一點也幾乎得到證明。羅馬帝國遭到戰爭的蹂躪。波斯人大舉入侵，已經接近君士坦丁堡的城牆。敘利亞、巴勒斯坦和埃及全都淪陷，而耶路撒冷也遭到入侵。直到赫拉克略親自領軍的一連串巨大戰役，才成功地將帝國從崩潰邊緣救回。當他奪回被波斯人佔領的省分，騎馬穿越敘利亞，進入耶路撒冷時，他一再聽到猶太人背叛的故事，甚至是一些對基督感到絕望的基督徒竟也受了割禮。因此，猶太人不僅遭到上帝的詛咒，更是一個明顯而活躍的威脅。赫拉克略為了拯救基督子民免於毀滅而長期鬥爭，也因此感到疲倦，更沒有餘力對這些表現寬容之意。既然波斯人已被擊敗，他也要將消滅內部敵人當作目標。他的野心是要打造一個獨一無二、堅不可摧的基督教王國。

因此，皇帝的政策在迦太基被徹底執行。所有在城裡登錄的猶太人都有被逮捕與強迫洗禮的危險。他們只要在扭斷腳踝時，不小心以希伯來語痛苦喊叫，或者在浴缸中暴露自己已受割禮的身體，就有被告發和舉報的危險。大多數猶太人的心中仍然堅決認定自己並未受洗，但也有一些人或者是被說服，或者是見到異象，而確實感覺自己已被帶到基督面前。[6]

西元六三四年夏天，這些皈依者聽到巴勒斯坦傳來令人震驚的消息，而深感不安。據說在那裡，猶太人正為了赫拉克略最近遭受的汙辱而歡呼。該省已經被撒拉遜人（Saracens，也就是阿拉伯人）入侵。他們殺死了一位顯赫的地方官員。他們是由一位「先知」所領導——確實有些猶太人對他是否有權擁有這個稱號有所質疑，「因為先知不是帶著刀劍、乘著戰車而來。」更多的人則感受到熱切的興奮。他們跟基督徒一樣，可以在時代的動盪當中感受到末日似乎迫在眉睫。他們大膽地想到，或許撒拉遜先知的出現，是預告上帝最終將要解放祂的選民、聖殿將要重建，而彌賽亞也將到來？

它預告的其實是近東局勢的劇變，其規模之大是亞歷山大大帝以來所僅見。巴勒斯坦雖然是侵略者最初的目標，但並非最後一個。飽經戰火的羅馬與波斯帝國省分就如同過熟的肉從骨頭上剝落一般，紛紛落入阿拉伯軍團手中。從美索不達米亞到中亞地區，萬王之王曾經統治的土地被征服者整個吞沒，羅馬皇帝曾經統治的人民則淪為血淋淋的軀體。最近才戰果輝煌的赫拉克略，卻連他家鄉所在的卡帕多西亞山區都無法守住。高盧與西班牙曾遭蠻族霸主統治的命運，如今在敘利亞與埃及上演。

然而，被許多安定地區的人民強烈藐視的阿拉伯人卻並非對文明一無所知。羅馬與波斯文明的影響已經深入阿拉伯地區。甚至那些居住在敵對帝國的邊界上，但並未受雇為傭兵的部落，也感受到了超級大國的財富與神祇的吸引力。阿拉伯人有特別理由會因為猶太教與基督宗教的經籍而感到受寵若驚。他們雖然獨居在羅馬帝國邊界以外的蠻族之中，但也出現在經文當中。〈創世紀〉中記載，以撒並非亞伯拉罕唯一的兒子，這位族長還跟一名埃及奴隸生下了第二個兒子——以實瑪利（依市瑪耳）。這表示，早已被視為以實瑪利後裔的阿拉伯人，可以聲稱自己是第一位拒絕偶像崇拜者的直系血親。不僅如此，他們還是猶太人的表親。

基督宗教學者很快就意識到這一點會有令人不安的意涵。保羅警告加拉太人不要受割禮，並且宣稱世界各地的人，只要願意接受基督為他們的主，都會是亞拉伯罕的後裔。但現在，彷彿是直接否認這一點，受割禮的民族不僅奪取世界的統治權，更重要的是因此得以要求繼承「上帝應許給他們祖先的一切」[7]。無論如何，這是在撒拉遜人征服巴勒斯坦大約三十年後，一位以亞美尼亞文字書寫的基督徒所做的紀錄。他們那位在送給迦太基猶太人的報告中姑隱其名的神祕「先知」，現在則點明是一位名叫穆罕默德（Muhammad）的人。他應該是如此告訴他的追隨者：「沒有人能在戰鬥中與你抗衡，因為上帝與你同在。」[8]

當然，這並不是基督徒未曾聽過的事。君士坦丁大帝就曾提供完全一樣的保證，赫拉可略在與波斯人作戰的過程中也是如此。即使在全世界最遙遠的地方，在愛爾蘭被大雨淋過的修道院與修道士的小屋，撒拉遜人有關他們的先知所做的許多宣示也並不顯得怪異。一個天使在穆罕默德的面前顯現。他與猶太人不同，承認耶穌為彌賽亞，並且特別敬拜聖母瑪利亞。他向他們揭示了天堂與地獄的異象，以及最後審判迫在眉睫。穆罕默德宣講朝聖、祈禱與博愛的重要性，並不亞於聖高隆邦：「如何能跟你解釋陡峭的道路為何？就是解放奴隸，在飢荒之時餵養孤兒或陷入困境的窮人，並且成為一個相信惻隱之心、也敦促彼此堅定不移地抱有惻隱之心的人。」[9]這些都是尼撒的貴格利會欣然同意的教誨。

但穆罕默德並不是基督徒。西元六八九年在摩利亞山上，一座公開宣示這一點的建築開始興建。人們之後會知道，圓頂清真寺就位在原本應該為至聖所①所在的地點，並

①譯註：至聖所（the Holy of Holies）是猶太教聖殿最內層所在，被視為耶和華的住所。

且再一次地戳中猶太人的痛處，提醒他們曾經有過的所有希望如何一一落空——救世主的出現，聖殿的重建。然而，基督徒得到更直接的教訓卻是：他們固守的是一個已經敗壞且被取代的信仰。

沿著這棟建築拱廊兩側，鐫刻著貶斥三位一體教義的系列經文：「彌賽亞，耶穌，馬利亞的兒子，只是上帝的使者。」[10]這不僅重新開啟了基督徒在幾個世紀以前就認定已被解決的神學辯論，更將整部新約聖經與福音書都宣告為捏造的內容。圓頂清真寺嚴厲宣示，這些著作的作者彼此間的爭論已經玷汙了耶穌的原始教義。這些教義原來都和穆罕默德所宣布的啟示完全相同，就如同授予在他之前的許多先知——亞伯拉罕、摩西和大衛——的內容一樣。只有一個真正的律法（*deen*），對上帝忠誠的唯一真實表述，就是對他的服從，也就是阿拉伯語中的「伊斯蘭」（*islam*）[11]。

這是「穆斯林」（Muslim，也就是信奉伊斯蘭教的人）已經非常熟悉的教義。它不僅會被用以裝飾建築，穆罕默德的追隨者們也相信，圓頂清真寺上鐫刻的多數經文，就是加百列天使給他的啟示。在他死後，這些經文被合輯為一部提供背誦的合集，稱之為《可蘭經》。對他的追隨者而言，《可蘭經》所代表的意義就有如耶穌之於基督徒一樣，是神聖介入俗世、地界、晝夜。穆罕默德並未寫下這部神奇的經文，而只是充當它的喉舌。《可蘭經》當中的每一個字彙、每一個字母，都只源於唯一的作者——上帝。這使得《可蘭經》對基督徒所做的宣示，就如同對其他一切事物所做的宣示一樣，具有驚人且不可改變的力量。他們不同於異教徒，與猶太人同樣身為「有經者」（People of the Book），理應得到擁有自己所屬經籍的民族所應得的尊重。

然而不言自明的是，這些經文當中的謬誤，也讓上帝別無選擇，只能命令他們永遠遵守。令基督徒沮喪的是，羅馬帝國曾經加諸於猶太人的約束，現在也強加在他們身上。正如《可蘭經》當中所寫的，兩個同為「有經者」的民族都應該得到寬容，但只能藉由納貢[②]和自認低下的謙卑姿態換得。若是固執己見，就不能不受懲罰。例如，《可蘭經》中已經做出結論，認為耶穌並未被處死，而只是看起來像被釘在十字架上，為何基督徒仍然堅持要榮耀十字架？保羅、四福音書的作者、依勒內、俄利根、《尼西亞信經》的作者，或聖奧斯定，全都錯了，只有巴西利德斯才是對的。「對此有不同意見的人，是一無所知，只是聽從臆測。」[12]

與《可蘭經》對耶穌在十字架上殉難的斷然否定相比，對基督宗教更大的威脅其

②譯註：納貢（jizya）是指伊斯蘭國度中，對非穆斯林居民所徵收的人頭稅。

實是其所使用的專橫獨斷，與令人驚恐的權威語氣。舊約與新約聖經與其相比，根本無法相提並論。儘管基督徒對他們的聖經充滿敬畏，並且相信它被聖靈之火照亮，但他們完全能夠接受其中的大部分經文，包括福音書本身都是由凡人所撰寫。只有在西奈山山頂，在火焰與煙霧之中賜給摩西、刻在石板上的聖約是「上帝親手所寫」[13]，與人為無涉。也許正因如此，在舊約與新約聖經的所有人物當中，摩西在《可蘭經》裡有最明顯的位置，也就不讓人意外了。他總共被提到一百三十七次之多。許多歸諸於他的話語直接激勵了穆罕默德的追隨者：「我的同胞們！進入上帝為你指定的聖地！」[14]

阿拉伯的征服者們在帝國創建之後的前面幾十年裡，有意識地自稱為「穆哈吉魯姆」（*muhajirum*）——「出走的人」。當穆斯林學者在穆罕默德死後一百年首度嘗試撰寫他的傳記時，他們直覺選擇的範本就是摩西的生平。先知第一次得到上帝啟示時的年齡；他的追隨者從偶像崇拜之地的逃離；以及據說他在進入聖地之前即已去世、和西元六三四年傳到迦太基的消息互相矛盾的說法。所有這些構成傳記內容的元素，都和猶太人心中最受上帝眷顧的先知的生平互相呼應。[15]穆斯林的傳記作家們以摩西生平傳統說法的調色盤所繪製的先知圖像如此出色，甚至會讓在歷史上已經褪色的穆罕默德形象幾乎要完全消失在他們的筆觸之下。在上帝所差遣、引導人類走上正途的先知當中，他是最後、也是最受降福的一位，而在他之前，也只有一位先行者可以與他相提並論：「臨到摩西的最偉大律法，也已經臨到他，他肯定是這個民族的先知。」[16]

在阿拉伯人入侵巴勒斯坦的兩年前，赫拉克略出於對基督教王國安危的恐懼，下令猶太人接受洗禮。即使是在最黑暗的惡夢當中，他也無法預料到之後快速接踵而至的災難，使得君士坦丁堡失去那些最富裕的省分。然而，撒拉遜人對基督王國統治的威脅，不僅是軍事上的，真正的挑戰遠不止於此。這和幾個世紀之前，促使保羅絕望地寫信給加拉太人的威脅在本質上是一樣的。猶太皈依者或許比基督徒更加清楚，保羅為之獻身奮鬥的那些原則，最終使得基督宗教完全不同於猶太教。然而絕大多數的基督徒不僅從未見過猶太人，更不用說與他們交談了。

接受基督，就是接受上帝將祂的誡命寫在自己的心上。對迦太基那些雖然接受強制洗禮、但最後也真正皈依的猶太人來說，這一點一再地反映了態度上的改變，也就是最讓他們折服的論點。「創造物的得救，並非透過摩西的律法，而是一個全新不同的律法已經興起。」[17]基督在十字架上的殉難，為人類提供了普遍的救恩。無論是猶太人或任何其他人，都不再需要受到割禮、避吃豬肉、詳細背熟獻祭原則的規範。唯一重要的律法是上帝刻在基督徒心上的律法。「愛，並做你想做的事。」[18]

聖奧斯定是如此宣示的。基督教義在非洲地區，比在西方拉丁世界的任何一個地方都得到更精彩出色的闡釋，並且產生更重要的影響。在迦太基的猶太人願意接受這些教義，或許正反映了這座城市的基督教會的獨特性——嚴肅而熱情，專制而動盪。它擁有一種確信本身已經完全理解上帝律法的教會才會有的自信。

然而，現在卻出現了一種對上帝律法的全新理解，而宣揚這種理念的人們不同於猶太人，他們擁有強大且不斷擴張的帝國所具有的力量。西元六七〇年，在迦太基，從非洲傳來成千上萬基督徒遭受恐怖襲擊、淪為奴隸的恐怖消息。在接下來的數十年裡，有越來越多的侵略行動。堡壘、城鎮與整個省區的大片土地都被永久佔領。西元六九五年秋天，迦太基城牆上的哨兵發現遠方地平線上出現一團煙塵，規模越來越大，接著就是因陽光照射而發出閃光的武器。然後，從煙塵中出現了人群、馬匹，以及攻城車。

撒拉遜人到來了。

前往不列顛

結果證明，經過兩次圍攻之後才使得迦太基脫離基督宗教統治。這座城市再次被佔領，其居民遭到屠殺或是奴役之後，征服者們將其建築物夷為平地。接著，拆除下來的磚石被裝上貨車，並且沿著海灣運往突尼斯（Tunis）一座矗立在山上的小鎮。這座小鎮長期處在迦太基的陰影之下，而現在它的時代終於到來。在舊城的廢墟上建起新的首都，宣告了伊斯蘭教在西方基督宗教世界最強大的據點之一（也就是在西普里安、多納圖斯以及聖奧斯定的故鄉）所獲得的勝利。

這種事情本來不該發生。許多世紀以來，非洲的基督徒一直照看著他們的信仰之火。正如以色列人跟隨摩西穿越沙漠一樣，他們作為朝聖者教會的成員，同樣受聖靈引導了數個世紀。然而現在，一個新的民族，一群同樣自稱在流亡中的戰士奪取了非洲的統治權。四百年以來，非洲人第一次受到蔑視基督徒之名者的統治。在突尼斯，就如同在耶路撒冷一樣，征服者毫不猶豫地宣布，一個由上帝賜予且並未敗壞的全新啟示已取代了舊的啟示。以在迦太基被拆除的城牆與柱子所建造的不是基督宗教的教堂，而是阿拉伯人稱之為「清真寺」（*masajid*）的禮拜場所。

即使古老的基督宗教中心地區已經屈服於撒拉遜人的統治，全新疆域也已敞開，原本跟著穆罕默德之後在羅馬落腳的流亡者（*muhajirun*）卻並不一定就會留在該地。於迦太基淪陷前大約三十年，一名來自保羅故鄉塔爾蘇斯（Tarsus），曾在敘利亞與君士坦丁堡學習的著名希臘學者，乘船前往馬賽。西奧多（Theodore）③擁有一種來自古典時期的氣質。他能夠回憶起在美索不達比亞地區滿載西瓜的駱駝、波斯人使用過的餐具，以及保羅所拜訪過的城市。他在皇家的許可下穿越弗朗西亞，越往北走，他的記憶似乎就越能喚起對聖經的記憶。然而，被教宗派往遙遠地方去接任一個艱鉅職位的西奧多，從來就不僅是一個外地人。普世教會的聯繫是真切的。西奧多在巴黎的一整個冬天都受到城市主教的款待。接著春天到來，他向北前進。儘管西奧多已經高齡六十多歲，再加上長途跋涉的壓力，但他還是往最終的目的地「遠離世界以外的海上島嶼」[19]前進。西奧多正前往不列顛。

他特別以肯特王國（Kent）④為目標。對一位聲稱在整個不列顛擁有首要地位、要選定座堂所在的主教來說，位在不列顛島東南角，混雜著古羅馬廢墟和茅草屋頂廳堂的坎特伯雷（Canterbury）似乎不是一個明顯的選擇，但對羅馬而言卻是適當的選擇。早在西元五九七年，教宗額我略一世就從羅馬派出一群修道士來到肯特。英國是伯拉糾與派翠克的故鄉，擁有古老的基督宗教根源。然而，在古羅馬統治崩潰之後的幾個世紀裡，基督宗教信仰已經衰微或被根除踐踏。講日耳曼語的軍閥們為自己開拓王國，控制了全島最富裕的三分之一土地。他們自稱盎格魯人（Angles）、撒克遜人（Saxons）或者朱特人（Jutes），並且傲慢自恃為異教徒。他們不僅不像法蘭克人那樣接受當地被征服者的基督宗教信仰，更予以藐視。

儘管如此，他們也一直小心翼翼地注視著海岸以外世界的動態。他們一直對法蘭克王權的權威和羅馬的吸引力保持警惕。當教宗的使者抵達不列顛時，他受到審慎的迎接。肯特國王在思考了奧古斯丁向他揭示的奧祕，並且對這些奧祕所承諾的各種機會加以考量之後，接受了洗禮。在接下來的數十年裡，不列顛東部的其他軍閥一個個作出同樣的決定。

當然，這一切並非如此一帆風順，而是時有起落：偶爾會有因為皇室政策突然逆轉而被迫逃離的主教，或者被敵對的異教國王擊敗，並且被儀式性地加以肢解的國王。儘管如此，當西奧多抵達坎特伯雷時，大多數盎格魯撒克遜精英，已經對基督宗教的神進行過讓他們滿意的各種考驗。在這些各地的領主看來，人類的短暫生命就如同快速穿越

③譯註：塔爾蘇斯的西奧多（Theodore of Tarsus），西元六六八年到六九〇年，任坎特伯雷大主教，對基督宗教在不列顛的傳播厥功甚偉。

④譯註：是西元五世紀時，入侵不列顛的日爾曼蠻族朱特人所建王國，西元六世紀末，國王艾塞爾伯特由教宗特使奧斯丁施以洗禮，成為不列顛蠻族王國第一位接受基督教信仰的國王。

大廳、飛出去衝入寒冬暴風雨中的麻雀一般。「對於在它之前或之後所發生的，我們一無所知。因此，如果這些新的教義能給予我們更全面的認知，則我們應該遵循，似乎是正確的。」[20]

但這個決定所打開的面向，並不完全都是屬於來世的部分。一位曾在敘利亞學習的學者登上坎特伯雷大主教的位置，讓不列顛的皈依者瞥見了一個充滿異國情調而令人興奮的世界。另一名與西奧多一起從羅馬前來的流亡者，名叫哈德林（Hadrain）的非洲人，兩人共同在坎特伯雷建立了一所教授拉丁語和希臘語的學校。在他們死後，年輕的盎格魯修道士比德（Bede）因為深受感動而如此對他們表達敬意：「人們熱切地尋求天國所帶來的全新樂趣；而所有想學習如何閱讀經文的人，都能很快找到現有的老師。」[21]

比德本身學識淵博，能為這兩名流亡者共同努力所成就的可能性，提供活生生的見證。在對聖經的評論中，他一方面哀嘆像阿拉伯、印度、猶太或埃及這些地方，是他永遠無法親眼見證的地方，但同時又會因為可以在聖經中讀到這些地方而感到歡欣。同樣地，時間的開始與盡頭也都由他量測與校準。面對繁雜的各種紀年系統，比德比他之前的任何基督宗教學者都更清楚看出，在萬世長流之中，只有唯一一個固定的中軸。他利用大約兩個世紀前一位黑海地區修道士所彙製的曆表，以「道成肉身」（Incarnation），也就是耶穌基督通過處子馬利亞的子宮成為肉體的那一刻，視為人類歷史轉變的關鍵。這是人們第一次以基督降生或者耶穌紀元（anno Domini）——也就是「主的年」——來作為計算年分的依據。這一點不僅重要，而且歷久不衰：它讓時間得到一個符合基督宗教信仰的表達形式。

比德和那些洗劫迦太基並建造突尼斯清真寺的穆斯林將軍一樣，相信自己生存在一個受神聖命定轉變的時代。他度過大半生的賈羅修道院（Jarrow）就位在古羅馬帝國威權所及的最北端，由法蘭克建築師在古代堡壘的遺跡上建造而成。比德不能不對過去那些不可思議的成就感到驚奇。從賈羅修道院成立以來，才過了一個世代，而現在，就在一個大河口的泥沙旁，可以聽到比海鳥的哀鳴更加響亮的聖歌吟唱；在這片最近才歸向基督的土地上，就有規模堪比羅馬時代的圖書館。類似這樣的奇蹟永遠都會讓比德深受感動。

眾所周知，國王會打破銀盤並將碎片分給窮人，貴族們則會在遊賞基督教義的偉大中心時大肆掠奪。賈羅修道院的創始者，一位名叫比斯科普．巴杜辛（Biscop Baducing）的盎格魯領主曾經六度前往羅馬，並帶回「數量無窮無盡的書籍」（'a boundless store of books'）[22]、刺繡絲綢、聖人遺物，和一位義大利聲樂大師。當西奧多與哈德林前往坎特伯雷時，比斯科普就一直在他們身邊同行——請他擔任新任大主教的嚮導，是來自最高階層教宗本人的要求。比斯科普的名字甚至被拉丁化為本尼迪克特（Benedict）。長久以來，確實從未有任何英國人如此的羅馬化。

比德與他的修道院已經被基督的洪水加倍沖刷。然而，並非所有澆灌賈羅修道院的祝福都來自古老的基督宗教中心，也有來自愛爾蘭的。修道院所在的盎格魯諾森布里亞王國（Northumbria）的皈依，受到愛爾蘭修道士的影響，至少與來自地中海地區主教的影響一樣多。令法蘭克人印象深刻的那種不屈不撓精神，也同樣讓諾森布里亞人感動與敬畏。儘管比德畢生致力於學術研究，但仍以愛與榮耀記錄了那些受到愛爾蘭榜樣所啟發，苦行卻更加嚴厲的修道士們的作為——在冰冷的海水中守夜；無畏瘟疫的危險，為病人提供慰藉與醫療；在野外與烏鴉、老鷹與海獺交流。儘管諾森布里亞教會在其曆法與節慶的安排上被說服採用羅馬而非愛爾蘭的做法，但比德仍堅信他們同樣受到兩者傳統的滋養。聖高隆邦的精神絕對值得尊敬。西奧多與一位總是恭謹地徒步行旅的主教會面時，命令他在需要長途跋涉時騎馬行進。他隨後便給了那位主教一匹馬，並且像僕人一樣幫他坐上馬鞍。比德解釋說：「因為大主教完全認出他的聖潔。」。[23]

羅馬傳統與愛爾蘭傳統的這種融合，如何為比德的人民揭露了上帝的計畫？對這位偉大的學者來說，這就是在他生命最後幾年試圖解答的疑問。他終其一生研讀經文，明確知道該往何處尋找。正如同阿拉伯學者將眼光投向摩西的生平，讓他們能夠撰寫先知的傳記一樣，當比德試圖理解自己民族的歷史時，他則轉向舊約聖經。他的偉大著作和《摩西五經》（梅瑟五書）⑤一樣，也分成五卷，並將盛產稀有金屬、牧草與海螺的不列顛描繪為應許之地。

它講述了不列顛人如何被上帝判定為空虛困乏而被剝奪遺產，也講述盎格魯人、撒克遜人和朱特人在漂洋過海、登陸不列顛之後，如何成為神怒的棍杖而能成就自己。它也一再重述，從偶像崇拜中被救贖的諾森布里亞國王，如何像摩西對待法老一樣地對待他們的異教敵人，不僅屠殺他們，還將他們去入積水的墓坑：「試圖逃跑卻溺死的人，比被劍刺死的人要多。」[24]比德以對一場特定的基督教勝仗所產生的滿足感如此註記。在比德所記載的歷史當中，洗禮除了使盎格魯人成為普世教會的一員，也帶給了他們其他東西——「他們可能是選民」的暗示。

⑤譯註：以最古老的希伯來文寫成的猶太典籍，就是猶太教《妥拉》，曾經是西元前十至六世紀猶太王國的律法規範，傳統認為是由摩西在西奈山接受上帝的啟示撰寫而成，內容記載以色列民族的起源、習俗、律法、宗教。

比德當然不能像阿拉伯學者那樣，聲稱自己與亞伯拉罕血脈相承。在諾森布里亞，沒有任何東西能夠像猶太人、撒瑪利亞人與基督宗教的各種傳統那樣，在近東的大熔爐中長期同時沸騰。但比德盡其所能。額我略一世為何派遣一個傳教團來拯救他的人民？比德說，因為他在羅馬市場上看到被公開販售的金髮男孩，震驚於他們的美貌，詢問他們來自何處，然後在被告知這些奴隸是盎格魯人（Angles）時，便以雙關語表達了一個重要的看法。他說：「這個稱謂是恰當的，因為他們的臉有如天使（angels）一般，因此他們應該與天使適切地共享天堂的遺產。」25

毫不意外地，這種文字遊戲深受諾森布里亞人喜愛。他們聲稱，當最後審判日到來時，額我略一世會站在基督的身旁為他們辯護。比德的論點，比之更進一步。在他撰寫的歷史中，他讓天使的魅力籠罩在穿越北海的人們——撒克遜人、朱特人，以及盎格魯人——建立於不列顛的王國之上。這裡不僅是新的以色列，並且被天堂的火焰所照亮。無論如何，這就是比德的希望。對許多人來說，這似乎是徒勞無功的希望。無論是盎格魯人，更不用說撒克遜人與朱特人，都並不將自己視為一個單一的民族。他們在受洗之後，所居住的土地仍然維持原來的樣貌：一片由野心勃勃的軍閥所統治，相互敵對的王國所拼湊而成的土地。

比德的遠見持有太強的吸引力，而難以被抹滅。隨著時間過去，撒克遜人與朱特人確實會接受自己與盎格魯人的身分相同，甚至接受他們的族名。他們的王國在合併之後，被稱為盎格利亞（*Anglia*），以他們自己的語言則稱作英格蘭（*Englalonde*）。正如聖經的傳承在近東地區激發出一種重要且全新的身分認同，在不列顛也是如此。在穆斯林講述其起源的故事中非常明顯出自〈出埃及記〉的各種元素，正在世界的另一個角落形塑另一個民族的起源神話之繭——英國人的故事。

文明衝突

比德對伊斯蘭教一無所知。伊斯蘭帝國太過遙遠。即使是居住在君士坦丁堡、自稱為拜占庭人的人們，也很少關注敵人穆斯林的信仰的相關細節。他們認為伊斯蘭教不過是異端九頭蛇的其中一個頭顱。因此除了藐視之外，它不值得基督徒任何關注。

然而，比德在他位於遙遠北海邊的修道院中，對這一點也不敢確定。從他對聖經的研究與來自聖地朝聖者的回報當中，他隱約感覺到撒拉遜人的異教氣息，他們是金星（*Morning Star*）的崇拜者，但最讓他憂心的卻是他們作為征服者的實力。比德知道，迦太基的毀滅，對他們來說只是航點之一。西元七二五年，在以「創世紀」開頭的編年史的最後一個條目中，他記錄了有關他們侵略的更多細節。他們對君士坦丁堡發動攻擊，圍城三年後才被擊退；撒拉遜海盜已經開始侵擾西地中海地區；聖奧斯定的屍體被緊急運往義大利，以保護它免遭劫掠。接著四年過後，在天空中出現的兩顆彗星拖著彷彿要點燃整個北方的火焰，對比德來說，這就是撒拉遜人正在逼近的惡兆。事實證明就是如此。

西元七三一年，聖高隆邦在勒克蘇伊建立的大修道院遭到阿拉伯騎兵襲擊，來不及逃走的修道士都遭到刀劍擊殺。距離穆斯林戰團第一次踏上西班牙土地，也不過只有二十年，而在這短暫的時間裡，西哥德王國已經崩潰。伊比利半島上的基督教領主們都已經屈服於穆斯林的統治，只有在北方山區的荒野當中，還有少數人頑強抵抗。與此同時，在庇里牛斯山脈以外，弗朗西亞的富庶誘使阿拉伯人進行更大範圍的突襲。阿基坦公爵（Duke of Aquitaine）的女兒被俘虜，作為戰利品被送到敘利亞。接著在西元七三二年，公爵本人則在激戰中敗戰。波爾多地區付之一炬。但阿拉伯人的攻勢尚未完結。弗朗西亞最寶貴的獎賞近在咫尺，充滿誘惑地矗立於盧瓦爾河上。這種誘惑太過強大，讓他們無法抗拒。同年十月，儘管已進入戰爭後期，他們仍然繼續向北前進。他們的目標是位在圖爾的聖瑪爾定聖壇。

他們最終並未成功。聖瑪爾定並不是能被輕易威脅的聖人。褻瀆聖靈的雙手可能會將聖瑪爾定聖壇毀壞，這足以讓任何一個法蘭克人都受到震驚。果不其然，阿拉伯人在普瓦捷以北就遭遇一群戰士的抵抗。這群戰士組成方陣，分毫不動地站立著，「就像是酷寒北方的冰川」[26]。阿拉伯人並未撤退，也不拱手讓出勝利給這位基督教聖徒，而是試圖將它粉碎。但他們敗下陣來。他們被法蘭克人的戰力擊垮，包括指揮將軍在內的許多人被砍殺，倖存者則在夜色掩護之下倉皇逃離。他們在撤退中仍持續焚燒劫掠，最後退到安達盧斯，也就是他們所稱的西班牙。他們向西擴張的浪潮終於到達最高潮。阿拉伯騎兵從此再也不會威脅聖瑪爾定的安息之地。儘管他們在庇里牛斯山區的侵襲仍將持續數十年，但佔領安達盧斯並且征服法蘭克王國的任何希望都已經確定破滅。

之後，反而是法蘭克人發起攻勢。在普瓦捷的這位戰勝者，擁有蹂躪敵人土地的天賦。儘管查理・馬特（Charles Martel）——又稱「鐵錘查理」——並非出身皇族，但他為自己打造了一個統治集團，讓克洛維斯王的繼位者成為無助且無足輕重的人物。他在盧瓦爾河以北的統治範圍，融合了兩個原本各自存在的法蘭克王國，一個以巴黎為中心，一個以萊茵河為中心。如今於普瓦捷的戰役之後，他也將普羅旺斯與阿基坦穩穩地納入轄下。阿拉伯駐軍從亞爾（Arles）與亞維儂（Avignon）的巨大堡壘中被驅趕出來。一支從安達盧斯派出來的兩棲救援部隊，在納博訥（Narbonne）附近被殲滅。企圖逃回船上的逃亡者被勝利的法蘭克人追趕，並且在潟湖的淺灘上被槍矛刺殺。到了西元七四一年，查理．馬特去世時，法蘭克軍隊佔領的範圍從庇里牛斯山脈一直延伸到多瑙河。

正是這場在普瓦捷的勝利，持久地為「鐵錘」的名聲鍍金。在弗朗西亞，他並未受到普遍的歡迎。有些人質疑他對權力的渴望，聲稱他的屍體被一條巨龍從墳墓中帶走，並被拖到冥界。然而這只是少數人的看法。查理的豐功偉業，光是其規模之大，對大多數法蘭克人來說，就足以證明人們當時最大、最自滿的一種想像——上帝將他們指定為選民。西元七五一年，當查理的兒子丕平（Pepin）發動政變，徹底廢黜克洛維斯一脈，他也是從他父親的英勇中汲取養分。「你的人民的名字，已被高舉超過所有其他國家。」27 教宗自己就是如此跟國王保證的。查理．馬特就是第二個約書亞，征服了應許之地，這就是法蘭克人自我標榜的主要內涵。撒拉遜人在他的劍下就像是收成過後留下的殘梗一般。四處傳布的還有在普瓦捷一役的傷亡估計，更令人震驚。在短短數十年間，累積人數已經接近四十萬。

因此，法蘭克人與他們最強勁的對手有許多共同之處。兩者都相信自己得到上帝認可，有權征服其他民族，並且都從猶太經籍傳統中找到證據以認證戰鬥的召喚。當然，來自法蘭克帝國東部邊境之外的異教旅人，無論是撒克遜人或者丹麥人，都不容易區分普瓦捷戰場上的敵對兩方。基督徒與穆斯林都崇拜一位單一且全能的神，他們都聲稱自已在天使的關注下戰鬥，並且都相信自己與亞伯拉罕一脈相承。

然而，他們之間的相似之處只會更加劇彼此的差異。在普瓦捷戰場上並未被解決的事，比法蘭克人所能意識到的還要更多。在距離他們的王國相當遙遠的地方，近東地區的大城市裡，穆斯林學者正在為伊斯蘭教以及它的權威遍及全世界的宣示，建構一個重要而全新的合理性。阿拉伯人征服了全世界千年以來最偉大的帝國與法律權威，接著就要面臨不可避免的挑戰。他們該如何建立一個正常運作的國家？針對偉大帝國如何運作的問題，不是所有答案都可以在《可蘭經》找到。

同樣不在經書當中的，還有與日常生活基本面向有關的各種指導原則，例如信徒可不可以躲在灌木叢後便溺、可不可以穿著絲質衣物或養狗、男人可不可以刮鬍、女人可不可以將頭髮染黑，甚至還有如何刷牙的問題。對阿拉伯人而言，光是沿用被他們征服的民族的法律與習俗，就有可能危及他們獨斷專權的統治。更糟的是，這會讓他們認定威權來自神授的宣示受到致命的傷害。因此，當他們採行被征服者的法律時，不會像法蘭克人或西哥德人那樣承認自己是借用而得，而是宣稱自己取自於最受崇敬且最為真實的穆斯林源頭，也就是先知本人。

當普瓦捷的戰事仍在進行時，他們就已經開始蒐羅穆罕默德的真言，並且在適當的時機，將之編纂成一部完整的律法——《聖行》（*Sunna*）。無論是源自羅馬或波斯法律的細節，或來自敘利亞或美索不達米亞習俗的段落，都會被融入其中。唯一的要求是要讓人信服，相信這部律法的內容確實就是如先知所說——因為穆罕默德所說的任何話，都可以被認定為具有上帝認可的印記。

這一點對基督徒來說是一個重大的挑戰。相信上帝的真正律法就寫在人們心上這個長久以來被堅守的信念，不曾受到過如此明確的否定。對一部有關人類生存各個面向，並且詳細規範上帝期待人們如何生活的神聖律法所擁有的信念，不再是猶太人的特權。在阿拉伯人征服近東地區前的幾個世紀，由猶太「拉比」（*rabbis*，猶太人的導師）編纂的大部頭律法書《塔木德》（*Talmud*）也不曾如《聖行》一樣，對保羅教義的傳承造成這樣的威脅。穆斯林並非陷入困境的少數群體，更非受基督教皇帝與國王欺凌的犧牲品。他們征服了一個龐大且富裕的帝國，並且渴望征服更多。如果弗朗西亞步上非洲的後塵，永遠脫離基督教統治，那麼毫無疑問的，法蘭克人最終也會被穆斯林對上帝與其法律的理解所征服。因此，決定拉丁基督宗教世界的那些基本前提，將會發生根本性的重大轉變。參與普瓦捷戰事的眾人之中，少有人能意識到這一點，但這場戰事的確攸關聖保羅遺產的存續。

「你們是被揀選的一族，是君尊的祭司，是神聖的國度，是屬上帝的子民。」[28]當教宗在寫給丕平的信件中引用這句經文時，不只是為了討好法蘭克人，也是承認一個殘酷的現實。越來越明顯的是，為教宗定義基督宗教統治樣貌的，就是查理．馬特的繼承者所統治的帝國——加洛林（Carolingians）王朝。教宗保祿一世（Paul I）並未像他的前任一樣，將他當選教宗的消息通知位在君士坦丁堡的皇帝。他反而寫信給丕平。

面對穆斯林持續襲擊，掙扎求生的拜占庭人在羅馬的基督徒眼中，更不用說在弗朗西亞或諾森比亞的基督徒眼中，都是一個越來越陌生而遙不可及的民族。而讓他們感覺更加陌生鬼魅的，是幾個世紀以來如偉大泉源灌注基督宗教信仰的土地：敘利亞與巴勒斯坦，埃及與非洲。和西奧多一樣可以自由地從塔爾蘇斯前往坎特伯雷的日子已經一去不復返。地中海如今成了撒拉遜海，對基督徒而言是一片危險的水域。世界被切成兩半。一個時代已經結束。

PART

2

基督宗教世界

CHRISTENDOM

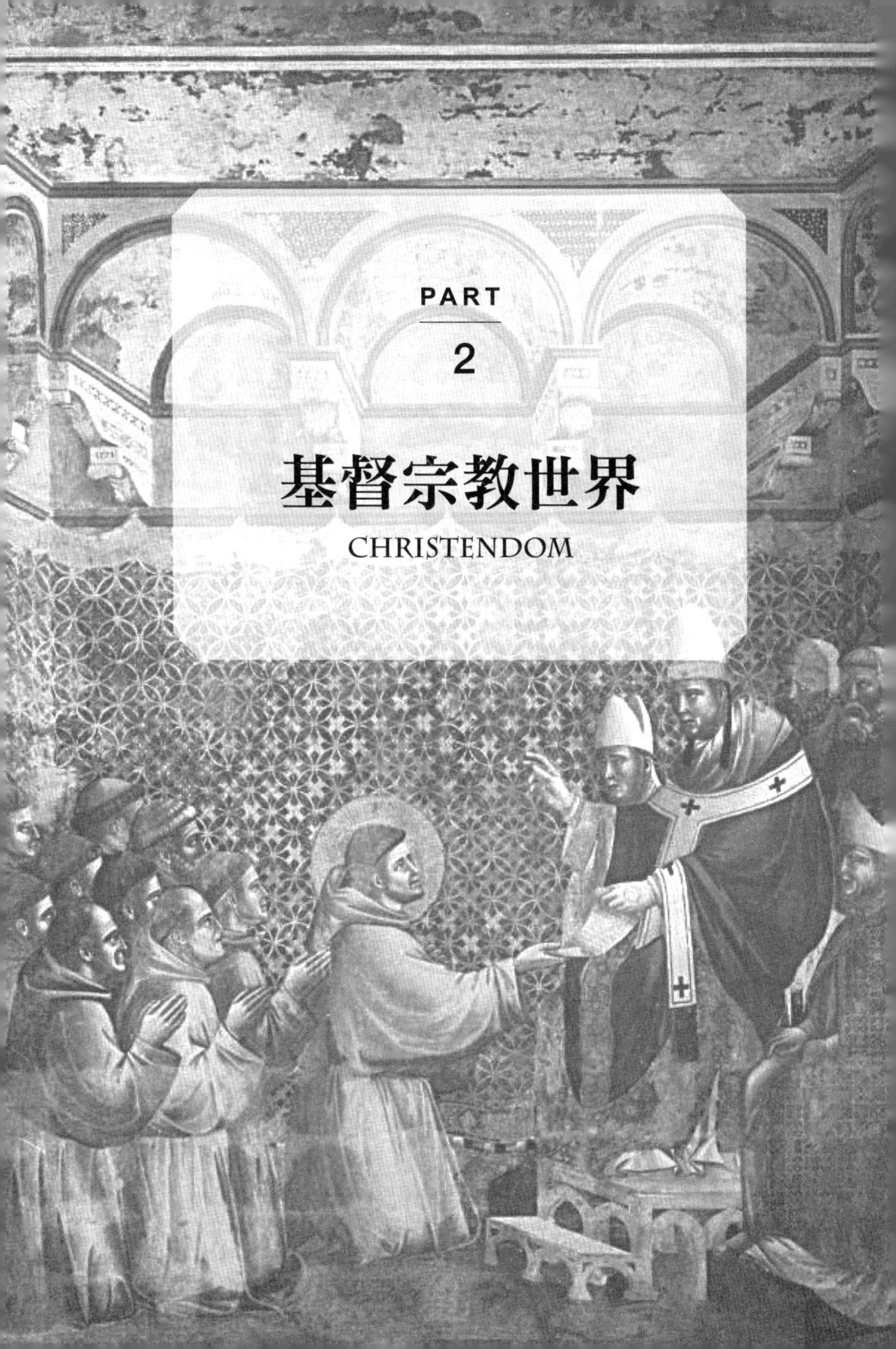

第8章

改宗

西元754年，弗里西亞

黎明破曉時，布恩河（Boorne）岸上的野營已開始熱鬧起來。野營的領導人聖波尼法爵（Boniface）高齡將近八十，卻一如往常地充滿活力。距離初次造訪弗里西亞（Frisia）①相隔四十年，他再度來到此地，期盼著能夠從僻靜的泥灘和沼澤當中得到靈魂的豐收。傳教士的工作，一直以來就是他的全部生活。他出生在威塞克斯王國②的德文郡，將北海地區的異教徒視為他的親屬，在寫給家鄉的信件中經常為他們的皈依祈禱：「憐憫他們，就如同他們自己所說的，『我們與你有著同樣的血緣』。」[1]在弗里西亞參訪散佈各處的家園數週之後，聖波尼法爵召喚所有信仰基督宗教的人們，在他們的洗禮誓言中證實他們的信仰。這讓他的一整天都感到愉悅。

當最初的船隻抵達時，陽光正開始穿透清晨的雲層，一群人爬上旱地，沿著河邊走近營地。突然間劍光閃爍，爆發一陣攻擊和尖叫，聖波尼法爵從他的帳篷中走出來，卻為時已晚，海盜已經入侵營地。聖波尼法爵的隨從們絕望地反擊，然而年邁的他並未親身動手。當初耶穌基督被逮捕時，命令使徒彼得放下劍，因此聖波尼法爵遵從基督的先例，也同樣指示他的跟隨者們放下武器。這個高大的男人召集他的神父同伴，並且敦促他們對獲釋的時刻懷抱感恩，然而他卻被海盜的劍擊倒，砍成碎片。攻擊是如此猛烈，以至於他手中的一本書被擊落了兩次。許久之後，人們在他被謀殺的現場發現這本書，將它當作他殉難的見證，永遠珍藏。

「所以，你們要去，使萬民作我的門徒。」[2]耶穌基督曾經如此說過。聖奧斯定堅稱教會的存在是為全人類服務，並且引用〈創世紀〉強調他的觀點。在〈創世紀〉中，記載著上帝如何帶來足以淹沒全世界的洪水，而一個名為挪亞（諾厄）的正直之人又是如何預知即將發生的洪水，並且建造了一艘巨大的方舟，讓每個物種都可以成雙進入方舟避難，而基督徒的任務，則是建造足以庇護全世界的方舟。「天國之城召喚每一個國度的人民，因此收容了說著各種不同語言、都是異鄉人的社會。」[3]儘管聖奧斯定忠於保羅的傳教精神，但他自己卻成為這個法則的例外。大多數和他同時代的人民，由於所受教育而對野蠻人有強烈的蔑視，因此他們也認為基督宗教精神太過珍貴，不應該和古羅馬帝國權力掌控之外的野蠻人共同分享，而少數冒險越過邊境的傳教士，不是為了使當地的人改信基督宗教，而是為了服事基督教的俘虜。

---

① 譯註：弗里西亞位於北海東南海岸地區，北起丹麥西南部海岸，向南經德國西北部延伸到荷蘭海岸，今荷蘭弗里西亞省所在。

② 譯註：威塞克斯王國（Saxon kingdom in Wessex）在中世紀時期位於大不列顛南部的盎格魯撒克遜王國，於西元五一九年建國，直到西元九二七年國王埃塞爾斯坦統一英格蘭地區建立英格蘭王國為止。

例如在西元三四〇年，距離卡帕多西亞人被哥德入侵者奴役的一個世紀後，卡帕多西亞後裔的烏爾菲拉斯神父（Ulfilas）③被任命為「生活在哥德人當中的基督徒主教」。他在多瑙河以外地區服事長達七年，然而面對突如其來的迫害，他仍毫不猶豫地帶領群眾來到羅馬帝國的領地，畢竟那裡才是基督徒所屬的地域。即使經過了幾個世紀，在西羅馬帝國早已瓦解許久之後，這樣的觀念仍然難以抹滅。即使是觀念最為開放的主教，仍然理所當然地認定在曾屬於古羅馬帝國領地的區域，和世界上其他區域之間存在著清楚的劃分。當額我略一世派遣傳教士前往肯特郡時，部分原因是他意識到不列顛也曾經是古羅馬帝國的一個省分，而當今不列顛統治者的異教信仰不但羞辱了他身為基督徒的身分，也羞辱了他身為羅馬人的身分。

對盎格魯人和薩克遜人而言，這樣的考量卻沒有實質意義。儘管他們對額我略一世帶來基督信仰的貢獻心懷感激，他們對教宗的忠誠卻不代表對早已消失的古羅馬帝國的忠誠。對盎格魯薩克遜修道士來說，籠罩在德國東部，從北海沿岸延伸至內陸森林的異教徒陰影，代表的不是無法抵禦的野蠻，也不是最好放著不管的野蠻人，而是對光明的迫切需求。藉著基督宗教的火焰，整個世界都將被他們照亮，而啟發他們的並非羅馬帝國主義的傳承，而是聖派翠克和聖高隆邦的榜樣。

經歷苦難對傳教士是最重要的事，人們講述著傳教士可能面臨的可怕故事。傳聞中，被德國人奉為神靈的惡魔之王奧丁需要十分之一人民的性命作為獻祭，低地國家的囚犯被淹死在漲潮的海水中，而在薩克森州則被懸掛在樹上，並以長矛刺穿。北歐文字被基督徒的血染紅，至少人們如此傳說。然而這些謠傳並沒有嚇阻盎格魯薩克遜修道士，反而更加印證了他們的使命感：在應該屬於基督的土地上，驅逐惡魔的統治。

盎格魯薩克遜修道士就和任何人一樣，也切膚地瞭解重生的感覺。「舊事已過，都變成新的了！」[4] 保羅的呼喊當中所蘊含的變革意味，對於像是聖波尼法爵這樣的人而言，仍然有其新鮮感。但對於被更加尊崇的基督宗教世界而言，卻沒有這樣的意識。羅馬和君士坦丁堡教會是如此威嚴的存在，以至於人們也難以想像它們曾經是叛亂的象徵。然而，裂變在經典和儀式中發生，宗教中的改變被描繪為一股向善的力量，一個值得擁戴的過程，一條帶領人類走向更光明未來的道路，並且持續向外輻散。聖波尼法爵身為一個西薩克遜人，他的人民最近才開始接觸基督宗教，他對此仍抱持著敬畏，因此在面對

③譯註：烏爾菲拉斯神父（310-383）是哥德主教和基督宗教阿利烏教派傳教士，《哥德聖經》譯者，創造哥德字母，對基督宗教在哥德等日耳曼部落的傳播居功厥偉。

天翻地覆的世界時，他並不焦慮。相反地，他在踏上這條道路時，認為自己是被召喚去服務，正如保羅曾經做過的那樣，作為一個改革的代理人。

驅逐過去、推翻習俗，是相當令人恐懼的事情，對其他地區或其他時代背景的人們而言幾乎難以想像，廣大群眾普遍認為，新奇事物不被信任是理所當然的，聖波尼法爵的同胞也是如此。許多盎格魯人和薩克遜人，例如以身為奧丁後裔而自豪的國王們，以及因為「廢除古老的崇拜」[5]而怨恨修道士的農民們，都相當害怕放棄過去的習慣，然而現在卻連時間本身都經歷了轉變。聖波尼法爵抵達低地國家約十年之後，傳教士已開始使用比德的基督紀年來計算日期。對於異教徒而言，看似永恆不變的舊秩序，如今只能被牢固地放在基督宗教並未觸及的遠方。雖然奧丁的形象賦予國王們太多威望，以至於無法完全從他們的血統中被抹除，然而修道士們毫不猶豫地貶低奧丁的神聖地位，將他的價值侷限在事物的遙遠開端。

生與死的節奏、一年的循環，也同樣適用於盎格魯薩克遜教會的宗旨。因此，原本在異教當中死者居住的地下世界（*hel*），在修道士的著作中則變成了受詛咒者的土坯；而比德認為可能源自於某位異教女神的春天節日（Eostre）④，也被用來為基督宗教最神聖的節日命名。「地獄」（Hell）和「復活節」（Easter）在盎格魯薩克遜教義的包裝之下，所象徵的並非向異教過往投降，而是異教的潰敗。只有當眾神從他們的寶座上被推翻，或是被基督的光所融化，被放逐到怪物潛行的他方——沼澤或偏僻的山丘上，他們的誘惑才能被基督宗教所終止。舊事物的成就，將以新事物的勝利來裝飾。

聖波尼法爵的事蹟是這些理論最顯著的示範。西元七二二年，他被教宗祝聖為主教，正式委派他讓萊茵河以東的異教徒改宗。他抵達德國中部後，來到基督宗教世界的最遠邊界處。在圖林根（Thuringia）與薩克遜異教徒的土地會合處的蓋斯納，矗立著一棵供奉雷神索爾（Thunor）的巨大橡樹。索爾是一位強大且令人恐懼的神，祂的鎚擊可以劈開山脈，祂的山羊戰車則會震動整個地球。聖波尼法爵砍倒這棵樹，用這棵樹的木料建造了一座教堂。

在過去，長期以來，樵夫的斧頭都被用以服侍低賤的惡魔。在烏特勒支（Utrech）萊茵河北岸的一座堡壘，曾作為盎格魯薩克遜傳道士對弗里斯蘭人傳教的基地，此處就有一把拋光石頭製成、人們相當肯定是瑪爾定曾經擁有的斧頭。根據故事記載，為了傳達基督的力量，過去的聖人們如何站在樹木倒塌的道路上堅決地講述著基督的事蹟，而聖

④譯註：Eostre是日耳曼信仰的春天女神，有萬物新生之意，後成為基督宗教復活節（Easter）命名源起。

波尼法爵砍倒圖諾爾橡樹的作為也展現了類似的勇氣。最廣為人知的是，他既沒有因此遭遇被閃電擊中的命運，也沒有因為這樣的魯莽行徑而被憤怒的當地人所殺害。裸露的橡樹樹樁，證明了傳教士一直以來所宣揚的主張：基督的力量戰勝了圖諾爾。如今，朝聖者們仍然前往蓋斯納朝聖，但是他們前往此地，為的是在以剛鋸下的橡木板所建造的教堂中進行禮拜。

聖波尼法爵並未天真地以為他的傳教已經成功，僅僅依靠砍倒一棵樹是不足以達成讓人們皈依基督宗教的任務。皈依者即使在經過洗禮之後，仍然持續遵行著一些有害的習俗：對泉水獻祭、以動物的內臟進行占卜，並宣稱自己能夠預知未來。而這些宗教性的習俗還不是最糟糕的部分。聖波尼法爵在穿越萊茵河以東、受到法蘭克王國統治的黑森、圖林根、施瓦本等地時，對他所見到的事物感到震驚。許多已有數個世紀歷史的教會，似乎都因為異教的習俗而腐敗：將奴隸賣給薩克遜人以供獻祭的商人；「在基督宗教的掩飾」[6]之下暗地崇拜偶像的貴族；犧牲山羊和公牛作為獻祭的祭司；犯下通姦卻仍然能夠繼承父親權位，且沉迷於血戰的主教。這些人物都並非聖波尼法爵樂於交付自決權的基督徒。

聖波尼法爵並未像他一直夢想的那樣冒險深入薩克遜森林，他反而選擇開始一項大規模的改革工作，抱著堅韌、易怒、苛求的態度，毫不保留地付出努力，試圖將東法蘭克的教會建立在他認為適當的基礎上。當地的主教對他表現出厭惡和蔑視的態度，然而，他不但有不屈不撓的毅力，並且展現罕見的才能，獲得強大的贊助人支持。聖波尼法爵不只是獲得了教宗的肯定，也得到了查理・馬特的支持。查理・馬特是一位法蘭克軍閥，他對於擊垮東部軍隊的熱衷不下於盎格魯薩克遜主教，而聖波尼法爵的所作所為相當符合他的心意。儘管聖波尼法爵在宮廷中為了爭取好感而備受折磨，拯救異教徒靈魂的渴望也讓他感到沮喪，但他最後仍然獲致成功。在生命走到盡頭之前，他成功地將萊茵河以東的教會塑造為他理想的樣貌。在聖波尼法爵生命的最後一年，作為法蘭克教會的主導人物，他已經完成了他內心的使命。

轉換的關鍵在於教育，而法蘭克人將永遠不會遺忘聖波尼法爵帶來的這個偉大課題。被他作為殉道者的神聖光環所感動，國王和教士們嚴肅而堅定地面對他們對上帝的責任感。然而，當聖波尼法爵在弗里西亞的蘆葦和泥濘中被砍殺時，傳教士向東傳播基督宗教的領導作用也正在消逝，一種更新且更激進的異教主義正在醞釀。聖波尼法爵寧死也不願讓他的隨從們拔劍抵抗，但這並非法蘭克當局所能認同。在他被謀殺的三天之後，一群基督教戰士追查到兇手，將他們逼到絕境，並且消滅。異教徒中的婦女和兒童被擄作奴隸，曾經的掠奪者遭到被掠奪的命運。這個消息在弗里西亞的異教堡壘中傳開，聖波尼法爵本人並未成功做到的事得到了實現。「因為上帝復仇的降臨而驚恐，異教徒們在殉教者死後，接受了在他生前被他們所拒絕的的教誨。」[7] 對加洛林王朝來說，這將是永遠不會被遺忘的一種改宗模式。

劍與筆

西元七二二年夏天，距聖波尼法爵砍倒圖納爾橡樹五十年之後，另一棵代表薩克遜最重要圖騰的樹也倒塌了。伊爾明蘇爾（Irminsul）⑤的形象令人恐懼，且帶有陽具崇拜的意味，一直在薩克森地區廣為人知。古代眾神的信徒們相信，伊爾明蘇爾是天堂的守護神，然而實際上它並沒有這樣的作用，即使聖所已被拆除，天界仍然維持原樣。但是對薩克遜人來說，世界的支柱此刻似乎正在搖搖欲墜——在他們的土地上，前所未有的大規模崩壞正在逼近。伊爾明蘇爾的褻瀆者並非一位傳教士，而是一位國王，他領導的國家堪稱是當時歐洲最具威脅性的戰爭機器。

就在前一年的十二月，丕平的小兒子查理才剛成為法蘭克王國的唯一統治者。從凱撒的權力逐漸式微的時代以來，西方世界就從來沒有人擁有過如此龐大的資源。憑藉著強大的能量與野心，查理發揮的影響力堪比古羅馬。在西元八〇〇年，教宗對查理和古羅馬權威的相似性給予官方的認定：在聖誕節那天，他為法蘭克君主查理加冕，並賜予他「奧古斯都」（羅馬人的皇帝）的稱號。加冕完成後，教宗在查理的腳下跪拜。過去幾個世紀以來，這樣的崇拜只屬於一個人——君士坦丁堡皇帝，然而現在西方世界再次有了自己的皇帝。儘管查理並不願承認他可能會在某方面對一位義大利主教有所虧欠，並且堅稱如果他知道教宗的盤算，他將不會接受這樣的事，然而，他也並沒有拒絕這個頭銜。身為法蘭克國王以及「基督教皇帝」[8]，他將被後人以查理大帝之名所銘記。

查理大帝征服了許多地方，在他統治的四十多年裡，他成功併吞義大利北部，從阿拉伯人手中奪取了巴賽隆納，並且深入喀爾巴阡盆地（Carpathian Basin）。在查理大帝的眾多戰事中，最血腥且最令人筋疲力竭的是他對薩克遜人發動的戰爭。這場戰爭肆虐多年，儘管查理大帝擁有壓倒性的軍事實力，卻發現他無法使對手屈服，雙方的條約才剛簽訂，就被打破，整個薩克遜軍隊就彷彿一片沼澤。查理大帝面臨撤退或者被耗盡資

⑤譯註：伊爾明蘇爾為古薩克遜語「巨柱」之意，日耳曼古老異教信仰中的重要神物。

源的兩難局面，而他選擇了不屈不撓、但曠日費時的無情路徑。每年秋天，他的手下都會焚燒農作物，讓當地農民挨餓，聚落一個接著一個被消滅，所有的人都被驅逐出境。這些暴行的規模和古羅馬帝國相去不遠，然而查理大帝最終換來的結局，卻是血腥的失敗，而他也不是歷史上的唯一案例。

查理大帝的頭上被聖油澆灌，因此他的王位就如同以色列國王一樣被神聖化。他就如同另一個大衛，以上帝的受膏者的身分進行統治。以色列人的戰爭紀錄是相當令人生畏的。幾個世紀前，當烏爾菲拉斯將經文翻譯為哥德文時，因為野蠻人的戰鬥行為不被鼓勵，他就刻意對經文內容進行審查。然而，如同當代以色列人的法蘭克人早已不是野蠻人，西元七八二年，當查理大帝在一天之內下令斬首四千五百名囚犯時，他的行為就像是同樣收受了大量俘虜的大衛：「使他們躺臥在地上，用繩來量，量二繩的殺了，量一繩的活着。」[9]

法蘭克王國的血腥征戰，目標不只是為了給新的以色列一個牢不可破的邊界。查理大帝也同時瞄準更新的目標：為了基督而征服薩克遜人。而他的這個野心，也是逐漸成形的。就像是後羅馬世界的任何國王一樣，查理大帝從小就被灌輸了厭惡異教徒的想法，對他而言，攻擊野蠻人的目的是讓他們遵循秩序，同時掠奪大量戰利品。查理大帝與聖波尼法爵不同，無法以低廉代價來使異教徒皈依，當他推翻伊爾明蘇爾時，便急著剝除伊爾明蘇爾絢麗的裝飾，就像聖波尼法爵貶低圖諾爾的地位一樣。然而，當查理大帝征服薩克遜人所耗費的時間越長，付出的鮮血和財富越多，他就更加意識到他的對手必須經歷重生。

在當時，不以焚燒教堂和屠殺神父開始的起義，是相當罕見的。薩克遜人身上充滿了惡魔的汙點，只有洗去他們過往的一切，徹底抹除他們的過去，才能換來適當的順從。西元七七六年，查理大帝和薩克遜人簽訂一項條約，迫使他們接受洗禮，無數的男女與孩童被帶進河裡，受洗成為基督徒。經過九年，在又一次叛亂被鎮壓之後，查理宣布，「對接受洗禮的藐視」[10]將會面臨死刑的懲罰。此外，他也宣布了更多可能會遭致死刑下場的行為，例如向惡魔獻祭、火化屍體，或者在復活節前的四十天當中吃肉。薩克遜生活的組成脈絡遭到無情且堅決的撕裂，無法再被修復，而是染上血腥氣味，破爛不堪地永遠倒在泥濘當中。在所有讓異教徒改信基督宗教的計畫當中，查理的作為是史無前例的野蠻，開創了一個血腥且專橫的先例。

然而，這樣的作為，真的可說是出自基督宗教的精神嗎？畢竟，以劍尖脅迫異教徒改宗，並不是聖波尼法爵殉道的原因，或許這也可以說明，對這種做法最尖銳的批評，應該來自於殉道者的同胞。來自諾森布里亞的傑出學者阿爾昆（Alcuin）曾經如此寫道：「信仰源自於意志，而非脅迫。」[11] 西元七八一年，阿爾昆在訪問羅馬的回程中遇到查理大帝，並且被招募進入他的宮廷服務。他敦促國王應該以說服的方式讓異教徒皈依，而非強迫他們歸順：「以溫柔的方式，照養那些剛被帶到基督面前的人們，就好像以鮮奶餵養幼兒一般，因為他們的心智軟弱，如果以殘暴的方式教導他們，會冒著他們將所有教誨嘔吐殆盡的危險。」[12]

查理大帝並未反對這個建議，反而似乎欣然接受。西元七九六年，強制洗禮政策得到放寬；一年之後，以較溫和的形式頒布了統治被征服之薩克遜人的法律。查理大帝非常喜歡和阿爾昆一起泡熱水澡，同時探討神學，對這位顧問充滿信心。他堅信諾森布里亞人對於建立一個正統基督宗教民族的承諾。阿爾昆堅信，沒有任何改進是不能透過教育來實現的，而這正是查理大帝雇用他的原因。「沒有知識，無人能夠行善。」[13] 阿爾昆自身經歷過諾森布里亞最嚴格的傳統學術教育，因此他希望在查理大帝的王國當中，每個人都能分享學習基督宗教的成果。

在阿爾昆看來，比起堡壘，修道院在安撫薩克遜人方面能夠發揮更大的作用。然而讓阿爾昆感到焦慮的不只是薩克遜人，還有許多仍在黑暗中勞動的基督徒，而在他們所居住的土地上，異教信仰其實早在許多個世紀之前就已被消除乾淨。但是，如果這些基督徒不識字，他們的神父也是半文盲，他們如何能從古代書寫的偉大遺產中獲益，明白舊約和新約聖經、尼西亞的教規以及教會創建者的教義？如果沒有這些永恆的經文，他們如何能正確認識上帝的旨意與願望？甚至，他們要如何瞭解何謂基督宗教？僅僅把基督的光帶入薩克遜的森林是不夠的，它必須被帶到弗里西亞的莊園、農莊以及小農場。整個社會都需要改革。

查理大帝並沒有逃避這樣的挑戰，因為他知道偉大的成就必定伴隨著沉重的責任。一個國王若是容許他的子民迷途，縱容他們的錯誤，沒有正確領導他們，那他必定會在上帝的寶座前為此付出代價。西元七八九年，查理大帝宣稱：希望看到他的臣民們「擁有美好的生活」，並且引用舊約聖經中的一位國王——約西亞——作為他的榜樣。約西亞在聖殿中發現了一份交給摩西的法律的副本。「我們透過閱讀，瞭解神聖的約西亞，如何通過探視、矯正和告誡，努力召喚上帝賜予他的王國，信奉真正的上帝。」[14]

只是，查理大帝無法像約西亞那樣引用書面契約，因為他的臣民不像約西亞的子民那樣，受到摩西的律法所管轄。在查理大帝的帝國中，不同的種族各自擁有不同的法律制度，而且這些法典只要不會顛覆法蘭克人的霸權，查理大帝是不會反對的。他希望臣民們遵守的法律是用以指導所有基督徒的法律，而這不可能被包含在一本書當中，上帝的律法只能寫在這些臣民的心上。這給查理強加了一種嚴酷的責任：如果這些基督徒不是真正的基督徒，那上帝的律法要如何寫在他們的心上？沒有教育，他們註定要失敗；沒有教育，他們就無法被帶到基督面前。查理大帝將他的使命稱為「更正」（*Correctio*）：教導他的臣民關於上帝的真正知識。

「讓那些抄寫神聖律法和先賢金言的人坐在這裡。」[15]這是阿爾昆在西元七九七年被任命為圖爾修道院院長之後，在修道士每天辛勤寫作的房間裡刻下的祈禱文。在他的領導之下，修道院成為經典抄寫的重鎮。圖爾修道院最重視的作品是單卷的聖經集。這些聖經集由阿爾昆親自編輯，並且盡可能以方便讀者閱讀的方式編寫。文字互相矛盾的狀況不再發生，大寫字母也被用來表示新句子的開始，一個像閃電一樣的單筆畫符號首次被用以表示懷疑，這也就是現在通用的問號。一位修道士曾說，每部經典都是「一座無與倫比的圖書館」[16]。

在古代的亞歷山卓，聖經被稱為「*ta biblia ta hagia*」，即「聖書」之意。弗里西亞修道士們為了強調他們作品的獨特神聖性，將希臘語的「*biblia*」以拉丁語音譯，舊約與新約聖經被簡單稱為「*biblia*」，亦即「書籍」。圖爾修道院產出的版本數量之多非常驚人，這些大版面、易讀，且廣泛分佈於查理曼帝國的書籍為西方拉丁世界的各個民族帶來了新的事物：將上帝的話語作為啟示來源的共同認知，且這樣的認知可以裝裱在一組書籍封面裡。

然而阿爾昆與他的共事者們，並不滿足於僅僅將聖經與偉大的基督宗教知識遺產提供給識字的人。他們雖然對最雄偉的羅馬城牆內擁擠的各個小型聚落相當熟悉，但也深知如果不深入鄉村地區，就不可能達成真正的「更正」。整個西方拉丁世界，從最古老的中心地帶到最新、最原始的邊疆地區，都需要許多如同巨大蜂巢一樣的教區發揮作用。即使是居住在陰暗潮濕的樹林旁最卑微的農民，也必須能隨時接受基督宗教的教育。這就是每次當薩克遜叛亂分子燒毀一座教堂時，法蘭克當局都會急於重建的原因。這也是為什麼在查理大帝嚴厲且帶有監護意味的注視之下，「更正」計畫特別關注神職人員的教育。聖波尼法爵在僅僅一個世代之前，就曾對這個話題表達了強烈的看法，他曾指控法蘭克修道士「將生命浪擲於放蕩、通姦和各種穢行中」[17]。有些修道士和農奴幾乎沒有區別：他們在領主的命令下，牽著獵犬皮帶或是為女士拉住馬的韁繩，更多過於教導上帝的話語。

隨著查理宮廷發出越來越多的指示，這樣的情況逐漸獲得改變。國王下令，帝國中的每個人都要瞭解基督宗教信經，他們也都學會〈主禱文〉（天主經）——也就是基督本人在門徒問他該如何祈禱時，他所教導的話語。專門為農村教士的需要而寫的小型書本開始越來越多，這些飽受摧殘、外觀邋遢，且被不斷翻閱的指南，是創新大眾教育的實驗指引。儘管查理大帝在西元八一四年過世，基督宗教教育的發展卻並未因此放慢腳步。四十年之後，蘭斯大主教敦促他手下的教士們，瞭解教宗額我略一世的四十篇講道，並且服從，而曾有一個人因為忘記「他所學習的一切」[18]而被判入獄。無知，真的變成了一項罪名。

在法蘭克王國鄉村的深處，基督宗教教義在各方面的影響逐漸增加，直到不再有任何地方未被基督宗教教義所觸及。無論是起草憲章還是照料生病的牛隻，或是建議最佳的水井挖掘地點，教士們都是他們所服務的人民最終的知識泉源。主禱文與信經教義每天都在法蘭克王國及其他地區（包括不列顛、愛爾蘭和西班牙王國）中被傳頌，講述一個基督宗教民族越來越基督宗教化的過程。一年的輪迴，耕種、播種、收割，以及人生從出生到死亡的流逝，這一切都在基督的掌管之下。一代接著一代，教士們對農民、孕婦、臨終老人，以及第一次禱告的孩子的教導，似乎越來越建立在一個超越時間尺度的基礎之上。基督教會可以宣稱自己是永恆且值得信任的。

在此同時，塵世的秩序就如同一道彩虹，「以耀眼的色彩點綴著天穹，隨即又迅速消失」。曾在西元八四〇年來到法蘭克宮廷的愛爾蘭教師塞杜利烏斯．斯科圖斯（Sedulius Scottus）如此說道。時代的氛圍逐漸變得黑暗，查理大帝的帝國被他的繼承人瓜分，已經支離破碎，在此同時，拉丁世界的邊界也正上演著血腥的場面。薩拉遜海盜長期掠奪義大利海岸線的財富，並且為掌握非洲奴隸市場而爭搶奴隸。他們在西元八四六年沿著台伯河航行，洗劫了聖彼得大教堂。而在不列顛和愛爾蘭，整個王國都被北海另一邊的海盜大軍威辛加斯人（wicingus，也就是維京人）所推翻。在天際之間，可以看到由火柱組成隊伍的幻影軍團在雲層當中交鋒，塞杜利烏斯．斯科圖斯在寫給查理大帝曾孫的信件中的用詞毫不保留：「現在俗世中的國度都是轉瞬即逝的，因為它們從未真正揭示真理，而僅是一些真理和永恆國度的淺薄表象。只有永恆存在的國王才是真實的。」[19]基督宗教秩序的基礎是否牢固，時間將會是最終的決定性考驗。

時勢逆轉

危機累積已久，年復一年，異教徒軍團從喀爾巴阡盆地的草原穿越道施瓦本和巴伐利亞不斷湧入。這些騎兵擁有驚人的速度以及噩夢般的戰鬥能力，能從馬鞍上射箭，「長相醜惡，眼睛深邃，身材短小」[20]。甚至有謠傳這些異教戰士食用人血維生。他們擁有掠奪基督宗教領地的天賦，所到之處皆留下被焚燒的教堂以及焦黑的農田。各種剛柔並濟的政策都已經被王國當局採用，試圖阻止異教徒所帶來的衝擊：以財政補貼的形式溫和安撫異教徒；或者以加強邊境管制的形式，強硬阻擋異教徒攻擊。然而，任何政策似乎都沒有作用。如今，對於法蘭克王國東部地區當局而言，關鍵時刻已經逼近，他們面臨嚴峻的困境：尋求最終解決方案，或是完全失去對邊境的控制。

西元九五五年夏天，風暴終於爆發。「沒有任何一個活人記得自己此生見過這群匈牙利人，他們攻進巴伐利亞地區，從多瑙河到山脈邊緣的黑森林，摧毀並佔領了這些區域。」[21]讓基督徒旁觀者不寒而慄的不僅是入侵行動的規模，還有在前置時期就已經明顯可見的準備。侵佔爆發之前，當匈牙利人從他們所居的草原地區衝出時，非常看重效率，之後的所有掃蕩行動都在馬背上進行，並且在武裝更勝的德國騎兵能夠圍住他們之前，就快速撤回多瑙河區域。他們先前的目標是掠奪資源，而非併吞領土，然而到了現在，他們似乎也有了不同的策略。當匈牙利人穿越巴伐利亞領土時，他們的騎兵以有節制的速度前進，巨大的步兵縱隊並排而行，攻城器械在裝載的戰車上嘎吱作響。這次匈牙利人來到此地的目標，是征服領土。

同年八月初，匈牙利軍隊抵達奧格斯堡（Augsburg）城牆前。這座城市雖然富有且具有重要的戰略地位，卻暴露在危險之中。在這個最黑暗的危急時刻，指揮這座城市防禦行動的是年邁且學識淵博的烏爾里希主教（Ulrich）。當城裡的男人們努力撐起城牆，女人們一面遊行一面憂慮地祈禱著，這位老學者則是巡視城垛，鼓勵駐守軍士信任基督。然而圍攻城市的軍隊聲勢如此龐大，之前的備戰又如此來勢洶洶，在許多人看來，奧格斯堡的淪陷無可避免。八月八日，隨著攻城器械朝向城市的防禦工事前進，步兵也同時在鞭笞下向前行進，萊赫河上的一個門戶被攻破。烏爾里希「只身著祭衣，沒有盾牌、鏈甲、頭盔的保護」[22]就騎著馬出發，試圖阻擋匈牙利軍隊行進。儘管他的身邊充滿了箭矢與石頭的攻擊，但如奇蹟一般，他竟然成功擋下襲擊者，順利守住敞開的門戶。匈牙利軍隊並未攻進城裡。

此外，救援也即將到來。和查理大帝在同一個宮殿中被加冕的鄂圖（Otto）⑥以虔

⑥譯註：史稱鄂圖一世、鄂圖大帝（912-973），東法蘭克國王，西元九六二年，教宗若望十二世為鄂圖加冕，稱頌他為「神聖羅馬帝國的皇帝」，為神聖羅馬帝國之始。

誠、武勇以及胸毛茂密的外觀而出名，他在薩克遜的行伍當中得知入侵的消息，憤怒地策馬向南迎戰。他帶來三千名全副武裝的騎兵，和他整個王國當中最珍貴的寶藏——曾經刺穿基督身側的長矛。在隨後的慘烈戰事當中，這些優勢將為救援隊伍扭轉逆境、取得驚人的勝利。來勢洶洶的騎兵衝鋒陷陣，征服了匈牙利軍隊。基督教騎兵穿越萊赫河的洪氾地區，追擊他們的敵人，用長矛將他們撂倒。最初圍攻奧格斯堡的強大軍隊，如今幾乎一無所剩。匈牙利人後來聲稱只有七個人在屠殺當中生還。榮耀的勝利者們站在屍體與戰旗交錯的戰場上，稱頌他們的國王為「皇帝」，果然，經過不到七年，鄂圖就在羅馬得到教宗的加冕。

這是一個不祥的時刻。許久之前，距離查理大帝於西元八一四年去世之後短短幾十年內，有一位薩克遜詩人為了頌讚法蘭克人將上帝帶給人民，將上帝「美麗且永恆的光芒」與凡人的命運浮沉相比較：「在這個世界上，在中土之上，人們來來去去，年老者死去，年輕人繼承，直到他們自己也變老邁，然後被命運帶走。」[23]鄂圖在世界古都的加冕典禮有力證明了人類事務是多麼不可預測。在此之前，帝國的寶座已經閒置超過半個世紀，查理大帝的最後一位後裔早在西元九〇五年被廢黜、監禁，並且失去視力。法蘭克人的王國（*Regnum Francorum*）已經分裂成許多王國，其中最大的兩個王國分別位於之前法蘭克帝國的西側與東側，即之後的法國與德國。鄂圖在西元九一九年被選為東法蘭克王國的統治者，而這個王朝和查理大帝已無任何關聯。事實上，這個王朝甚至稱不上是法蘭克帝國，因為鄂圖大帝是君士坦丁的繼承人，同時也是西方世界的守護者、聖矛的持有者，而他出身的民族（也就是薩克遜人）在不到兩個世紀前，還對基督宗教抱持堅定的蔑視態度。

「我是上帝的戰士，因此我參與作戰是不合律法的。」[24]未來的圖爾主教瑪爾定在辭去軍職時，如此告訴朱利安皇帝。鄂圖大帝身為被迫受洗者的後裔，並未感受到救世主召喚他以和平主義者的身分進行統治，這一點應該不會讓人驚訝。而即使他想這樣做，時代背景也不允許。一個世紀以來，西方拉丁世界的邊境一再遭到撻伐、剷除，以及焚燒，試圖修復邊界並保衛基督徒，就是與「長期攻擊上帝教堂的魔鬼」[25]進行抗爭。為了擊敗這些被認為來自地獄的敵人，自然需要不屈不撓的勇氣和毅力。

鄂圖大帝在萊赫河旁的偉大勝利，並非預示情勢終將逆轉的唯一跡象。四十年前，在羅馬以南不到一百英里的加里利亞諾河（Garigliano）岸上，一群薩拉遜海盜從巢穴中被煙燻逼了出來，教宗本人更親自乘著勝利軍隊的戰車兩度激動地向敵人衝鋒。聖彼得和保羅的形象在戰線中顯現，讓人驚奇、也被廣為報導，這件事因此被視為上天原諒教宗之衝動行徑的證明。

在此同時，北海的基督宗教秩序正從幾近崩潰當中逐漸恢復。西元九三七年，維京人對不列顛的大規模入侵，被威塞克斯國王、名叫阿瑟斯坦（**Athelstan**）的強大戰士所擊退。然而，勝利並非只屬於阿瑟斯坦一個人。從他的父親和祖父統治的三個世代以來，西薩克遜人一直在困境中掙扎求生，但在所有盎格魯薩克遜民族當中，只有他們成功地守住——即使只是驚險地守住王國，免遭維京人的征服。有一段時間，在比德指定為新以色列的土地上，基督宗教的未來似乎岌岌可危。然而，上帝卻讓此地免於被瓜分的命運，祂不但成功地讓維京人順服基督，並且在舊世界的廢墟之上建立了一個全新的基督教王國。

阿瑟斯坦一生在戰場上競逐，最後終於脫穎而出，在過世之前，成為從諾森布里亞延伸到英吉利海峽的廣大領土上的第一位國王。「通過上帝的恩典，他得以單獨統治過去由多人分治的領土。」[26]當盎格魯人與薩克遜人從災難邊緣解脫時，比德將他們視為同一個民族的願景已然實現。

像鄂圖大帝和阿瑟斯坦這樣的偉大征服者，並沒有被野蠻人的陰影所籠罩。經過一個世紀的逆轉和失敗，基督宗教王權重新奪回了它的威嚴聲勢與奧祕氣息。有什麼神可以將薩克遜人從沒沒無聞的陰鬱中帶往如此偉大的成就？什麼神的力量能夠支持威塞克斯家族，將他們的眾多敵人餵給狼和烏鴉？對於被基督宗教軍隊打敗的異教徒軍閥而言，自然會長久而深入地思考這個問題，戰爭是對神的權威的最終考驗。不僅如此，向基督需索要求的回報是顯而易見的。接受洗禮就意味著得以進入一個古老、睿智、富有的共同體。從斯堪地那維亞到中歐地區，異教徒軍閥開始思考相同的可能性：從基督宗教世界獲利的最可靠途徑，也許並非將其撕裂，而是嘗試融入其中。

果然，在其子民經歷萊赫河大屠殺之後二十年，匈牙利王蓋薩（Geza）成為一名基督徒，當一位修道士指責他信教之後還繼續「向各種假神獻祭」時，他欣然承認自己兩邊下注的做法「為他帶來了財富和威權」[27]。過了一個世代之後，他的兒子瓦伊克（Waik）對基督的承諾才更加堅定。這位新國王將自己命名為史蒂芬（Stephen），在匈牙利鄉村建造教堂，對任何膽敢嘲笑他們所舉行儀式的人，都施以剃光頭的懲罰。一位造反的異教徒貴族遭到肢解，他被肢解的身體部位分別被釘在多處顯眼的地方。這些表現虔誠的措施很快為他帶來豐厚的回報。史蒂芬身為一個異教頭目的孫子，卻得到鄂圖大帝的恩賜，娶他的姪孫女為妻，而鄂圖自己的孫子，也就是當時在位的皇帝，則賜予史蒂芬一把聖矛的複製品，教宗也贈與他一頂皇冠。在經歷長期且繁榮的統治之後，他最終將會被宣聖。

到了西元一〇三八年，也就是史蒂芬去世的那一年，拉丁教會的領袖已經能夠以一種自我陶醉且充滿期待的心情看待這個世界。被帶到基督面前的不僅僅是匈牙利人，還有波希米亞人、波蘭人、丹麥人，以及挪威人。雄心勃勃的蠻族首領們一旦受到基督教宗室的歡迎，就鮮少會重新崇拜他們祖先的神。沒有任何異教儀式可以媲美國王的膏油洗禮。當這些統治者感受到聖油淋在皮膚上的黏性滲透進入毛孔和靈魂，他們就彷彿分享了大衛、所羅門、查理大帝，以及鄂圖大帝的神祕經驗。基督如果不是最偉大的君王，誰會是？幾個世紀以來，他「獲得許多領土，戰勝最強的統治者，並且透過他的神力，壓毀了驕縱高傲者的頸項」[28]。即使對絕世無雙的國王、甚至皇帝本人來說，承認這點都不是件羞恥的事。自東而西，從最深的森林到最狂野的海洋，從伏爾加河畔到格陵蘭冰河，都在基督的統治之下。

然而，這裡卻存在著一件自相予盾的事。即使連國王都已在基督面前臣服，祂為人類所經歷過的可怕遭遇、祂在各各他所忍受的無助與痛苦，卻前所未見地折磨著基督徒。賜給史蒂芬的聖矛複製品其實是一個陰沉的象徵物，提示著基督所受的苦。基督本人與鄂圖大帝不同，從未挑起戰爭，而聖矛之所以神聖，是因為一名羅馬士兵在祂受難之際將聖矛刺入祂的身體，血和水流了出來，基督在祂的刑架上死去。從那之後，基督徒不會以死屍的形象來描繪他們的救世主。然而一千年過去了，藝術家們開始打破這個禁忌。在科隆（Cologne），一位大主教委託人製作一尊巨大的雕像，描繪基督倒在十字架上，雙眼緊閉，生命從他體內漸漸逝去，這尊雕像被豎立在這位大主教的墳墓上方。其他人也在他們的異象中見到了類似的景象。在利摩日（Limoges）⑦的一位修道士在夜深人靜時醒來，看到南方天空中高掛著「十字架上的上帝形象，火和血的顏色，長達半個夜晚」[29]，一切彷彿深植在天堂裡。

越接近西元一〇三三年，也就是基督死後一千年，越來越多人在參雜著嚮往、希望與恐懼的狂熱情緒中聚集在一起。以往在西方世界中從未有過如此大規模的群眾運動。許多人聚集在法國各城鎮外的田野當中，「向上帝伸出他們的雙掌，同聲呼喊：『和平！和平！和平』標誌著他們與上帝之間的永恆盟約。」[30]其他人則利用匈牙利人皈依之後所開闢的陸路前往君士坦丁堡，再從那裡往耶路撒冷前進。西元一〇三三年那年人數最多，「來自全世界的人們，其人數比之前任何人所能期盼看到的還要更多。」[31]他們的旅

⑦譯註：利摩日（Limoges）是今法國中南部歷史與藝術名城，建城於古羅馬時期。

程終點，是基督被處決的地點，以及見證祂復活的墳墓。

這些基督徒的盼望是什麼？他們僅能悄悄地宣告他們的期望。基督徒並沒有忘記奧斯定的禁令。他們深知正統的觀念：〈啟示錄〉中提到的聖人千年統治，不能按照字面意義來理解。就此而論，基督之死的千禧日來了又去，祂並沒有從天而降，祂的國度也尚未在地上建立，墮落的世界依舊如故。儘管如此，對於改革、復興和救贖的渴望也並沒有消退。就某方面而言，這並非什麼新鮮事，畢竟基督已經呼召他的追隨者們尋求重生。所有基督徒都能被洗淨罪孽的渴望是根深蒂固的，而正是這樣的觀念，在大約兩個半世紀之前，啟發了查理大帝的「更正」計畫。

儘管其繼承人們仍然聲稱他們有權如查理大帝那樣作為人民的牧羊人，同時以教士和國王的身分進行統治，然而，在新的基礎上建立基督宗教世界的雄心，卻已經不再是宮廷的專利。這已經成為一種狂熱，能驅使搖擺呼喊的人群在草地上聚集，並且激勵朝聖者大軍踏上塵土飛揚的道路。在史蒂芬國王統治時期穿越匈牙利，就可以理解這個世界有可能發生多麼驚人的變化。

匈牙利已然成為一個充滿奇蹟的地方。西元一〇二八年，一位名叫阿諾德的巴伐利亞修道士到匈牙利旅行，驚訝地看到一條龍從匈牙利平原上空俯衝而下，「牠羽狀的頭像山一樣高，身體滿布著鐵盾一樣的鱗片。」[32]但相較於以下的景象，這樣的奇蹟又算得上什麼：這片曾經是嗜血惡魔家園的土地，已經成功地被帶到了基督的面前，國王成為成千上萬前往耶路撒冷的朝聖者的守護者，城鎮之中遍布高聲讚美上帝的大小教堂。當阿諾德真正眼見，他就能意識到新事物所帶來的震撼，更多改變可能發生的展望不會讓他不安，反而帶給他頭暈目眩的興奮感。在一個前所未見、因為聖靈火焰而生機勃勃的世界裡，為什麼還會有任何事物停滯不前？「這就是全能者的安排，許多曾經存在的事物，都被後來的新事物給取代了。」

阿諾德對巨變的預言是正確的。許多在當時被認為是理所當然的事，正瀕臨巨大的崩毀。一場即將導致不可逆轉的全新秩序的革命，正在西方拉丁世界醞釀。

第9章

革命

西元1076年，康布雷

狂熱的時代精神是危險的。康布雷①主教傑拉德（Gerard）對此毫不懷疑。那些相信自己受到啟示而能洞察上帝旨意的基督徒，反而對於自基督降生以來歷經千年的謹慎和努力所建立起來的偉大秩序，乃至於教會本身，都構成了威脅。在千禧年的陰影之下，歷經數個世紀以來，看似已被永遠剷除的異端巨蛇，再次開始盤旋搖擺。

在法國奧爾良的許多神職人員中，有一位得到皇室的高度尊崇，卻有謠傳說他公然宣稱「教會並不存在」[1]；在米蘭附近一座城堡中的居民誓言保持貞操，宣稱自己的純潔讓已婚的教士蒙羞；一個居住在距離康布雷僅有一百英里處的農民，夢見一群蜜蜂飛入他的肛門，向他揭露教士們的罪孽。諸如這樣的瘋狂，似乎能夠影響社會的每個層面，而其中的指控通常都是類似的：不稱職的教士應被剝奪主持教會儀式的資格，因為他們已被汙染、玷汙以及腐化，他們不是真正的基督徒。多納圖斯教派的回聲迴盪了數個世紀，並且歷歷可辨。

傑拉德很擔心這類瘋言誑語最終會導向何方，因此他始終保持警惕。當遠方傳來消息說有一位名叫拉米赫德（Ramihrd）的人「宣講了許多信仰之外的東西，並得到大量的男女信徒」[2]，主教迅速採取行動。拉米赫德被召喚到康布雷，由一群修道院院長以及博學多聞的學者詳加盤問，然而他的回答卻都無可挑剔地遵循正統。隨後，他被邀請與傑拉德一起慶祝聖餐禮（聖體聖事）：通過崇高的奧祕儀式，將麵包和酒轉化為基督的身體和血液。只有神父才能執行這樣的奇蹟，但拉米赫德卻指責主教罪孽深重，拒絕承認他為神父。隨之而來的騷動演變成暴力衝突。傑拉德的僕人將侮辱他們主人的拉米赫德抓起來，將他關在木屋裡，並且將木屋點燃，拉米赫德在跪地祈禱當中被活活燒死。

儘管這種暴民行徑讓傑拉德蒙羞，卻並非沒有正面影響。處死異教徒的行為是有先例的。半個世紀前，被指控嘲諷教會存在的奧爾良神職人員被公開燒死，他們是整個西方拉丁世界第一批因為異端邪說而被處死的人。[2]醜惡的思想伴隨的是醜陋的要求。拉米赫德的追隨者們急忙撿拾他的骨灰，並將他奉為烈士。這說明了他們對教義的熱情已經演變成一種瘋狂。這種狂野而不切實際的要求，是為了在這個墮落的世界中能有一個如同紀律嚴明的修道院一般，在時代的黑暗中閃耀照亮的教會。

教士與修道士不同，從來沒有義務要保證自己維持獨身，然而近幾年來，這已成為一個能煽動暴力的議題。在米蘭，神職人員長期以來都與自己的妻子共同生活，騷亂卻

---

①康布雷（Cambrai）是位於法國北部上法蘭西大區諾爾省的一個市鎮，古羅馬時期即以村莊聚落存在。

②在西元三八五年被處死的義大利主教普里西利安，有時候被認為是最早的例子，但他的罪名是施行巫術，而非異端。

因此席捲這座城市長達二十年之久。已婚的神職人員遭到抵制、虐待和攻擊。他們的祝禱被公開嘲弄為「狗屎」[3]。非正式的武裝人員將大主教封鎖在他自己的大教堂內，而當大主教去世時，他們更試圖將自己的大主教人選強加給這座城市。幾個月之前才被任命為主教的傑拉德不願看到康布雷發生這樣的動盪，因此他不懲罰殺害拉米赫德的兇手，而是將他們視為達成更高目標的媒介。畢竟，異端邪說必須被剷除，而拉米赫德的崇拜者是織布工人、農民以及勞工，如此而已。這些人對於主教會有什麼抱怨？

然而事實證明，拉米赫德在更遠的他方也有崇拜者。西元一〇七七年初，一封寫給大主教的信送達巴黎。這封信以震驚的語氣講述拉米赫德的命運：「我們認為，這場謀殺是相當可怕的。」[4]如信件上所宣稱，拉米赫德並沒有犯罪，真正的罪犯是那些謀殺他的人。對傑拉德而言，這不僅是譴責，更是直接的打擊。這封信是由一位主教所寫，而且他不是隨便一位主教，譴責燒死拉米赫德行為的正是教宗本人。

希爾德布蘭德（Hildebrand）③向來都是一名激進分子。據傳，他是一位托斯卡尼木匠的兒子，還在襁褓中的時候，他的衣服上就閃爍著奇蹟般的火花，頭上冒出一團火焰，預示著他未來的偉大命運。即使出身卑微，他卻從不懷疑上帝託付給他的使命。在他年輕時，他曾看見聖保羅在羅馬修道院中剷除牛糞的異象，這個異象確認了他將會堅持一生的雄心：清除教會中的每個汙點。在其他地方，這可能足以讓他被當作異端看待，但在他年輕時，羅馬這座城市正醉心於宗教復興的氛圍當中。

長期以來，羅馬教廷一直被在地的王權宰制，或與之爭吵不休，一個接一個的教宗成為醜聞的代名詞。這些恥辱終於促使皇帝親自介入干預。亨利三世擁有令人敬畏的虔誠，對於成為受膏國王擁有天生的自信。他迅速罷免以及任命了幾個教宗，最終在西元一〇四八年，任命他的一位表親繼位。當然，這是一項專橫的高壓政策，然而他也因此迅速地將教宗權威從陰溝中拯救出來。接連幾位精明且虔誠的教宗，努力讓教會在新的軌道上前進。他們將這個偉人的工程稱為「*Reformatio*」，亦即「改革」。這項行動的野心不僅是從世俗與狹隘主義的腐敗當中拯救教宗權威，更是要拯救整個世界。越來越多的教宗代理人——「使節」（legates）——被派往阿爾卑斯山以北，與此同時，才華洋溢的神職人員從西方拉丁世界各地被招募為教宗服務。這些改革為羅馬帶來了已經睽違幾個世紀的氛圍：這座城市就是世界事務中心的首都。

③譯註：希爾德布蘭德（1020-1085）是教宗聖額我略七世，出生義大利的托斯卡尼地區，是天主教歷史上重要的改革者，在宗教權威與世俗王權的爭議中，堅持教會在國家之上。

希爾德布蘭德在羅馬教會的行列中崛起，且毫不猶豫地認為羅馬教會的影響範圍是非常廣大的。他的個性認真、樸實、堅定不移，非常適合他日漸增長的雄心。到了西元一〇七三年，他已成為一個可以宣稱對所有基督子民擁有無上權威的羅馬教廷，最有力的代表人物。那一年，當聖彼得的位子出現空缺時，人們並不打算等待亨利三世的兒子（年輕而任性的亨利四世）任命一位新教宗，而是激動高喊：「任命希爾德布蘭德為主教！」[5]這些人肩起重任，將他們的人選送進幾個世紀之前由君士坦丁大帝獻給羅馬主教的古老宮殿拉特蘭宮。希爾德布蘭德以一位羅馬貴族的名字作為雄心壯志的象徵，成為第七任以此命名的教宗。這位貴族以畢生致力於幫助教會、為末日做足準備而知名。「他是第一個真正繼承額我略精神的人。」[6]

事實上，額我略七世對於羅馬教宗權的雄心前所未見。儘管從前的教宗都聲稱自己在基督徒中擁有領導地位，但從來沒有人像他一樣如此大膽而強悍。在發出霉味的教宗圖書館中藏著大量文件，包括教會議會的教規、歷任教宗的宣言等等，其中有許多額我略七世非常需要的先例，因此他急於確保自己能夠掌握這些文件。如果情勢必要，他也已準備好導入他自己的創新作為。只有教宗才能以「普世」之名稱呼、讓下位者對上位者做出判決、解放那些曾宣誓服從君主的人們——這一切都是特權，足以讓整個世界秩序顛倒的特權。甚至，在額我略七世成為教宗之前，就渴望將他的創新思維付諸實行。他不僅沒有譴責米蘭的激進分子，反而給他們祝福。

額我略七世相信，透過暴力威脅來處置那些忽視道德勸誡的人，並不是有罪的行為。這位聖彼得的繼承人應該受到好戰信徒們毫不猶豫的支持。非常明顯地，基督子民的未來岌岌可危。根據額我略七世的一位支持者所說，一位天使在聖餐儀式進行時出現在教堂前面，開始以水擦洗教士。這些水變成黑色，最後天使把桶裡的汙穢一整個傾倒在教士的頭上。這位教士從前有一塵不染的名聲，此時他卻淚流滿面地向會眾宣稱，他前一天才剛和一位女僕共度春宵。額我略七世和這位天使一樣，認為自己被召喚進行一項偉大的清滌工作。這些神職人員的存在就彷彿痲瘋病一樣，只有作為聖彼得繼承人的他能夠將他們帶回純潔當中。教士必須像修道士一樣保持貞節。「要向萬國萬民做根除、拆毀、破壞、推翻、建立，和栽培的工作。」[7]就是額我略七世的使命。

過去，從未有任何一位教宗曾經如此撼動基督宗教世界的基礎。額我略七世的追隨者所感受的振奮，卻被對手所感受的警覺所壓倒。傑拉德絕非唯一感到迷失方向的人，異端似乎已經佔據了教會的制高點。主教們向來仰賴的階級制度竟遭到站在他們之上的人的攻擊。這些屈服於私人慾望而汙染自身的教士，並不是額我略七世進行改革的唯一對象。拉米赫德拒絕與傑拉德一起慶祝聖餐儀式的行為，是建立在一個非常特殊的基礎上。

康布雷主教在西元一〇七六年六月當選之後，曾經前往德國宮廷。在那裡，他遵循古老的習俗，向亨利四世宣誓效忠，皇帝賜給他一隻牧羊犬和一枚戒指，代表婚姻的象徵以為回報。在皇帝統治的土地上，主教們的授職權都來自於皇帝，而這長久以來都被視為理所當然。不過額我略七世並不這樣認為。當拉米赫德拒絕承認傑拉德為神父時，他這樣做是為了直接服從羅馬教會的諭令。這個諭令前一年才剛發布，正式廢除「國王任命主教的權力」[8]。這是重要的一步，因為這一點——禁止國王插手教會事物——撼動了世界秩序的核心。

這樣的震撼效果，正是額我略七世支持這些轉變的原因。玷汙以各種形式存在，一個必須仰賴國王授權的主教與一個和女僕上床的教士相比，不會比較無害。熱衷於俗艷小物、地產、權力，就是對天國之主的背叛。額我略七世給西方拉丁世界帶來的變革規模之大，可以由一個事實來衡量：在短短三十年前，即使是像他這樣懷抱著改革理念的人，也仍然依賴亨利三世的認可來確保他們成為教宗。皇帝曾經被聘為「*sanstissimus*」（即為「至聖」），並且由帝國授權的主教，長期以來都負責管理王室領地。然而這些對於俄我略地而言都已經無關緊要。俗世慾望和信奉基督，腐敗與純潔，世俗主義（*saecularia*）與宗教信仰（*religo*），這些相互對立的面向已經彼此混雜太長一段時間。這種汙染不該被允許繼續發生，教會必須從國家的權力當中解放出來。

「教宗被允許廢黜皇帝」，這是額我略七世於西元一〇七五年三月為了強調教宗權威，為自己起草的眾多論述之一，表明他已經做好準備應對不可避免的反擊。過去從未有任何教宗宣稱擁有這樣的許可，當然也從未有任何教宗敢以如此無懈可擊且直率的方式挑戰帝國權威。額我略七世聲稱自己是基督子民的唯一領導者，踐踏長期存在的王室特權，因而嚴重地冒犯了亨利四世。在亨利四世之前，一個接著一個皇帝都曾經毫不猶豫地罷免製造麻煩的教宗。作為這些皇帝的繼承人，這位年輕的皇帝因此充滿自信，相信正義與傳統都站在他這邊。西元一〇七六年初，當亨利四世在德國沃姆斯（Worms）召集帝國主教會議時，與會的主教們明確知道皇帝對他們的期待，因而裁定希爾德布蘭德的選舉無效。他們一做出這個決定，亨利四世的抄寫員就立刻拿羽毛筆寫下：「應讓另一個人坐上聖彼得的寶座。」、「下台！下台！」給在羅馬的額我略七世的訊息，再直接清楚也不過了。

然而，額我略七世也有非常直率的天賦。在得知退位的命令時，他不僅拒絕接受，還迅速提高賭注。他在拉特蘭宮宣布亨利四世「被詛咒之鍊束縛」[9]，將被逐出教會，還說他是一位暴君，也是上帝的敵人，將被廢黜，他的臣民不再需要宣誓效忠於他。亨利的權威走向崩潰。這項聲明確實帶來了毀滅性的影響。

亨利四世被逐出教會之後，他的許多王侯封臣饑渴地把握機會開始肢解他的王國。到了同年年底，亨利發現自己已經走投無路。他的權威被如此削弱，逼得他選擇了孤注一擲的策略。他知道額我略七世住在亞平寧山脈北部的一座城堡卡諾薩堡，便在隆冬之際穿越阿爾卑斯山，前往該地。這位君士坦丁大帝與查理大帝的繼承人，整整三天「赤腳、披著羊毛」[10]站在城堡內牆的大門前，瑟瑟發抖地等待。最後，額我略七世下令打開大門，召喚亨利到他面前，並且親吻赦免這位懺悔者。「羅馬國王沒有被尊為普世君主，而只是被當作一個普通人，一個以黏土塑造的生物。」[11]

衝擊如地震一樣劇烈。雖然亨利很快就違背了他的諾言，在一〇八四年佔領了羅馬，並且逼迫他的敵人逃離這座城市，然而這並沒有減輕額我略七世對廣大基督徒的影響。西方拉丁世界的事務首次擁有跨越各地區、各個社會階層的受眾。「即使在女人的紡紗房以及工匠的工作坊裡，人們還有什麼其他事物可以談論？」[12]這就是額我略七世的對手指控他的又一個汙點，認為他鼓勵羊毛工人和鞋匠對比他們更優等的人進行批判，是一種玩火的行為。在攻擊亨利的宣傳當中，亨利被形容成一個變態、縱火犯、侵犯修女之人，其中所包含的暴力會對整個社會組織造成威脅。當然，額我略七世也準備煽動暴民，對抗反對他改革計劃的教士們。只是，開始將這些神職人員喊下台，誰又能知道這一切將會如何結束？

康布雷主教的辛勞，為這個問題提出了一個讓人憂心的答案：整個城市將陷入叛亂的爆發。西元一〇七七年，傑拉德深怕自己因為接受了亨利四世賜給他的戒指而被廢黜，便長途跋涉前往羅馬，企圖為自己辯護。然而額我略七世拒絕接見他。直到傑拉德返回北方，並且向勃根地的一位教宗使節求饒，傑拉德的當選結果才終於獲得批准。與此同時，在主教缺席的期間，工人與農民控制了康布雷，他們宣布成立公社，並且發誓永遠不會讓他重回此地。面對公開的叛亂，傑拉德發現自己已經別無選擇，只能乞求鄰國的伯爵協助，受盡屈辱地求助。即使叛軍最終被擊潰，領導人被處死，這個世界彷彿被顛倒過來的感覺也不會消失。「騎士們武裝起來對抗他們的領主，孩子們群起反抗他們的父母，臣民被煽動反對國王，是非混淆，誓言的神聖性遭到違背。」[13]

在康布雷的動亂被平定之後，傑拉德並未否認他對額我略七世所做出的忠誠誓言。叛亂才剛被鎮壓，他就開始對神職人員實施前一年才讓拉米赫德被送上火刑的改革作為。即使額我略七世本人在逃離羅馬不久後過世，這也無法動搖傑拉德對改革的最新承諾。就如同帝國當中的其他主教一樣，他的眼界也被打開了。亨利四世所受的屈辱，突顯了一個巨大而讓人驚嘆的獎賞。額我略七世與他的改革派同僚曾經有的夢想：一個與從上而下、從宮廷到最卑下村莊的世俗世界都截然不同的教會，將不再只是幻想，而極有可能實現。一個獨身的神職人員一旦擺脫了墮落世界的圈套與網絡，就更適合作為一個純潔的榜樣為基督徒服務，並且將他們帶到上帝面前。與世俗（*saeculum*）分開的不再只是修道院，而是整個教會。

對於宣誓支持這種激進主義的主教而言，他們可以感到相當放心，因為這樣的願景不再是什麼新鮮事，並且和他們救世主的教導沒有任何不符之處。畢竟在福音書中的記載，當試圖為難祂的質疑者走近耶穌，質問是否允許向羅馬異教帝國納稅時，祂給他們看一枚硬幣，並問到被印在硬幣上的是誰的形象。他們回答「凱撒的」，而耶穌則答道：「這樣，凱撒的歸凱撒，上帝的歸上帝。」[14]

儘管額我略七世改革的根源深深扎根於基督宗教教義的土壤中，但是其中長出的這朵花確實是新的事物。「世俗」的概念，首先由聖奧斯定所種下，經過聖高隆邦的照料，已經達到壯觀的綻放。額我略七世和他的改革同志們並未發明宗教與世俗、神聖與世俗之間的區別，然而他們確實使這些觀念「第一次且永久」[15]成為西方世界未來的基礎。這是一個決定性的時刻。這片土地長期以來被已經消失的羅馬秩序所牽制，處在東方那個更為富裕且複雜的帝國陰影之下，如今才終於踏上了自己的獨特道路。以後註定將會長久存在的，不只是歐洲社會將被分割成教會與國家的兩個面向，同時也展現了基督宗教所具有的震撼與改變的力量。

對額我略七世和他的改革同志而言，僅僅將個別的罪人或甚至是偉大的修道院奉獻給「宗教」已經不再足夠，整個基督宗教世界都需要相同的奉獻。罪該被洗去，強者該被從高位拉下，整個世界都遵循一種既激進又嚴格的純潔概念，被重新排序。這就是會讓凱撒那樣的偉大君王在教宗面前謙卑自省的宣示。「任何習俗，無論多麼崇高、多麼尋常，都必須完全服從真理，如果與真理相悖，則要廢除。」[16]額我略七世如此寫道。他稱他的教義為「*Nova consilla*」，意即「全新的忠告」。

這種改革模式取得了勝利，帶來的影響迴盪數個世紀，動搖許多君主體制，並且促使許多有遠見的人們夢想著社會的重生。這場地震的震波將傳到遠方，且會有許多餘震。西方拉丁世界被賦予了原始的革命氣息。

制定法律

在改革者的所有口號當中，最令人陶醉的是「*libertas*」——自由。有一座充滿聖潔感的修道院，比其他任何地點都更能作為自由的象徵，額我略七世因此將其當作整個教會組織的典範。克呂尼修道院（Cluny）最早成立於西元九一〇年，座落在樹木茂盛的勃根地山丘當中。其創始人在遠方教宗的保護之下成立了這座修道院。實際上，當地主教的權力已被凍結，克呂尼的獨立特性迅速成為它走向偉大的支柱。一個個能力驚人的修道院院長無視於當地軍閥惡名昭彰的暴力與貪婪，成功地將他們的修道院建立為上帝之城堅不可摧的前哨。

克呂尼的修道士將來訪者的鞋與腳清洗得一塵不染，用天使般的嗓音朗誦詩篇，使得在他們的崇拜者眼中，墮落的凡人也能如他們一樣接近上天。在成立將近兩個世紀之後，這座修道院不但承受住考驗，而且繼續壯大。一個新的教堂以前所未有的規模從舊教堂的外殼中現身，就彷彿從蛹中生出一樣，其接近完成的拱頂骨架看起來似乎逐漸伸展迎向天空。參觀這座教堂，就像是見證自由的真正含義在石基上展現。

到了西元一〇九五年，教堂東側的完工程度已足以安放兩個大祭壇。當克呂尼教堂真正落成時，受邀進行崇拜儀式的人是教宗烏爾班二世（Urban II）④。他曾經在修道院工作，後來前往義大利，作為一位精明而忠誠的顧問為額我略七世服務。之後在西元一〇八七年，他被任命為教宗。當烏爾班二世前往克呂尼時，他不只是為了修道院本身，更為了一個偉大的理想：建立一個獨立而自由的教會組織。他在九月十八日抵達，一週之後主持兩個祭壇的奉獻儀式，盛讚此地反映出神聖的耶路撒冷形象。他的讚美是發自內心的，但烏爾班的注意力是在更遠的地平線上。他從勃根地出發，前往法國中部的克萊蒙鎮，在那裡就像在克呂尼一樣，他的談話全都圍繞著自由。

在一個主教和修道院院長參加的大型會議當中，教士們正式被禁止向世俗領主致敬，接著在十一月二十七日，教宗走出城牆，在泥濘的田野上向一群熱切的群眾發表談話。烏爾班與額我略七世一樣，深知利用群眾熱情的價值。偉大的改革事業不能只是屬於教會內部的事務。如果改革無法解放全世界的基督徒，照亮天地並且為墮落的世界做好準備，以面對基督再次降臨和最終審判，那麼改革將一無是處。就如同聚集在克萊蒙鎮

④譯註：烏爾班二世（1042-1099）於西元一〇八八年當選教宗，在位期間積極推動教權改革，並發動第一次十字軍東征。

的主教與修道院院長們所宣稱的那樣，教會應該「免受一切邪惡的汙染」[17]。這是一個良善的野心，然而，當耶路撒冷本身仍處於撒拉遜人的統治之下，它如何能夠實現呢？克呂尼光彩奪目的純潔，並不能完全彌補這個民族所帶來的恐怖。

烏爾班以改革行動給基督教王國帶來的震動為傲，也敢於夢想更大的動盪。他大膽地向聽眾提出一種新的、令人振奮的救贖方式。在克萊蒙宗教會議中被列為正式教令，他向戰士們承諾：他們從事戰鬥的行為，雖然說冒犯了基督，並且必須懺悔才能得到救贖，卻可以透過某種方法，成為他們洗除罪愆的手段：「當任何人出於奉獻之心，而非為了名聲或財富，踏上解放上帝在耶路撒冷教會的路途，他的旅程將可以取代所有懺悔。」[18]

在〈啟示錄〉中的預言，當末日降臨時，天使會從地上採摘葡萄，然後在上帝的憤怒中踩踏這些葡萄，壓出流動的鮮血，並且上升到像馬的轡繩的高度。這段話是額我略七世的追隨者們所熟知的段落。一位與烏爾班一起乘坐火車前往克萊蒙的主教曾經公開表示，他正在思考，在最後的收成當中註定要被粉碎的，是否為改革派的敵人。然而，實際狀況中血流成河的景況，不是在羅馬教宗與亨利四世激烈衝突的戰場上爆發，而是在耶路撒冷。

烏爾班的演講發揮了神奇的效果。一大群來自西方拉丁世界的戰士踏上了一條再熟悉不過的道路。正如從千禧年以來的朝聖者們所做的那樣，他們穿越匈牙利，前往君士坦丁堡，然後從君士坦丁堡前往聖地。撒拉遜人每一次嘗試阻止這些戰士，都被擊退。最終，到了西元一〇九九年夏天，朝聖者的大軍終於抵達耶路撒冷，七月十五日，他們衝進城牆，奪下這座城市。之後當屠殺結束，他們擦乾了滴血的劍，就前往耶穌的墳墓。在那裡，他們懷著喜悅與難以置信的心情向上帝獻上讚美。經歷了數個世紀的撒拉遜人統治之後，耶路撒冷終於再次成為基督宗教的國度。⑤

如此非凡壯舉，幾乎讓人難以置信，而這消息被大張旗鼓地回報給教宗。烏爾班本人在這座城市被佔領的兩週之後去世，來不及得知他所啟發的偉大勝利，然而他畢生致力的改革計畫因為贏得聖城而大放異彩。自從查理大帝的時代以來，歷代皇帝都在基督的旗幟下進行征服，但過去卻從來沒有人曾經派出一整支軍隊前往朝聖。佔領耶路撒冷時，這些戰士們回報他們看到了「一個美麗的人坐在白馬上」[19]，有些人也許會懷疑這並

⑤譯註：這裡所描述的就是第一次十字軍東征（1096-1099）。教宗烏爾班二世為回應來自東羅馬帝國的求援，抵禦穆斯林入侵，號召歐洲各國騎士與農民，組成十字軍解放聖地與耶路撒冷，以一〇九九年十字軍攻陷耶路撒冷、對城中穆斯林與猶太居民大屠殺結束。其後從西元一一四二年到一二四七年間，又發動了第二次到第九次東征軍事行動。

非基督本人，然而無論神祕騎士的身分是什麼，有一件事是清楚的：聖城的勝利，不是以任何國王或皇帝的名義，而是基於一個更為普世的意涵。

但是，該如何為這樣一個意涵命名呢？回到西方拉丁世界，這個逐漸開始被人們使用的詞彙，在耶路撒冷被攻陷之前，其實少為人知。據說這些朝聖者戰士是在「*Christianitas*」，也就是「Christendom」（基督國）的旗幟下戰鬥。這樣的歸類，將他們與世俗國王和封建領主的政權做出明顯區別，正可以配合教宗的雄心。誰能比聖彼得的繼承人更適合站在基督宗教世界的頂端？在亨利三世於一年之內相繼廢黜三位教宗之後，不到一個世紀，羅馬教會已經為自己確立了一個強大的領導角色。這個領導地位如此強大，因此在西元一一二二年，亨利三世的孫子，也就是亨利四世的兒子，被帶到羅馬求和。

那一年在沃姆斯，也就是亨利四世曾命令額我略七世退位之地，亨利五世同意了一項重大協議。依照這項協議的條文，這場長達五十年的皇室主教的授職之爭，終於走到終點。雖然表面上看來像是妥協，然而時間終究會證明：勝利必定會屬於教宗。另一個具有決定性的改變在於，改革者的另一個關鍵性要求逐漸被接受：神職人員通過保持獨身，讓自己與廣大的基督徒群體「*laicus*」（也就是「在俗教友」）區分開來。到了西元一一四八年，當另一項禁止神職人員娶妻的教宗法令頒布的時候，許多人都露出嘲諷的眼神。「徒勞而可笑，誰不知道這早就是非法的了？」[20]

教會與國家分離所帶來的震盪，越來越明顯地展現於整個基督宗教世界。無論何處，只要有教士被召喚為教友服務，即使是在最卑微、最偏遠的村莊，也都能感受到改革行動的影響。羅馬教廷不僅被認為是成立較早、但與其他教會地位平等的組織，更是「所有神職人員和教會共同承認的公共論壇」[21]，賦予了西方拉丁世界所有神職人員一個未曾擁有過的身分認同意識。在組成基督宗教世界的各個王國、領地和城市當中，出現了前所未見的事：一個效忠於「普世、廣布世界」[22]的階級制度，而非效忠於當地領主階級的完整組織。

皇帝和國王或許會試圖反抗，然而他們也會因為這樣的嘗試而受傷。從君士坦丁與其繼承者的時代以來，從來沒有任何人能像世界古都的主教那樣，在歐洲如此廣泛的範圍內行使權力。教宗公開宣稱它擁有「天上與地上帝國的權利」[23]，他派遣使節前往野蠻的土地，希望那些地方能夠聽到他的聲音，他的宮廷與羅馬元老院曾經所在的建築互相呼應，被稱為「*Curia*」（羅馬教廷）。然而教宗並不是凱撒，他樹立權威並非基於武力，也並非基於教士們的血統或財富。在額我略七世的改革行動中誕生的教會是一種前所未見的機構：不但認為自己握有主權，並且是自願成為這樣的機構。額我略七世確定地宣示：「教宗不受任何人裁判。」[24]所有基督徒，即使是國王或皇帝，都要服從他的統治。教廷為基督宗教世界提供了終審法院，因而產生一個至高的悖論：教會致力擺脫世俗，卻讓自己成為一個國家。

更重要的是，這個國家是一個新型態的國家。教宗的令狀具有法律效力，他的地位在神職人員之上，他決定了教會和法院之間的界線，也為那些尋求賠償的人申張正義——從卡諾薩之行⑥以來的一個世紀，人們逐漸仰賴律師大軍所掌握的「世俗的武器」。教宗的突擊部隊是拿著筆的書吏，而非拿著長矛的騎士。聖奧斯定曾經如此問道：「除了上帝，還能有誰在人心寫下自然律法？」[25]最終回到開始於聖保羅的信念，這就為教宗的權威奠定了最可靠的基礎。羅馬教會所定義的秩序有意識地反對立基於異教的原始習俗，以及國王心血來潮所制定的短命法律和陳腐法規。只有一項律法可以為整個基督宗教世界維持正義和慈善，有效地將基督宗教社會聯繫在一起：「永恆不變的律法，創造並且統治宇宙。」[26]這不是一個能夠單靠教士就能執行的教令。

但在「改革」計劃第一次萌芽時，律法師幾乎沒有什麼作用。與受到烏爾班二世啟發而前往耶路撒冷的朝聖軍相比，律法師在偉大基督宗教世界舞台上的登場，在編年史或歌曲中都鮮少被稱頌，但是長遠來看，其難以估量的決定性影響會得到證明。西元一〇八八年，也就是烏爾班成為教宗的那一年，他最傑出的支持者之一協助建立了一個新的基督宗教社會改革中樞：一所位於義大利波隆那市（Bologna）的法學院。瑪蒂爾達女伯爵（Countess Matilda），一位不屈不撓且虔敬的女人，托斯卡尼地區大片土地的繼承人，始終處在額我略風暴的中心。西元一〇七七年，她在卡諾薩接待額我略七世，並且在教宗過世之後十年之內，在軍事上重挫亨利四世，迫使他自義大利撤離。

瑪蒂爾達對「改革」事業影響最為深遠的貢獻，或許是她對波隆那法學家伊爾內留斯（Irnerius）的贊助。他對於大量羅馬法律裁決的評論，幾年前才在一個古老圖書館的成堆發霉文件中被發現。這些評論，讓西方基督宗教世界可以接觸到長期以來被伊斯蘭世界視為理所當然的東西：一個完整的、能夠涵蓋人類整體事務的法律體系。雖然伊爾內留斯研究的文本起源於人類，而非起源於神聖，但這一點並沒有阻止他認定它們具有永恆的特質：它們在這個時代，就如同在凱撒時代一樣適用。他研究法律的熱情，以及

⑥ 譯註：卡諾薩之行（Canossa）指的是西元一〇七七年一月間，神聖羅馬帝國皇帝亨利四世因為與教宗額我略七世的對立而被逐出教會之後，被逼前往額我略七世所在的卡諾薩堡請求赦免的史事。

這些研究後續開展的廣闊領域，之後被證明巨大無邊。

於是，充滿上進心的年輕人們開始湧向波隆那。來自義大利與阿爾卑斯山北方的人們，急於為自己建立一個可以立足的法律基礎，組成了具有雙重性質的行會：大學（*universitates*）。經過幾十年，波隆那形成了一種前所未見的城市型態——大學城。儘管伊爾內留斯本人並不熱衷於「改革」計畫，然而「改革」計畫的影響，毫無疑問地推動了大學城的發展。當然，沒過多久，從大學到教廷之間的道路，就成為了一條非常受歡迎的道路。

但波隆那並非只是一所讓教廷書吏進修的學校，在這座城市中，有視野更加廣闊的學者。當改革派支持者研究被重新發現的羅馬法律資料，不能不發現一個明顯的缺失。幾個世紀以來，自從君士坦丁召集主教大會開始，教會議會就不斷召開並頒布教規，卻從來沒有人想過要對這些律令進行整理校勘。在千禧年之後的幾十年當中，曾經有人投入各種努力以矯正這個問題，然而一直到伊爾內留斯的努力之後，事情才終於得以實現。

傳統上認定由修道士格拉提安（Gratian）單獨制定，於西元一一五五年左右完成的《教會法匯要》（*Decretum*）⑦，其實是好幾個世代的努力成果。[27]毫無疑問，這個工作所需要付出的努力非常巨大。教規的內容不是只有教規而已，還要包括教宗的各項裁決，以及其他主教傳下的教令和各種懺悔錄。這些資料不只是零散，甚至常常是完全自相矛盾。格拉提安在彙整這些材料的過程中所面臨的各種挑戰，可以從被隨性加在《教會法匯要》上的另類標題所確認——〈歧異教規之整合〉（Concordia discordantium canonum）。

如何消除這些律令中的悖謬？格拉提安和他的共事者們可以從兩方面求助，首先當然是聖經的引導，還有來自如伊爾內留斯、俄利根、聖奧斯定這些教會先進的指導。然而，即使是這些權威，也未能提供給格拉提安、穆斯林律法師一直以來都視為理所當然的東西：一整套應該源自於上帝意志而被寫下來的裁決案例。沒有任何基督徒曾經有過這樣的資源，因為他們相信上帝將祂的裁決寫在人心之上。保羅在這方面的權威是絕對的：「整套律法總結於一個單獨的指令：『愛人如己』。」對格拉提安而言，這就是正義的基石。這個指令如此重要，讓他引用作為「教會敕令」的開場白。就如同保羅所做的一樣，他選擇呼應斯多葛學派，將其定義為自然法，並且是形成適當的基督宗教法律體

⑦ 譯註：又稱《格拉提安教令集》（*Decretum Gratiani*），西元十二世紀，據傳由義大利法規學者格拉提安修道士，彙整教會敕令文獻、引用聖經文句審定而成，成為後代建立教會法典系統的典範。

系的關鍵。所有的靈魂在上帝眼中都是平等的，只有建立在這個假設之上，正義才得以被伸張。任何阻礙這個前提的論點都應該被消除。「無論是天上的或世俗的法令，如果被證實違背自然法則，就必須被完全排除。」[28]

從這個論述所推演出來的論點，許多都是過去的時代所難以理解的。古老的理念正在被果斷地推翻，例如：習俗是最終的權威；偉大的人被賦予了與卑微之人不同的正義；不平等是自然的，因此應被視為理所當然。在波隆那受訓的書吏們既是革命的代理人，也是秩序的維護者。他們依據法律規定而組織起來，並且受到大學培訓，共同構成了一種新型態的專業人士。格拉提安提供他們判斷標準和具體做法，以此消除令人反感的習俗，徹底改變了人們對法律的理解。不再有任何法律支持羅馬法學家和法蘭克國王視為理所當然的階級差異。與過去的認知相反，法律的存在應該是為每個人提供平等的正義，不分階級、財富或血統，因為每個人都是上帝的孩子。

格拉提安將這個信念寫入「教會敕令」中，讓法律研究走向全新且激進的道路。教規律法師的任務就如同園丁一樣，沒有真正完成的一天，雜草的新芽總是會不斷冒出，威脅花朵的生長。與波隆那學者認定完整且不可改變的龐大羅馬法律合輯相比，教規法既看向未來，也回望過去。「教會敕令」的評論者認為，它是永遠都能再改進的。如果要引用一個古老的權威，也需要反思如何在當下的時空中提供最好的裁決。例如，如果許多神父都堅稱「所有東西的使用，應該開啟給所有人」[29]，身為基督徒要如何理解人與人之間越來越嚴重的貧富落差？

數十年來，這個問題一直都受到波隆那最傑出學者的關注。西元一二〇〇年，也就是「教會敕令」完成的半個世紀，他們終於找到一個解決方案，而這個方案對未來有深遠的影響。越來越多法律學者認為，當一個飢餓的窮人從富人那裡偷東西，這樣的行為符合「*iure naturali*」，也就是「自然法」。因此，他們為此爭辯，認為這個窮人不該被認定為有罪，相反地，他只是拿回他應得的東西，這是他被虧欠的。上帝反對的是富有的守財奴，而非飢餓的小偷。教會律法師得出了這個結論，任何遇到此類案件的主教都有責任確保富人支付應負擔的施捨。慈善不再只是自願的，而是被確立為法律上的義務。

富人有義務濟助窮人，這當然是一個與基督宗教本身一樣古老的原則。然而在從前，沒有人想過這個與之相配的原則：窮人有權獲得生活必需品。越來越多的教規律法師採納這樣的表述方式，認為這是作為一個人的基本「權利」。

在西方拉丁世界正在進行的革命中，法律已成為一個不可或缺的工具。

站在巨人的肩上

西元一一四〇年，也就是距離烏爾班二世訪問克呂尼半個世紀之後，基督宗教最著名的人物來到了修道院。彼得・阿伯拉德（Peter Abelard）的名氣並非建立在武功之上，而是因為他將學習當作天職。在他還是一個年輕人的時候，就熱烈擁抱學習，勝過對於騎士精神的熱衷。阿伯拉德憑藉他「不可估量的聰明才智、無與倫比的記憶力，以及超凡的能力」[30]在拉丁世界最迷人的城市——巴黎——的偉大舞台上揚名立萬。巴黎不但是法國宮廷的所在地，也是學術勝地。這裡的知識分子們充滿純粹的才智，自負而大膽，其他任何地方（即使是波隆那）都無法與之相提並論。阿伯拉德的光彩更以一種特殊的強度閃耀著。據說，成千的人蜂擁到他的講座聆聽，當他走在街上，人們爭相瞻望他的風采，女孩們則會因此昏眩。沒有人比他更能為巴黎學校的光彩與國際聲譽做出更大的貢獻，而他更以獨特的謙虛姿態，自詡為「舉世唯一的哲學家」。[31]

然而，阿伯拉德也早已聲名狼藉。他好鬥且愛慕虛榮，他有能力從危機當中全身而退，而能與這種能力等量其觀的，也就只有他一開始為自己製造危機的能力。他作為巴黎學府領頭羊的地位，在他與自己老師反覆爭論的背景下得到確認。接著在西元一一一五年，他開始最惡名昭彰的一次冒險行徑：與一個早熟的天才學生的祕密戀情。這位學生名叫艾洛伊絲，「學識淵博，且相貌一點也不醜。」[32]在他祕密結婚後不久，新婚妻子的叔叔聘雇的暴徒就將阿伯拉德逼到絕境，將他壓在床上並且閹割。這位受辱的被害者遁入修道院中，並且在他的堅持下讓艾洛伊絲也進入女修道院。

即使有了修道士的身分，阿伯拉德還是無法擺脫麻煩。位在巴黎以北六公里處的聖但尼修道院是歷代法國皇室守護的女修道院，也曾經提供他庇護，這證實了他的聲望。然而，當阿伯拉德在調查它的早期歷史時，卻興奮地發現關於它起源的各種傳統論述幾乎都是不實的。這個論點自然無法讓他的修道士同袍認同，於是，阿伯拉德無視於神職人員在未得明確許可前不得擅離修道院的規定，逕自離開。之後，他經歷了隱居，和在天氣狂野的大西洋海岸擔任修道院院長之後，最後回到巴黎再次擔任教職。儘管歲月流逝，他的魅力仍然沒有減弱，但他同時吸引敵意與奉承的能力也是如此。最後在他人生的第七個十年裡，出現了最嚴重的危機：他被正式判定為異端。西元一一四〇年夏天，從羅馬教廷寄出的兩封信，標明了對他的懲罰條款。他身為基督宗教世界最傑出的學者，被判要將他「在任何地方可以找到的書」[33]燒毀。身為最傑出的演說家，他也將屈服於永恆的沉默。

阿伯拉德曾經一度躲過這樣的命運。早在西元一一二一年，他就曾因為關於「三位一體」（Trinity）的異端學說而被定罪，並被下令燒毀他自己的一本書。他隨後宣稱，這個判決比失去睪丸更讓他痛苦。當時的法官就如同西元一一四〇年的判決一樣，是一位教宗的使節。羅馬教宗決心要為整個基督宗教世界伸張正義，同時也決心審查可接受的非主流信仰。這其實不足為奇。如果沒有基督宗教教義的龐大框架所提供的合法性，羅馬教會能同時對國王和農民進行審判的權力將毫無意義。像阿伯拉德這樣的學者，整個專業生涯一直處在與主教和修道院院長權威的鬥爭當中，註定會引起他們的警覺。

到了西元一一四〇年，當他面臨第二次審判時，教規律法師界定法律正統的能力，已經建立在比二十年前更牢固的基礎上。法國國王親自出席了阿伯拉德的第二次傳喚。阿伯拉德並未回應他的指控者，而是直接向教宗提出上訴。當他被判刑的消息傳來時，他立即前往羅馬，因為他認為長遠來看，羅馬的正義「從來沒有辜負過任何人」。他的審判和教規律法師曾經手的案例一樣，也是公開的閒談材料，他的審判似乎也確認了他們掌握了決定基督徒可以相信什麼或不可以相信什麼的權力。

儘管如此，人們並沒有一致認同阿伯拉德應該被禁言。這些異端的指控引起激烈爭論，包括阿伯拉德本人所提出的異議。他花了十多年才從他的第一次定罪當中恢復，並回到巴黎任教，但他從不懷疑批評他的人才是錯誤的一方。阿伯拉德對上帝的忠誠，其強烈程度就如同他的狂妄。當艾洛伊絲從修道院中寫信給阿伯拉德時，她承認就連在參加聖餐儀式時她都在想著他，並且她寧願放棄進入天堂，也不願放棄對阿伯拉德的熱情。然而，他對此的回覆卻很嚴厲。阿伯拉德敦促艾洛伊絲將身心投入作為修女的職責，而非回憶他們的愛情，他的目的是希望妻子重新走上救贖之路。

阿伯拉德本人也以類似的精神開始對於教會教父們的龐大研究。他在教會教父們的著作當中一再發現矛盾之處，以及對基督宗教信仰的教條的挑戰，他將這些發現編輯成完整的清單，仔細分類排序，但這一切並非出於挑戰教會教義的野心。恰恰相反。阿伯拉德並不比教會法的編纂者們更想破壞基督宗教正統的龐大脈絡。他的目標和格拉提安一樣，是試圖在不和諧當中尋求和諧。他也相信進步的價值：「透過懷疑，我們開始探究；透過探究，我們瞭解真相。」[34]

這句格言完整定義了阿伯拉德的神學思維，並確保他能夠給他學生的東西，比這些教會教父們所能給予的要更加深刻。如他所教導的，學者們可以藉由理性來看待這些著作，如此得以從正確的角度看待基督宗教真理：清晰、完整，且合乎邏輯。即使是像阿伯拉德這樣不懂謙遜的人，他也沒有宣稱自己的地位與俄利根或聖奧斯定等人一樣，然而他確實渴望站在他們的肩膀上，比他們看得更遠。對他的指控者而言，這是一種可怕的傲慢表現，這種傲慢「透過假設上帝的本質完全處於人類理性的掌握之中，而威脅到基督宗教信仰的美譽」[35]。但對他的崇拜者而言，這些觀念是令人興奮的，而且在這些崇拜者當中，確實有些人在教會中擁有很高的地位。

這就是為什麼在西元一一四〇年的夏天，當阿伯拉德在前往羅馬的途中，在克呂尼停留時，受到了如同貴賓一樣的待遇。沒有人能夠比當地的修道院院長提供更好的庇護所。這位院長，正如「尊貴的彼得」（Peter the Venerable）這個綽號所暗示，他是一個無可指責的聖人，他的修道院所賦予他的偉大地位，或許僅次於教宗本人。儘管彼得無法拯救阿伯拉德被判為異端邪說的定罪，但憑藉著他的職位和人脈，他能夠為這個四面楚歌的逃犯爭取到個人的赦免。在阿伯拉德抵達克呂尼兩年後，他終於因為年老力竭而過世，院長對他充滿敬意的悼念讓人驚訝。彼得不僅違反了所有慣例，將遺體交給艾洛伊絲安葬，甚至還親自護送棺材。

在一份公開的墓誌銘當中，修道院院長將這位死去的哲學家描述為「我們這個時代的亞里斯多德」。阿伯拉德的敵人企圖詆毀他的名聲，宣稱他堅持可透過邏輯來解譯神聖話語之奧祕的主張是異端邪說，但他們這樣的努力卻沒有取得決定性的勝利。他的奧祕在他死後仍能延續。艾洛伊絲在將她丈夫埋葬之後約二十年跟隨他進入了墳墓，據說當她被安放在阿伯拉德身旁時，阿伯拉德伸出手牽扶她躺下。

一代又一代的學生同樣投身於阿伯拉德身後的懷抱中。到了西元一二〇〇年，巴黎已經能夠像波隆那一樣擁有一所充滿活力的大學。阿伯拉德畢生致力宣揚的信念——上帝的秩序是理性的，並且受到凡人所渴望理解的規則所支配——在他死後不到一個世紀就成為教宗使節所堅持的正統觀念。傳授這些理念的人不僅沒有被視為威脅，更被當作需要保護的盟友。西元一二一五年，以教宗的名義頒布了一項法令，確認巴黎大學在法律上獨立於主教管轄，一年之後，同樣的法令也將此獨立地位賦予了在過去幾十年裡出現在英國牛津的一些學院。很快地，大學在整個基督宗教世界如雨後春筍般湧現，阿伯拉德開創的研究方法不僅得到了容忍，甚至已經被制度化。

「一切事物的安排，都是由上帝的律法所支配的。」[36]聖奧斯定在思考宇宙的浩瀚時如此宣稱。神學在巴黎和牛津成為科學之母，然而還有其他研究領域也同樣需要辨識上帝的律法。自然界的運行（包括太陽、月亮、星星），元素，物質的分佈，野生動物與人體等，都見證了這些律法的存在。因此，一切如同阿伯拉德所說：「一切並非起源於奇蹟的事物，其構成或發展都可以得到適當而有效的解釋。」[37]這並非對上帝的冒犯。恰好相反，確立這些支配宇宙的法則，就是榮耀制定這些法則的上帝。這樣的信念並沒有讓新大學的看門人感到不安，反而成為他們的動力所在。對許多阿伯拉德的反對者而言，哲學是一個骯髒的詞彙，後來卻成為大學課程的核心。對自然運作的研究，為這些課程提供了特別的基礎。對動植物、天文學，甚至數學的研究，都被歸類為自然哲學。最真實的奇蹟不是奇蹟般的現象，相反地，反而是天地有序的運轉。

相信這一點，並不等於懷疑上帝絕對的力量。對上帝而言一切皆有可能，祂的意志是深不可測的。這一點在聖經上清楚地記載著。祂曾將海洋分開，阻止太陽劃過天空，並且很可能再次這麼做。然而聖經上也清楚表明，即使是全能的上帝也可能服從法律義務的要求。因此在淹沒世界之後，祂在雲層中設置了彩虹作為契約的標誌，發誓再也不會派洪水「毀滅一切有血肉的了」[38]，也因此，他在與亞伯拉罕的談話中宣誓立約，並在與摩西的談話中頒布條款。

然而，最深刻也最令人震驚的臣服卻不是上述兩者，而是：「祂把我們從罪惡、憤怒、地獄、魔鬼的力量中解放，並且為我們消滅魔鬼，因為我們做不到，祂也為我們買下天堂；透過祂所做的這些事，祂表現出對我們的愛之偉大。」[39]安瑟莫（Anselm）在阿伯拉德剛要成年之際，如此描寫了基督受難的場景。因罪而喪失的人性已被基督救贖，然而是如何被救贖的？這個問題一直困擾著阿伯拉德以及他同時代的人，而人們已經嘗試著提出許多答案：有人把基督的死視為付給撒但的贖金，其他人則認為是天堂與地獄之間的官司獲得瞭解決。

在安瑟莫之後，阿伯拉德的想法更加奧妙：基督在十字架上接受酷刑不是為了滿足魔鬼的要求，而是為了喚醒人類去愛：「這是為了使我們擺脫罪的奴役，讓我們獲得身為上帝之子的真正自由。」[40]正義的需求已經得到滿足，透過與全人類會面，基督確認天地確實是由法律所構成。然而阿伯拉德所做的還不止於此。他寫信給艾洛伊絲，敦促她沉思基督的苦難，並從中學習愛的真正本質。他將這個論點強加在痛苦且被遺棄的妻子身上，並非為了折磨她，也並非放棄他對理性的終生承諾。阿伯拉德認為，在他作為邏輯學家的專業生涯和他對受難基督的熱情承諾之間，並不存在著矛盾。通往智慧的道路是從十字架導引出的。

奧祕與理性——基督宗教同時擁抱著兩者。上帝以祂聲音的力量召喚了光明和黑暗，將海洋與陸地分開，使祂的所有創造物都成為代表和諧的豐碑。「一切事物的基本原理都依賴於數量的區別。」[41]阿伯拉德如此寫道。在他死後一個世紀裡，上帝所創造的宇宙秩序的豐碑，奇蹟與幾何的融合，開始在基督宗教世界的上空升起。進入聖但尼大教堂（Saint-Denis），也就是阿伯拉德曾經擔任修道士的地方，將會看到一座完全改變了的修道院。陽光透過彩色玻璃窗戶灑落，以前所未有的光線照亮修道院的內部，四射的光芒就像是在末日時新耶路撒冷降臨的光芒那樣：「光輝如同極貴的寶石，好像碧玉，明如水晶。」[42]

如果聖但尼在其內部的彩色光線中向遊客們展現了啟示的蹤跡，那在其拱形扶垛的向上騰昇當中，在珍貴拱門的延伸當中，也同時宣告了建築師對比例與幾何的絕佳掌握。西元一一四四年，在法國國王本人在場見證之下，在此新建的教堂為大教堂的建立提供了一個壯觀的新型模式。「遲鈍的頭腦透過物質事物接近真理。」[43]聖但尼的門上如此寫著。在修道院之後建造的大教堂以前所未有的尺度規模，將西方拉丁世界的獨有秩序以物理型態展現。這種秩序的熱愛者將之稱作「現代性」（*modernitas*）：時間長流的最後一個時代。它們是一場勝利革命的代言人。

第
10
章

迫害

西元1229年，馬爾堡

帕維亞姆（Paviam）伯爵對醫院工作如此艱鉅感到震驚——婦女們穿著粗糙的灰色束腰外衣，每天照料病人，替他們洗澡、換床單，以及清洗傷口。其中一位婦女，由於擔憂一個患有痢疾的癱瘓男孩，甚至將他安置在她自己的床上，每當他的肚子開始抽痛，就將他抱到戶外。由於這樣的情況每晚會發生六次以上，因此她的睡眠一再遭到干擾。然而她的工作行程太過緊湊，以至於她也無法利用白天補眠。當她不在醫院工作時，則必須在廚房裡準備蔬菜和清洗碗盤，並且被耳聾且苛求的管家咆哮。當洗碗間沒有勞務時，她就會坐在輪子旁紡羊毛，而這是她唯一的收入來源。即使當她臥病在床時，仍然會在病床上徒手纏線。當伯爵走進她的住處，只能讚嘆不已，「他驚呼，從來沒有人見過國王的女兒親手紡羊毛。」[1]

依撒伯爾夫人（Lady Elizabeth）的出身相當顯赫。她是匈牙利第一位基督教國王史蒂芬的堂兄的後裔，小時候就被送到德國中部的圖林根宮廷，在那裡為了未來的婚姻接受教養。十四歲那年，她和二十歲的統治者路易一起登上王位，自此過著幸福的婚姻生活。依撒伯爾為她的丈夫生了三個孩子，路易以他妻子與上帝的親近為榮。即使女僕在夜裡將他誤認為習慣早起祈禱的妻子，拽著他的腳將他吵醒，他也耐心忍受。依撒伯爾堅持將她的珠寶贈送給窮人，她會擦掉病人臉上的黏液與唾液，用她最好的亞麻面紗為貧民製作裹屍布。

這些行為都預示著，在她丈夫去世之後，她會更加貶低自己的地位。而她唯一的遺憾是這些作為還不夠徹底：「如果有一種更被人輕視的生活方式，那我會選擇它。」[2]當帕維亞姆伯爵敦促依撒伯爾放棄她在馬爾堡（Marburg）①嚴酷且屈辱的生活，和他一起回到她父親的宮廷時，她斷然拒絕。

當然，她繼承了一個悠久的傳統——巴西略、瑪格蓮娜和保利努斯的傳統。圖林根也同樣為她提供了一個榜樣，一位來自皇室的榜樣——在克洛維斯時代曾親自打掃廁所、為乞丐挑出頭蝨的拉德貢德女王（Radegund）②。然而，依撒伯爾有一個更直接的靈感來源：她生活在一個被改革者徹底改變的世界，一個多世紀以來，他們一直努力清洗基督宗教世界的汙穢，擦拭與治療組織中如痲瘋病的瘡口。在依撒伯爾面前的最高榜樣不是聖人，而是一個機構——教會本身。教會和她一樣也躲過了統治者的懷抱，和她一樣也發誓要永保貞潔，和她一樣致力使貧困成為一種理想。「唯一適合傳道的，是那些

① 譯註：馬爾堡是德國中部黑森邦城市，德國最早哥德式教堂聖依撒伯爾教堂所在地。

② 譯註：拉德貢德女王（520-587）是法蘭克國王克洛泰爾一世（Clotaire I）的王后，在普瓦捷建立聖十字修道院，以極端禁慾知名。

沒有世俗財富的人，因為他們一無所有，所以他們反而擁有一切。」[3]這就是在額我略七世時代，協助引起改革運動之巨大震動的戰鬥口號，而當依撒伯爾捐出她所有財富，與搬運工和廚房女傭合流時，這也成為她的戰鬥口號。

然而，她必須小心翼翼行事，所有自願走上貧困之路的人都是如此。幾十年來，改革運動那股灼熱的熔岩流已經席捲之前的一切，並且開始冷卻、硬化。運動的最高成就，也就是在整個基督宗教世界建立起一個單一權威的階級體制，已不再適合革命熱情的灌注。它的領導人已經贏得了過多勝利，以至於無法接受動盪不安的未來，他們現在真正需要的是穩定。為教宗官僚機構服務的文官以及鑽研教會法的學者們，長期以來一直致力於強化教會權威的基礎。他們清楚瞭解壓在他們肩上的重大責任——將基督徒們帶到上帝面前就是他們的任務。「只有一個屬於信眾的天主教會，在它之外，絕無救贖。」[4]這條教規在依撒伯爾的童年時期，西元一二一五年時，於拉特蘭召開的一系列會議當中的第四次會議上被正式宣示。③凡有人違抗這條教規、抗拒支持它的權力結構，不服神職人員對其信眾的神聖特權，就是走上通往地獄之路。

要確保這個教令的實行，就需要聚集一群「來自天下各國」[5]的主教與修道院院長，這卻凸顯了一個棘手的事實：教會的權威並未得到普遍的承認。在額我略七世繼任教宗之後的一個世紀裡，有許多人認為改革運動的潛力仍然有待實現。革命的熱情是不容易平息的。在教會中掌權的改革運動者越是想要穩定基督宗教世界的現況，那些屬於改革運動極端派的人就越會指責他們對運動的背叛。一個重要的模式正在建立：革命孕育了精英，而這些精英又孕育了對革命的要求。

大多數傳教士堅持像耶穌的使徒們一樣生活，共同擁有所有財產，蔑視任何與世俗有關的事物，對教會新模式的抨擊，就如同額我略七世對舊有模式的抨擊一樣。他們赤著腳在鄉間漫步，背著赤裸的鐵十字架，痛斥神職人員沒有實踐他們所宣揚的理想，且因為放縱、驕傲和貪婪而得了痲瘋病。

最激進的活動家則是更加極端。他們不要求進一步的改革，而是對教會的體系感到絕望。這個體系由教宗和主教以鮮血建造而成，已經無法得到任何救贖。它的整個結構皆已腐敗，除了將它推翻，已無他法。主教們害怕這種教義的傳播，因此自然將他們譴責為異端邪說。到了依撒伯爾出生的時候，教宗周圍已經被潮水般的恐慌所淹沒。西

③譯註：西元一二一五年，由教宗英諾森三世召開的大公會議，中世紀時期最大規模宗教會議，英諾森三世推動宗教改革與擴張教宗權力的巔峰，同時宣告由教宗親自領軍的第五次十字軍東征。

元一二一五年，在第四次拉特蘭會議上，他們藉由一項詳細的教規來打擊這種教義的傳播：「每個反對神聖、正統天主教信仰的異端，都將被我們逐出教會並加以詛咒。我們譴責所有異端，無論是以什麼名義出現。」[6]

然而，異端與聖人之間的分界有時非常狹窄。當依撒伯爾夫人還在宮廷生活時，她就曾和女僕們分享成為乞丐的幻想。藉由她們的幫助，她甚至在自己的房間裡穿著破爛不堪的衣服。依撒伯爾並不想讓她的丈夫難堪，讓她冒著誹謗風險的也不只是丈夫的朝臣們。在路易位於瓦特堡的宮廷以外的道路上，有一群傳教士在此處遊蕩，召喚富人照著他們的做法行事，並將所有的財富分給窮人。儘管這些傳教士當中有一些女性，但依撒伯爾知道加入他們並非明智的選擇。成為一名瓦爾登教派（Waldesians）④的信徒，就是冒著被詛咒的風險。他們以富有的里昂商人瓦爾德斯為名，他在一一七三年受到基督教義的啟發而出售了所有財產。然而，他們卻一再被禁止宣揚他們的教義，甚至在向教宗本人提出上訴時，也在法庭外遭到嘲弄。神職人員們經歷艱苦的大學教育，不是為了允許外行人對經文擅自發表高論。「要將智慧的珍珠丟在豬的面前嗎？」[7]

瓦爾登教派信徒並沒有認命地接受這個決定，反而對那些原本想制裁他們的人加以反擊。他們用尖刻的語氣譴責神職人員的驕傲和腐敗，其辛辣甚至會讓多納圖斯教派感到驕傲，且很快就宣示了對於神職階級這個概念的蔑視，他們認為只有基督才是他們的主教。這樣的異端邪說雖然粗鄙、讓人不快，卻讓依撒伯爾明白了一個令人不寒而慄的現象，也就是對教會的違抗可能會發展到什麼程度。瓦爾登信徒們過著她所嚮往的生活方式——共同擁有一切財產、靠施捨維生，而這一切，只是讓他們的存在成為一個更有意義的警示。

不過，瓦爾德斯並非唯一一個以基督之名接納貧窮的商人。來自義大利城市亞西西（*Assisi*）的方濟（Francis）⑤，他曾經是一個花花公子，卻在西元一二〇六年以驚人的姿態放棄世襲財富。他脫下衣服，將衣服交給了父親，「他甚至連內褲都沒有留下，而是在所有旁觀者面前脫光。」[8]當地主教對這樣的行為印象深刻，卻未受震驚。主教溫柔地用自己的斗篷蓋住他的身體，帶著祝福送他走上他的道路。這個插曲就是方濟一生志業的模式。他能從字面上理解基督的教義，將其悖論和複雜性戲劇化，並以令人難忘的

④譯註：約於西元一一七五年由捨棄家財的里昂富商彼得。瓦爾德斯創立，以清貧修行著稱，與當時教會奢華風氣形成強烈對比，其傳播教義被判為異端，是中世紀最受教會正統迫害的教派之一。

⑤譯註：亞西西的方濟（1182-1226）出身富商家庭，因受天啟，與家庭決裂，開始修道、服事窮苦之人，旅行講道，吸引追隨者，成立方濟會（小兄弟會），被認為是動物與自然環境的守護聖人，方濟也成為第二六六任教宗名號。

姿態，將簡樸與深奧加以結合，這樣的才能將會跟隨他一生，永不遠離。他服事痲瘋病人，對著鳥類講道，從屠夫手中救出羔羊。很少人能夠對他的魅力免疫，甚至連教會最高層，也對他的使命感到欽佩。

於一二一五年召開第四次拉特蘭會議的教宗英諾森三世（Innocent III），本身並非一個容易被打動的人，他專橫、勇敢、才華洋溢，且不對任何人讓步。他曾推翻皇帝，驅逐國王。因此，當方濟帶領十二個衣衫襤褸的「兄弟」（或稱「修道士」）首次抵達羅馬時，英諾森三世不出所料地拒絕與他見面。異端的氣息，更不用說對神聖的褻瀆，似乎都太過強烈。然而方濟與瓦爾德斯不同，他從不吝於展現他對教會的尊重以及對教會權威的服從。英諾森三世的疑慮得到緩解。富有想像力且盛氣凌人的他，在方濟與他的追隨者身上看到的並非危險，而是機會。他沒有像從前的教宗對待瓦爾登教派那樣對待他們，而是認可他們為教會的合法組織。「去吧，弟兄們，天主與你們同在，當祂掌權以激勵你們時，向所有人宣講悔改。」[9]

到了西元一二一七年，也就是這個公告發布後不到十年，已經有一個方濟會的傳教士抵達德國。依撒伯爾在成長過程中深受其榜樣的啟發，私下裝扮為乞丐，向方濟致敬。但她對他的教誨的熱情反應，尚有其他更公開的表達。西元一二二五年，她在艾森納赫鎮的瓦爾特堡（Wartburg, Eisenach）旁，為方濟會眾提供了一個基地。三年後，待她丈夫去世，她去到那裡，正式放棄了與世界的所有聯繫。

然而，無論她多麼渴望挨家挨戶乞討，都沒有真的這麼做。依撒伯爾從方濟的榜樣中吸取教訓。她明白，在違抗的情況下擁抱貧困，就是冒著面臨瓦爾德斯命運的風險。除非得到上級的命令，否則不能採取任何屈辱或貶低的姿態。對於一位公主，且是許多僕人的女主人來說，這本身就是一種服從的形式。因此，即使當依撒伯爾還在她丈夫身邊時，就聘用了一位「精神修為的大師」（*magister disciplinae spirituals*）——他也不只是一個普通的大師。「我可以發誓服從一位擁有財產的主教或修道院院長，但我認為，發誓服從一個一無所有且完全依賴乞討的人是更好的。因此，我宣誓服從康拉德大師（Master Conrad）。」[10]

個人生活的簡樸並非康拉德大師最知名的特色。在整個德國，甚至在遙遠的羅馬，他最早被稱作「最嚴厲的惡習批判者」[11]。他出身卑微，口才出眾，不辭勞苦地為教會及其權威辯護。教宗機構中負責發掘人才的人已經注意到他。西元一二一三年，在英諾森的私人授權下，康拉德騎著一頭小騾子走遍德國的道路，從一個村莊到另一個村莊傳教。「無數來自不同省分的男女群眾，都被他的教誨所吸引，並且追隨他。」[12]

到了西元一二二五年，當依撒伯爾邀請康拉德成為她的導師時，他已有多年教導異端分子的經驗。而現在，當一位公主來接受他的管教，他便毫不猶豫地揮舞魔杖。甚至在路易仍然在世的時候，康拉德大師就曾經因為她錯過一次佈道而給予嚴厲的杖刑懲罰，杖打所留下的傷痕過了三週仍然清楚可見。在康拉德的命令之下，伊利莎白放棄了與這個世界的聯繫，前往他的家鄉——圖林根州最東邊的馬爾堡，在那裡建立一家醫院。首先她失去了她的孩子，接著失去了她深愛的僕人，她耐心地忍受康拉德將她擊垮的每一次嘗試。即使在她並未犯下罪行卻還是遭受懲罰時，她也為自己的服從而感到欣喜：「她心甘情願地忍受康拉德大師的反覆鞭打與痛擊，謹記著上主所遭受的毆打。」[13]受苦，是為了獲得救贖。西元一二三一年，年僅二十四歲的依撒伯爾死於苦行之後，康拉德毫不猶豫地將她譽為聖人。就如同金礦被火淨化一樣，她的罪孽也得到了淨化。讓她年輕就過世的嚴厲苦行也將她帶到了天堂，被記載在她墳墓上的眾多奇蹟可以證明：一個在年幼時將豌豆塞進耳朵裡的女人重新恢復了聽力；無數駝背的人得到了治癒。或許從康拉德自己的角度來看，最有說服力的故事是關於一位瓦爾登教派的寡婦，她的醜陋鼻子因為向依撒伯爾夫人求助而得到了美化。這件具有啟發性的事蹟，讓康拉德確定他所有的嚴厲與頑固都有道理。在十六年前的第四次拉特蘭會議上，首度規定每個基督徒每年都要對自己的罪心存懺悔。聖高隆邦的鄭重保證，也就是任何過錯都可以被原諒，已經得到了教會的正式認可。上帝的憐憫是給予每一個人的，唯一需要的只是真誠的悔改。即使是最頑固的異教徒，最終也可能進入天堂。

在依撒伯爾去世後，康拉德再次感受到，開始一場為基督贏回異端的新運動之急迫性。他帶著各種新創的權力開始他的行動。幾十年以來，一個又一個教宗致力於增加可用來打擊異端邪說的律法資源。他們對於過去總是強調慈善勝於迫害的傳統感到不耐，引進一系列不斷升級的懲處措施。過去可以容忍低調行事的異教徒而選擇默不作聲的主教們，在西元一一八四年卻被指示必須主動揪出這些異教徒。接著在西元一二一五年，英諾森三世所主持的拉特蘭會議上，明確針對制裁異端，為教會提供了一套完整的迫害機制。

到了西元一二三一年，甚至出現了全新的改進。新教宗額我略九世（Gregory IX）不只授權康拉德宣揚反對異端邪說，並且親身投入找出異端的工作，也就是「宗教裁判所」⑥的誕生。審判異教徒不再是主教本人的責任，而是被特別任命執行這項任務的神職人員

⑥ 譯註：「宗教裁判所」（*inquisitio*）是教宗額我略九世於西元一二三一年於道明會設立，取代各地主教，專責偵查、審判、裁決異端的法庭機構，廣泛成立於德國、法國、義大利各地，鞏固教會權威，但也在天主教發展歷史上，留下迫害異議的汙名。

的責任。儘管身為一名神職人員，康拉德本人無法「下令或宣布涉及流血的判決」[14]，但額我略九世卻授權他逼迫世俗當局做出這樣的判決。以前從未有任何一個運動分子曾被授予對抗異端的權力，然而現在，當康拉德騎著騾子從一個村莊到另一個村莊，召集當地人回答有關信仰的審問時，他不再是一名傳教士，而是一位全新類型的官員——「宗教裁判官」（*inquisitor*）。

「在所有事情上，他都致力於擊垮她的意志，以確保她所服從的價值能越來越多。」[15]康拉德以此證明他對依撒伯爾之處置的合理。現在，當整個德國都受他的教導，他更不能有所軟化。最真實的善意就是殘忍，最真實的憐憫就是嚴厲。在康拉德面前的那群異教徒並不容易從詛咒中解脫，只有火焰才能將他們燻出來。火堆必須被點燃，就彷彿從未被點燃過一樣。直到那時，燒死異教徒還是一種罕見的權宜手段，只是勉強被接受，現在卻成為康拉德的宗教裁判所的獨特標記。在萊茵河沿岸的城鎮和村莊，空氣中總瀰漫著焦黑肉體的惡臭。「在德國各地遭到焚燒的異教徒，人數之眾多無法細數。」[16]

毫不意外，康拉德的批評者們指責他為殺人狂，並且相信對他的每一項指控都是真的：倉促的法律程序，以及將無辜者送入火海。然而，沒有人是「無辜」的。所有人都倒下了。與其遭受永恆的詛咒，不如像基督那樣受苦，在公開處決的地方因他沒有犯下的罪行受到折磨。與其被永遠地燃燒，不如忍受短暫的痛苦。

淨化世界的罪惡、治癒其痲瘋病症的渴望，在康拉德大師的手上，變成殺戮的欲望，卻更讓它具有同樣的革命性。額我略七世曾在卡諾薩堡的大門前，以其對世俗的疑慮，使一位受膏國王感到謙卑，而康拉德也有同樣的疑慮。作為依撒伯爾的導師，他禁止她吃任何「不能讓她問心無愧」的食物。在她丈夫的餐桌上，任何可能來自剝削農民而得，或作為供品或稅收的食物，她都恭謹地拒絕。「因此，她經常承受巨大的貧困，只吃塗有蜂蜜的麵包卷。」[17]

依撒伯爾夫人曾是一位聖人，但她的同輩們則不是。在西元一二三三年夏天，康拉德勇敢指控他們之中的賽因伯爵為異端。匆忙召集而來的主教們，在德國國王在場的情況下將此案駁回。康拉德毫不退縮，開始準備對更多貴族提出指控。同年七月三十日，當他從萊茵河返回馬爾堡時，遭到一群騎士突擊殺害。他去世的消息在整個德國引起歡呼，然而在拉特蘭，人們卻感到憤慨。康拉德被安葬於馬爾堡，與依撒伯爾夫人並排，額我略九世用沉重的語氣哀悼他。教宗警告，這些兇手是黑暗力量崛起的預兆，整個天地都將為他們的罪行而戰慄不安，而他們的守護者就像地獄一般，簡直就是魔鬼本人。

偉大而神聖的戰役

當神職人員思索著異端思想神祕的崛起時，他們往往會在其陰暗的輪廓中瞥見一些更加令人不安的跡象，因為這些跡象並非全然陌生。當康拉德審問瓦爾登派教徒時，他並不認為他面對的是一個人數不多、突然發跡的教派，相反地，他在其中辨識出一些更具威脅性的徵兆。因此他相信，他們屬於一個幾乎如教會鏡像般的機構：其組織階級分明，其主張具有普世性。康拉德在寫給額我略九世的信中警告說：異端的真正忠誠歸屬於魔鬼，「他們聲稱魔鬼是天體的創造者，當天主失去權勢時，魔鬼將最終回歸榮耀。」[18]異端的邪教儀式戲謔地模仿著教會的儀式，加入撒但追隨者的行列，就彷彿吸吮一隻巨型蟾蜍的舌頭。對基督的信仰，被死人冰冷的親吻所驅逐。在聖餐儀式中，信徒們會舔舐一隻和狗一樣大的黑貓的肛門，接著全體會眾一起稱頌撒但為天主。

額我略九世讀完這份聳人聽聞的報告之後，採取了前所未見的措施：他給這份報告完全的認可。類似的故事早有流傳，卻從未得到教宗的認可。基督宗教的學者們向來將崇拜魔鬼的言論譴責為迷信且愚蠢的行為，任何有良知或受過教育的人都不會認真看待。它製造了太多的異教思想，只有容易上當的農民以及害怕自己影子的見習修士，才會懼怕惡魔潛行大地、攻擊信徒、舉辦聚會。對於這種無稽之談的信念，本身就是魔鬼的傑作，而這就是格拉提安與其他教規律法師的嚴謹認定：「有誰不是在夢境和夜間異象中脫離自我，在睡眠中看到許多清醒時從未見過的？」[19]

然而這樣振奮人心的質疑，並不能為有識者排除掉對惡魔啟發之陰謀的恐懼。在康拉德擔任神職之前的數十年裡，瓦爾登派信徒們並不是萊茵蘭地區唯一被認定屬於有害教派的異端分子。西元一一六三年，六名男子與兩名女子在科隆被燒死，因為他們屬於一個名為「卡特里」（*Cathari*，意為「純潔者」）的不知名團體。接著，越來越多這個教派的人被處決，儘管這團體的人數從來沒有很多。他們的信仰的確切性質仍然模糊不清。

有些人如康拉德一樣，將他們認定為惡魔崇拜者，並且認為他們的教派名稱來自於一隻貓，一隻據傳撒但信徒會親吻牠的肛門的貓。有些人將他們與瓦爾登教派混淆，有些人則將他們和其他同樣神祕的異端團體混為一談：「有些人將他們稱為『帕塔里尼分子』（Patarenes），有些人將他們稱為『收稅者』（Publicans），其他人則以其他名字稱呼他們。」[20]只有熟知教會歷史的學者才會知道什麼是真正的卡特里教派（*Cathars*）——在君士坦丁時代，在尼西亞大公會議的正典中，被單獨挑出且不屑一顧的分裂派。現在，經過了將近一千年，他們突然出現在萊茵蘭地區，只是強調了異端如何危險以及尚未滅絕。它將永遠存在於陰影之中，持續帶來危險，且足以跨越時空永存。

被神經緊繃的教會官員認定為卡特里教派的基督徒們，他們其中多數卻未曾將自己視為異端，也不認為自己屬於卡特里教派。正如同對魔鬼崇拜的恐懼是來自未受教育者的奇異幻想，他們對於異端從墳墓中復活的恐懼，一樣是得自學術研究的滋養。在教廷的官僚體制裡擔任幕僚，為天主教會的龐大組織提供官員、律法師和教師的神職人員們，太容易忘記自己身為創新者的身分。批評他們背叛改革運動的激進分子們的力量，被仍然對改革運動的主張一無所知的大批基督徒所抵銷。遠離大教堂和大學，古老的敬拜習慣很難改掉。特別是在整個基督宗教世界裡，在那些幾乎沒有中央權威存在，國王和主教的命令都力量薄弱的區域中，尤其如此。在巴黎或波隆那接受教育的神職人員如果冒險走到人跡罕至的地方，很可能會發現自己身旁的人群對於改革運動毫不在乎，並且藐視那些因改革而得以掌權的人。給這些可悲的人貼上「卡特里派」的標籤，顯然是忽視了他們的真實樣貌：他們其實是被當代的新正統所拋棄不顧的基督徒。

由此產生的緊張局勢在法國南部最為明顯。這裡的在地忠誠度不僅高，而且歧異，而巴黎確實讓人感覺離他們很遠。西元一一七九年，教宗召集的一個委員會指定「阿爾比（Albi）和圖盧茲（Toulouse）周圍的土地」[21]為特別有害、異端思想的滋生地。造訪該地的教宗使節發現那裡有一群易怒、好爭論的人，他們對改革運動的許多創始理念都深感不滿，包括：教會宣稱其跨國界、跨階層體制所擁有的權威；教會對服從、尊重，以及什一奉獻的要求；堅持神職人員與他們所服事的人之間，存在著不可逾越的鴻溝。

在那些被教宗代表輕蔑地稱作「阿爾比派教徒」（Albigensians）的人當中，施行聖禮的權威並不被視為神職人員的特權，任何人都可以聲稱自己擁有這樣的權威。在阿爾比和圖盧茲周圍的田野裡，農民可能比主教還要受尊重。一個被視為禮貌和自我約束榜樣的鰥夫，一個將自己與世界隔絕的主婦，這些人被尊稱為「*boni homines*」，意指「好男人」、「好女人」。最神聖的人被認為接近基督本人的完美，而能成為「上帝的朋友」。他們如此謙遜的姿態、如此平常的態度，無一不充滿著神聖感。在深植於當地土壤裡的概念中，屬於「善人」（good men）的基督宗教才應該將改革運動視為異端，那是屬於「狼吞虎嚥者、偽君子以及誘惑者」的東西。[22]

西元一一六五年，在阿爾比以南十英里處的一座村莊廣場上，在一大群貴族和教士面前，當地主教與他的對手正面交鋒。善人們在當天所透露的關於他們信仰的許多內容，讓聚集的神職人員們深感震驚。他們直言不諱地宣稱舊約聖經毫無價值。他們宣稱「任何善人，無論是神職人員或普通人」都可以主持聖餐儀式，堅持他們對神父沒有「聽從的義務，因為後者是邪惡的，不是好老師，而是受僱的僕人」[23]。儘管如此，他們所相信的許多東西都是完全正統的：「我們信仰唯一的上帝，祂鮮活而真實，聖父、聖子與聖靈三位一體。」[24]基督成為肉身，祂受苦、死去、被埋葬，而在第三天，祂復活並且升天。這也是主教們所信奉的信條。然而這並沒有讓主教們安心，反而只是在他們最深沉的恐懼中證實了：異端邪說是一場瘟疫，使那些甚至可能沒有意識到自己已被感染的人腐爛。瘟疫不受控制，勢必會蔓延開來。

「對膏藥治療沒有反應的傷口，應該用刀切除。」[25]到了西元一二〇七年十一月，當英諾森三世宣布這項如醫學用語般的嚴肅裁決時，對於異端可能毒害所有基督徒的恐懼已經達到狂熱的程度。英諾森三世憑藉能力和運氣的結合，擁有額我略七世夢寐以求卻不可得的權威。他渴望能左右世界的命運，也似乎比之前的教宗都更有可能做到。然而，他的權力範圍對他卻只像是個嘲弄。他環顧東西，痛苦地意識到上帝託付給他的使命是如此可畏，並且憂心基督徒的命運在所有地方都正在走向衰退。聖地耶路撒冷已被撒拉遜人奪走，由法國和英國國王所領導收復聖地的行動也已失敗。西元一二〇二年，英諾森三世本人召喚的第二次遠征行動卻被轉向君士坦丁堡，西元一二〇四年，攻進同時洗劫了這座城市。⑦一個長久以來抗拒異教軍閥覬覦的堡壘，終於在基督教軍隊的手下崩潰。這座城市的征服者指控其住民反抗教宗權威，以合理化他們對這座城市的衝擊：因為自從額我略七世的時代，羅馬與君士坦丁堡的教會就一直被不斷擴大的分化所撕裂。

英諾森三世對基督宗教世界的堡壘被掠奪也感到震驚，並且將君士坦丁堡的陷落視為地獄力量的傑作。與此同時，在西班牙，基督教軍隊幾個世紀以來持續進逼安達盧斯（Al-Andalus）邊境的行動，卻戛然而止。在西元一一九五年，一次特別災難性的挫敗——整支野戰軍隊被殲滅，三名主教喪生——讓當時的穆斯林將軍吹噓他將攻陷羅馬。對英諾森三世而言，上帝感到憤怒的原因是顯而易見的：在異端蔓延的情況下，不可能收復耶路撒冷。儘管撒拉遜人非常邪惡，但他們也不如異端那樣邪惡。西元一二〇八年一月，羅馬教宗使節在羅納河岸被謀殺，一舉確定了英諾森三世的使命。他的職責相當明確：他不能冒著讓阿爾比派教徒汙染所有基督徒的危險，除了一劍斬斷他們的異端思想，沒有其他辦法。

⑦譯註：第四次十字軍東征（1202-1204）是由羅馬教宗英諾森三世召集發起，原為從穆斯林手中奪回聖城耶路撒冷，之後因各種政治與商業因素而轉向對君士坦丁堡的掠奪行動。

早在西元一〇九五年，當烏爾班二世召集基督宗教世界的戰士前往聖地時，他指示他們配戴十字架來作為誓言的象徵。而現在，到了一二〇九年七月，當一支自烏爾班時代以來便無人能及的騎士大軍在里昂集結時，他們也同樣是十字軍（*crucesignati*）：意指以十字架為他們的象徵。十字架標誌著他們身為朝聖者的身分，就如同他們的救世主一樣，他們對人類的愛如此炙熱，讓他們已準備好為了將人類從地獄中救贖，而願意犧牲自己的生命。一位傳教士提醒他們：「以軟線固定在你外套上的十字架，曾經用鐵釘固定在基督的肉體上。」[26]

即使是那些沿著羅納河緩慢前進，然後沿著河岸前往貝濟耶鎮（Beziers）的人，也能從入侵者身上看出一種對基督受難的強大認同感。他們稱這場運動為「十字軍東征」⑧。儘管這個詞彙可以追溯到烏爾班二世所發起的偉大遠征，但是針對阿爾比教派而發起的十字軍東征則是基督徒以前從未經歷過的戰事。它不像查理大帝對撒克遜人發起的行動，並非一場擴張領土的行動，也不像為瞭解放耶路撒冷的十字軍東征那樣，以武裝朝聖達到超然聖潔的目標。這場東征的目標是為了根除危險的信仰，因為只有鮮血才能清洗基督宗教世界中，因為異端邪說而帶來的汙染。

這些戰士攻入貝濟耶鎮後，其中有些人擔憂如何區分基督徒與異端。他們詢問教宗使節：「主啊，我們該怎麼辦？」教宗使節直截了當回答：「將他們殺光。上帝自有祂的主見。」[27]無論實情如何，這件事情之後是這樣被傳述的。這個故事有力地描述了讓十字軍戰士們的心智蒙上陰影的異樣恐懼。異端乍看之下可能像是虔誠的基督徒，就像病人可能會被誤判為健康的人，病菌感染可能無法被確實診斷出來，這一切也是讓十字軍堅定決心的原因。如果不徹底清除瘟疫的肆虐，就可能成為受害者的風險讓他們不寒而慄。無情而徹底的貝濟耶屠殺，為此開了先例。即使是那些躲在教堂裡的人，也淪亡於十字軍的刀劍之下，鮮血染紅河川，大火燒死倖存者，並且使大教堂熔化坍塌成廢墟，大屠殺終於完成。英諾森的使節向羅馬回報：「神聖的復仇，不可思議地肆虐著。」[28]

貝濟耶鎮在短短一個下午的時間裡就遺骸遍布。這個事件所預示的屠殺和毀滅的循環，將持續長達二十年之久。直到西元一二二九年，英諾森三世去世，額我略九世成為教宗，在巴黎簽署的條約才終於結束了這場屠殺。這場戰爭早已超出羅馬教宗的權力所能掌控，恐怖成為日常。各地方的衛戍駐軍被刺瞎，囚犯被肢解，婦女被丟入井底。

⑧譯註：阿爾比十字軍（Albigensian Crusade）亦稱卡特里派十字軍（Cathar Crusade, 1209-1229），由教宗英諾森三世為剷除卡特里教派（阿爾比教派）勢力而發起的軍事征伐，是卡特里教派衰微的關鍵。

如果沒有英諾森三世堅定不移的使命感，十字軍運動就永遠不會被發起，但他也曾在為基督贏得勝利的欣喜，和為此付出代價的痛苦之間擺盪不定，但十字軍本身則沒有這麼多疑慮。儘管在整個戰事中，教會的目標一直是讓異教徒皈依教會，但十字軍領導人卻從未對以死亡來懲罰頑逆抗拒的做法感到懊悔。西元一二一一年，在攻佔卡賽斯城堡（Casses）之後，主教們向城裡的善人們佈道，敦促他們改正錯誤，卻沒有任何成效。主教們的努力以失敗告終，「由於他們不能像異教徒那樣皈依，因此朝聖者將他們全部抓了起來，燒死他們。朝聖者以最大的喜悅完成這件事。」[29]

當額我略九世將他的任務託付給馬爾堡的康拉德以及其他審判官，他確定迫害會有成效。英諾森三世對基督宗教世界的病體所進行的手術顯然是成功的。基督宗教的敵人於各地都在撤退當中。在西班牙，橫跨伊比利半島南部的莫雷納山脈下方，上帝的恩惠讓基督徒軍隊取得了決定性的勝利。西元一二一二年夏天，撒拉遜人在拉斯納瓦斯．德．托洛薩會戰⑨所遭遇的挫敗，使他們暴露於致命的危險。二十年後，他們最偉大的城市——塞維利的亞科爾多瓦（Cordoba, Seville）也正瀕臨被卡斯提爾國王（king of Castile）佔領的邊緣。

與此同時，在阿爾比教派的中心地帶，那些在十字軍的毀滅攻擊下倖存下來的善人卻成了逃亡者，潛伏在森林與牛棚當中，而從前在村莊廣場上對主教大聲喊叫的日子，已經一去不復返。對於額我略和其他許多人而言，明顯可見一個巨大的陰謀已被擊潰。據傳撒拉遜人在拉斯納瓦斯．德．托洛薩會戰的敗戰之前，就已經在密謀前往營救阿爾比派教徒。而阿爾比派教徒自己，其中的善人已被擊垮，他們曾經有的形象已經被永久扭曲，因此愈加被視為整個異端教會的代表。據說這個教會自古就已經存在，源自保加利亞，跨越了整個世界。瞭解古代異端學說的學者們，將其最終的起源回溯到波斯王國的一位先知。「他們跟隨著他，相信生命來自於兩種起源：一種是善良的神，以及一種是邪惡的神，換句話說，就是惡魔。」30

這就是十字軍勝利的衡量標準：遠從無法想像的大流士時代被召喚出來的鬼魂，會比那些善良男女的靈魂，更清楚地展現在基督徒的想像當中。阿爾比教派屬於一個信仰善惡對立原則的古老教會，一個後來會被稱為「卡特里」的教會，這樣的幻想會被證明是特別生動的，然而這終究只是一種幻想。額我略九世對撒但陰謀信仰加以懲罰的意

⑨譯註：拉斯納瓦斯．德．托洛薩會戰（Las Navas de Tolosa）發生於西元一二一二年六月十六日，是西歐伊比利亞半島北部天主教各國，逐步戰勝南部穆斯林摩爾人政權的「收復失地運動」的重要轉折，由卡斯提爾國王阿方索八世領軍的基督宗教聯盟，擊潰北非穆瓦希德王朝軍隊，伊比利半島上的穆斯林勢力自此走向衰退。

願，是由阿爾比派十字軍行動中逝者的鮮血所培養起來的。這場屠殺證明了，即使將患病的肢體從基督宗教的軀體截除，要區分腐敗與與團結、黑暗與光明、異教徒與基督宗教，仍然是如此困難的事。

對那些受上帝之託保護祂的子民的人，這種認知可能代表著什麼意義的恐懼，不會太快消失不見。

永遠的猶太人

就在拉斯納瓦斯・德・托洛薩會戰的偉大勝利之前不久，另一支準備在葡萄牙海岸與撒拉遜人作戰的基督教軍隊，在他們的先鋒隊當中看見天使騎兵部隊：「他們身穿白衣，在外衣上戴著紅色十字架。」[31]將西班牙視為善與惡之間、天堂與地獄之間的大戰場的想法，在基督宗教世界有著悠久的歷史。改革運動（*reformatio*）的領導人們，長期以來都對重新征服被薩拉遜人奪走的土地有著狂熱的興趣，一直持續關注，而這也確實有助於克魯尼的建設。這裡的修道院教堂是世界上最大的教堂，其建設費用是由來自安達盧斯的戰利品所支付。

西元一一四二年，偉大的修道院院長彼得（Peter the Venerable）越過庇里牛斯山脈以更深入瞭解薩拉遜人的真實信仰。他與精通阿拉伯語的學者們會面，並且交給他們一項重大的任務：首次將《古蘭經》翻譯為拉丁文版本。「說服勝於強迫」一直都是彼得的座右銘。果然，當翻譯出爐，他直接對薩拉遜人說：「不要像我們的人經常做的那樣，使用武力，而是使用言語；不以暴力，而以理性；不以仇恨，而是以愛。」[32]但這種撫慰人心的情操，並沒有讓彼得不對《古蘭經》的內容感到徹底的震驚：「沒有任何其他可以想像的事物，要比這些由猶太寓言和異端教師所調製而成的異端邪說，要更加怪誕可怖。」[33]甚至書中的天堂願景也混雜了性的狂亂。這不是建設克魯尼。彼得翻譯《古蘭經》並不是造橋，而只是證實了基督徒對其內容最暗黑的疑慮：伊斯蘭教是所有異端的集大成，而穆罕默德則是「最汙穢之人」[34]。

《古蘭經》並非從薩拉遜圖書館被掠奪的唯一一本書。西元一〇八五年，西哥德王國的古都，著名的學術中心托萊多（Toledo）被西班牙最偉大的卡斯提爾國王攻佔。短短幾十年裡，這座城市的大主教召集了一個龐大的翻譯團隊，包括穆斯林、猶太人，以及來自克魯尼的修道士。有許多工作等著他們完成。除了穆斯林與猶太學者的著作之外，托萊多還擁有大量的古希臘經典，出自於古代數學家、醫生，以及哲學家。這些經典雖然一直都有阿拉伯語譯本，在西方拉丁世界卻已經失傳幾個世紀。有一位作者特別讓基督徒著迷，阿伯拉德在西元一一二〇年之前不久曾悲嘆道：「只有亞里斯多德的兩本書仍然為拉丁人所知。」[35]不到十年，他的悲嘆就過時了。

亞柯波（Iacopo）是一位長期居住在君士坦丁堡的威尼斯神職人員，他開始進行的一項驚人工作，使得他在一一四七年去世之前，就已經可以看到亞里斯多德的各種著作直接從希臘語翻譯的譯本。[⑩]托萊多學派的努力，很快地就為這個翻譯而來的潮流注入了更多水流。到了西元一二〇〇年，幾乎所有已知為亞里斯多德的著作都已經有了拉丁文的版本。堅信上帝創造天地遵循一定規則，並且認為理性可以幫助凡人理解這些規則的大學教師們，熱切且感寬慰地投入了古代最著名哲學家的著作當中。像亞里斯多德這樣的權威得以再次發聲，讓他們對宇宙運作邏輯的探究，可以奠定在比過去更嚴謹的立足點上。特別是巴黎，迅速成為亞里斯多德研究發展的溫床。這些進行研究的學府所帶來的振奮之情，吸引了來自整個基督宗教世界各地的學子們，其中包括兩位未來的教宗：英諾森三世和額我略九世。

然而，一位生長在耶穌時代之前許久的智者，本身又不熟悉經籍，其著作的復活既是機會，也會是挑戰。他教導內容的許多部分，例如物種的固定性，或者太陽、月亮和星星恆久圍繞地球轉動，可以被輕易融入基督宗教教義的脈絡中，但其他部分就比較有問題了。宇宙是理性且有秩序的概念，相當吸引自然哲學家，這讓教會中的許多人感到不安。亞里斯多德堅定否認宇宙是被創造的，而認為宇宙始終存在，且永遠都會繼續存在，這與基督宗教聖經之間有明顯的矛盾衝突。當十字軍正努力清除法國南部的異端邪說時，怎麼可能允許王國首都的學生們學習如此有害的主張？西元一二一〇年，當人們發現有一些異端分子因為研究了亞里斯多德的學說，而相信死後的生命並不存在，這更加劇了巴黎地區的焦慮氛圍。城市主教對此的反應相當迅速：十名異端分子被活活燒死，對亞里斯多德的各種評論也被焚毀，而亞里斯多德親著的自然哲學著作則被正式禁止。「在巴黎，無論是公開或者私下，都不得閱讀。」[36]

但這項禁令未能維持。西元一二三一年，額我略九世頒佈一項法令，保證大學能有效獨立於主教的干涉，到了西元一二五五年，亞里斯多德的所有著作都回歸到大學課程當中。事實證明，最有資格學習這些文本的人，不是異教徒，而是宗教裁判官。以上帝明白自己作為的理由，將整個城鎮消滅的時代已經結束了，現在，剷除異端的責任已經

---

⑩他也有可能就是住在威尼斯的希臘人。他對自己的稱呼——*Iacobus Veneticus Graecus*——曖昧模糊。

落在教士身上。西元一二一六年依據教宗敕令而建立的一個修會就是領頭人，為教會帶來了知識分子的衝擊力量。

修會是由一位名叫道明（Dominic）⑪的西班牙人所創始的，並且前往了「善人」的所在之處，以他自己的苦行與他們抗衡，並且在辯論中激怒他們。西元一二〇七年，也就是貝濟耶滅亡的兩年前，他在這座城市的北邊遇到一位善人，並且與他公開辯論一個多星期。對於在強勢傳教的傳統中接受教育的修士來說，亞里斯多德是天賜寶物。道明會的義務是質疑、調查，以及評估各種證據，那有誰能比歷史上最著名的哲學家更適合成為這種做法的典範呢？亞里斯多德並沒有幫助教會的敵人，而是成功地被召來保衛教會。透過大學的制度化以及教宗的許可，他的哲學研究對基督宗教學者來說，變得更加安全。如果這樣的趨勢有助於偵查異端的標準，那它也同樣有益於探討宇宙的運作。理解這些著作就是裡解上帝的典章。

要將亞里斯多德哲學與基督宗教教義加以整合，並非易事。許多人為此做出貢獻，而最重要的是一位道明會修士，來自羅馬南部小鎮阿基諾的多瑪斯．阿奎那（Thomas Aquinas）⑫。他從西元一二六五年開始，到一二七四年去世之間的時間裡所撰寫的這本書，是一本關於「與基督宗教相關事物」[37]的綱要，是有史以來結合信仰與哲學的最全面嘗試。在阿奎那將死之際，他認為自己的努力失敗了，在上帝光芒四射的未可知面前，他所寫的一切都不過是一紙空文；在他去世兩年之後，他的各種主張都遭到巴黎主教的譴責。

然而沒過多久，他的巨大成就獲得認可與感激。西元一三二三年，當教宗為他封聖時，他的名譽就得到確認了。最終的結果是，啟示與理性確實可能共存的信念，被奉為天主教神學的基石。在巴黎當局禁止亞里斯多德的自然哲學著作之後，經過了一個世紀，已經沒有人會擔憂研究這些著作可能帶來的異端風險。他們所開拓的思考層面，包括時間、空間以及星辰不變的秩序，已被視為和聖經本身一樣，都是基督宗教信仰的一部分。

對那些在他去世後幾十年裡讀過其著作的人而言，阿奎那就像是來自天堂榮光的聲

⑪譯註：聖道明（1170-1221）又譯多米尼克，西班牙神父，為傳揚正統教義、對抗異端，曾隨阿爾比十字軍征討卡特里教派，一二一六年獲教宗准許成立道明會（又譯多米尼克修會），是第一個以傳道為宗旨的修會，一二三四年封聖。

⑫譯註：多瑪斯．阿奎那（1225-1274）是天主教經院哲學家與神學家，自然神學最早提倡者，著作《神學大全》是基督宗教神學思想研究的重要基礎，於西元一三二三年封聖，西元一八八〇年受封為天主教教育機構的主保聖人。

音。對長期害怕異端的基督徒們，他提供了雙重保證：教會的教義就是真理，即使在看似可能對它形成威脅的層面，真理之光也得以顯現。在阿奎那的偉大著作中，亞里斯多德並不是他唯一引用的哲學家，還有其他異教徒，甚至還有撒拉遜人和猶太人。他願意承認這些人的權威，並不表示他在文化層面的畏縮，相反地，是證明了無論在任何地方尋得的智慧，都屬於基督宗教。理性是上帝賜予的禮物，每個人都擁有它。十誡並非一個處方，而是提醒世人他們已知的事物，而這些都體現在宇宙的結構當中。上帝對祂所創造之物的愛是一個圓的中心，圓周上的所有部分都與它處於平等的關係。「一切都被塑造得如此有序，在思想與空間當中運轉，因此思考它的和諧，就是領略上帝。」[38]

然而，這樣的崇高理念也有其陰暗之處。如果所有永恆之事都屬於基督宗教，那麼那些堅持異端邪說、頑固且愚蠢的人們只會更加可惡。對阿爾比派教徒的屠殺開啟了一個難以遺忘的先例。儘管道明會修士們對擔任宗教裁判官的工作已經非常審慎，並且費盡心思將亞里斯多德的法則應用於辨識異端的工作，但他們仍無法避免對大規模滅絕的幻想。西元一二七四年，當阿奎那確信他一生的努力皆為徒勞，他的前修會領袖亨伯特（Humbert de Romans）在里昂的一次會議上，敦促十字軍從查理．馬特身上汲取靈感：「他殺死了三十七萬名反對他的人，而他自己的人馬幾乎毫無損失。」[39]無論是撒拉遜人、異端或異教徒，只要他們對基督宗教世界造成威脅，都將被視為可以合法根除的目標。

但他們對基督宗教敵人當中最堅決的那群人，卻不會有大規模的屠殺行動。亨伯特在里昂議會當中提醒大家，猶太人不會被根除。根據預言，末日到來時，猶太人們將會受洗，而在此之前，他們的命運是為基督徒服務，作為實踐神聖正義的活見證。如英諾森三世所說：「雖然，猶太人的背信棄義，從各方面來看都應該受到譴責，但也因為透過他們，我們信仰的真實性得以證實，因此他們不應受到信徒的嚴厲壓迫。」[40]

只是，這是一種毫無感情、甚至帶有嘲弄的好意。即使這是建立在猶太人與撒拉遜人有所不同的信念上——也就是相信猶太人不會對基督宗教世界構成威脅，他們的不合時宜也被視為理所當然：他們所有的法律、習俗和學識都已被取代，被丟在塵土當中枯萎。然而在實際上，猶太人並不像教會當局自以為的那麼落伍。與瓦爾登信徒不同，他們有一定程度的博學，足以使多數基督徒感到羞恥。阿奎那並非唯一欣賞他們學術成就的人，甚至教宗本人的私人事務也長期交給猶太行政人員管理。正如阿伯拉德的一名學生坦率承認的那樣：「一個猶太人無論有多麼貧窮，假若他有十個兒子，他會讓他們全部都受教育，且不像基督徒那樣是為了利益，而是為了理解上帝的律法，並且不僅是他的兒子，更包括他的女兒。」[41]

因此，宗教改革運動不僅會讓競爭者感到不耐，也會帶給猶太人許多痛苦，就不讓人意外了。宗教改革運動所宣揚的理想目標——一個已將腐敗清除的基督宗教世界，一個籠罩在光明之中的教會——在歐洲各地的城鎮和村莊裡，激發了許多基督徒對猶太人不斷上升的敵意。早在康拉德寫信給額我略九世，警告教宗注意異教徒和惡魔的勾結之前，猶太人就已經被指責為惡魔的化身。他們是巫師，他們是褻瀆者，他們是教會的敵人，只要有機會，他們就會用唾液、精液與糞便汙染聖餐中使用的聖器。其中最黑暗的指控是稱他們為殺人凶手。西元一一四四年，在英國諾里奇城（Norwich）外的一片樹林中發現了一個小男孩的屍體。這讓一位渴望在當地找到殉道者的神父編造了一系列駭人聽聞的指控：這個男孩被當地的猶太人綁架，受到了像基督所受一樣的折磨，被當成了祭品。

在流傳的過程中，這個故事雖然被大打折扣，卻沒有完全失去可信度，於是它就像瘟疫一樣開始蔓延。隨著時間的推移，不僅再出現類似故事，更增加了有如地獄般的可怕細節：猶太人在對聖餐儀式的怪誕模仿中，會習慣性地將兒童的血混入他們的儀式麵包裡。這樣的說法雖然先被帝國所召集的委員會譴責為誹謗，教宗也在西元一二五三年做出同樣的譴責，卻無法阻止它的傳播。兩年後，同樣在英國，發生了另一次對猶太人聲譽的致命打擊。在林肯鎮的一個井底，所發現一個名叫修（Hugh）的小男孩屍體，導致國王親自下令逮捕九十名猶太人，其中十八人被絞死。這位死去的小男孩被埋葬在林肯大教堂裡，被當地人視為殉道者。教宗雖然直接拒絕他的封聖，卻沒有辦法阻止越來越多人對小聖人修的崇拜。

「我們被限制和壓迫，」阿伯拉德如此想像著一個猶太人的悲嘆：「就好像整個世界都在密謀反對我們。我們被允許活著，就已經像是一個奇蹟了。」一個世紀過去，很少有基督徒願意效仿阿伯拉德的榜樣，站在猶太人的立場思考。前所未見地，教會為各種民族和背景的人民提供救贖的雄心壯志已經變成一種武器，用來對付所有拒絕此一提議的人。猶太人聲稱擁有聖經的偉大遺產，其熱情不亞於聖經本身，而他們對學術的奉獻，長期以來都被基督徒視為對他們不斷的羞辱，更是一個比阿爾比教派的善人還要可怕的對手。

然而，面對這樣的威脅，教會不需要出動十字軍。阿奎那時代的神職人員比以往任何時候都更有信心，可以將猶太人安置在他們的位置上。隨著神學在歐洲各大學中被譽為科學之母，並且有教宗特別授權的修道士來捍衛和宣講信仰，基督徒因此以更加蔑視的態度來看待猶太人的自命不凡。當越來越多人提到他們與猶太人共同繼承的經籍時，他們不再使用複數形態的 *bibila*，而是使用單數型態將它稱為「聖經」（the Bible），或許就體現了這一點。在其他方面也是如此，任何暗示猶太人可能曾與基督徒共享團契的說法，都遭到系統性的抹除。

在第四次拉特蘭會議上的宣示，規定猶太人不再可以和他們周遭的人們一樣穿著，取而代之的規定卻是：「在任何時候，都必須藉由他們的服裝特色，在公眾場合與其他民族區分開來。」[42]基督宗教藝術家有史以來第一次，開始將猶太男人描繪成與眾不同的樣貌：厚嘴唇、鉤狀鼻，並且彎著腰。西元一二六七年，教會議會訂出法令，正式禁止猶太人與基督徒之間的性關係；到了西元一二七五年，德國的一個方濟會起草了一條法條，將這樣的關係定為死罪。西元一二九〇年，英格蘭國王將這種惡毒趨勢的邏輯推到極致，得到最終的結論：他命令所有猶太人永遠離開他的王國。西元一三〇六年，法國國王也採行了同樣的政策。⑬

一個宣稱自己具有普世性的教會，對於拒絕它的人，除了迫害，似乎沒有任何回應。

⑬在整個十四世紀期間，猶太人時而被召回，時而被無視，終於在西元一三九四年被永遠趕出法國。

註釋

前言

1. Horace. *Satires* 1.8.8.
2. Ibid. *Epodes* 5.100.
3. Tacitus. *Annals* 15.60.
4. Seneca. *On Anger* 1.2.2.
5. Tacitus. *Annals* 14.44.
6. Seneca. *On Consolation, to Marcia*.
7. See Cicero. *Against Verres* 2.5.168 and 169.
8. Varro. Fragment 265.
9. Mark. 15.22.
10. Vermes, p. 181.
11. Josephus. *Jewish War* 7.202.
12. 〈腓立比書〉第2章第9–10節。
13. Pindar. *Nemean Odes* 3.22.
14. Varro. Fragment 20.
15. Justin Martyr. *Dialogue with Trypho* 131.
16. Anselm. 'Prayer to Christ', lines 79–84.
17. Eadmer. *Life of Saint Anselm* 23.
18. Fulton, p. 144.
19. Eadmer. *Life of Saint Anselm* 22.
20. 〈馬太福音〉第20章第16節。
21. 同上，第16章第19節。
22. Boyarin (1994), p. 9.
23. 〈詩篇〉第9篇第5節，Rana Mitter引用於《Forgotten Ally: China's World War II, 1937–1945》（London, 2013），頁362。
24. http://www.abc.net.au/radionational/programs/religionreport/ the-god-delusion-and-alister-e-mcgrath/3213912
25. Gibbon. *The Decline and Fall of the Roman Empire* 3, ch. 28.

26. Swinburne. 'Hymn to Proserpine'.
27. *Acts of Thomas* 31.

第1章

1. Herodotus. 9.120.
2. Darius: Bisitun, 32. The following line records the same punishment being inflicted on a second rebel.
3. Plutarch: *Life of Artaxerxes* 16.
4. Darius: Bisitun, 5.
5. Ibid. 8.
6. Hammurabi: Prologue.
7. Ashurbanipal. 1221 r.12.
8. Cyrus Cylinder 20.
9. Darius: Bisitun, 49.
10. 同上，頁72。「那些被詛咒的人們來自名為Elam的地方」。
11. Ibid. 75.
12. Ibid. 76.
13. Thucydides. 2.41.
14. Xenophon. *Cyropaedia* 8.2.12.
15. Ibid.
16. Pseudartabas名字的另一種釋義「造假的度量」，似乎不太可信。
17. Homer. *Iliad* 24.617.
18. Hesiod. *Works and Days* 158.
19. Homer. *Odyssey* 20.201.
20. Plato. *Ion* 530b.
21. Homer. *Iliad* 6.610.
22. Ibid. 5.778.
23. Ibid. 4.51–3.
24. Theognis. 381–2.
25. Aristotle. *Eudemian Ethics* 1249b.
26. Demosthenes. *Against Timocrates* 5.
27. Sophocles. *Oedipus the King* 866–9.

28. Sophocles. *Antigone* 456–7.
29. Ibid. 453–5.
30. Ibid. 1348–50.
31. Hesiod. *Theogony* 925.
32. Xenophanes. Quoted by Sextus Empiricus: *Against the Professors* 1.289.
33. Heraclitus. Quoted by Stobaeus, 3.1.179.
34. Aristotle. *Metaphysics* 12.1072a.
35. Ibid. 12.1072b.
36. Aristotle. *History of Animals* 1.2.
37. Aristotle. *Politics* 3.1287a.
38. Diogenes Laertius 1.33.
39. Aristotle. *Politics* 1.1254a.
40. Ibid. 7.1327a.
41. Thucydides. 5.89.
42. 'Hymn to Demetrius'. 15–20.
43. Theophrastus, quoting Chaeremon. *Tragicorum Graecorum Fragmenta*: fragment 2 (p. 782).
44. Polybius. 29.21.5.
45. Ibid. 1.3.4.
46. Cicero. *On Laws* 1.6.18.
47. Alexander. *On Mixture* 225.1–2.
48. Cleanthes. *Hymn to Zeus* 1.537.
49. Cicero. *On Divination* 1.127.
50. Strabo. 11.16.

第2章

1. Josephus. *Antiquities of the Jews* 14.4.4.
2. Varro, as cited by Augustine: *On the Harmony of the Gospels* 1.22.30.
3. Tacitus. *Histories* 5.9.
4. Diodorus Siculus: 34.2.
5. Cicero. *Tusculan Disputations* 2.61.
6. 〈所羅門詩篇〉第2篇第1–2節。

7. Dio Cassius: 37.6.1.
8. 〈創世紀〉第22章第2節。
9. 同上，第22章第18節。
10. Eupolemus是一個會說希臘語的猶太人，他活著的時代是龐貝攻下耶路撒冷之前一個世紀。這段話出自Isaac Kalimi的〈The Land of Moriah, Mount Moriah, and the Site of Solomon's Temple in Biblical Historiography〉（《Harvard Theological Review》第83期，一九九〇年）頁352。
11. 〈以賽亞書〉第2章第2節。
12. 〈申命記〉第11章第26–28節。
13. 〈列王紀〉第25章第9節。
14. 〈哈該書〉第2章第3節。
15. 〈所羅門詩篇〉第2篇第3–4節。
16. 〈哈巴谷書〉第2章第8節。
17. 同上，第1章第8節。
18. 《哈巴谷書註釋卷》第9章第6–7節。在這段文字中，羅馬人被稱之為「基蒂姆人」（Kittim）。
19. Letter of Aristeas 31.
20. 〈申命記〉第4章第7節。
21. *Enuma Elish*. Tablet 5.76.
22. Ibid. Tablet 6.7–8.
23. 〈創世紀〉第1章第3節。
24. 同上，第2章第9節。雖然上帝之後因為亞當與夏娃竟會吃掉第二棵樹—「生命之樹」上的果實，而感到焦慮，但他之前卻不曾明令禁止他們摘果。
25. Ben Sirah. 25.24.
26. 〈士師記〉第5章第8節。
27. 〈申命記〉第30章第3節。
28. 〈詩篇〉第68章第5節。
29. 〈以賽亞書〉第44章第6節。
30. 同上，第41章第24節。
31. 同上，第45章第6節。
32. 〈出埃及記〉第15章第11節。
33. 〈士師記〉第5章第4節。
34. 〈詩篇〉第89章第6節。

35. 同上，第82章第1節。
36. 同上，第82章第6–7節。
37.〈瑪拉基書〉第1章第11節。
38.〈約伯記〉第1章第7節。
39. 同上，第1章第8節。
40. 同上，第1章第11節。
41. 同上，第2章第8節。
42. 同上，第8章第3–4節。
43. 同上，第42章第7節。
44.〈創世紀〉第1章第21節。
45.〈約伯記〉第41章第1節。
46. 同上，第42章第2節。
47.〈以賽亞書〉第45章第7節。
48. 同上，第41章第17節。
49.〈所羅門詩篇〉第2篇第25節。
50. 同上，第2篇第29節。
51.〈出埃及記〉第1章第13節。
52. 同上，第12章第29節。
53. 同上，第14章第28節。
54. 同上，第33章第17節。
55.〈出埃及記〉第20章第3節。
56. 同上，第20章第5節。
57.〈申命記〉第34章第6節。
58. Assman, p. 2.
59.〈出埃及記〉第20章第2節。
60.〈申命記〉第7章第19節。
61.〈列王紀〉第22章第8節。
62. 同上，第23章第2節。
63.〈士師記〉第8章第24節。
64.〈申命記〉第4章第6節。
65.〈以賽亞書〉第11章第6節。
66. 同上，第11章第4節。
67.〈所羅門詩篇〉第17篇第30節。

68. Virgil. *Eclogues* 4.6–9.
69. Josephus. *Jewish War* 2.117.
70. Josephus. *Against Apion* 2.175.
71. Tacitus. *Histories* 5.4.
72. Strabo. 16.2.35.
73. 〈詩篇〉第47篇第2節。
74. 〈以賽亞書〉第56章第6節。
75. Strabo. 16.2.37.
76. Tacitus. *Histories* 5.5.
77. Philo. *Embassy to Gaius* 319.
78. Ibid. *Life of Moses* 2.20.

第3章

1. Livy. 38.17.4.
2. 有關這些訓令，雖然沒有任何記錄留存，但奧古斯都的功績至少在三個加拉太地區的城市中被重抄傳播——至少就目前我們所知——卻不曾出現在整個羅馬帝國的其他地區，強烈暗示這些訓令是由加拉太聯邦所發出。具體的日期，參考Hardin，頁67。
3. Nicolaus of Damascus. Fr Gr H 90 F 125.1.
4. Seneca. Quoted by Augustine in *The City of God*, 6.10.
5. Virgil. *Aeneid* 6.792–3.
6. 〈加拉太書〉第4章第8節。在這裡，暗示保羅的病可能是眼睛的感染。
7. 同上，第4章第14節。
8. 同上，第4章第15節。
9. 同上，第1章第14節。
10. 〈哥林多前書〉第9章第1節。
11. 同上，第15章第9節。
12. 〈羅馬書〉第8章第6節。
13. 〈加拉太書〉第5章第11節。
14. 〈哥林多前書〉第1章第23節。
15. 〈加拉太書〉第6章第17節。
16. Deuteronomy. 14.1.

17. Galatians. 5.6.
18. Plutarch. *Alexander* 18.1.
19.〈腓立比書〉第3章第8節
20.〈加拉太書〉第3章第28–19節。
21. 同上，第2章20節。
22.〈哥林多前書〉第4章第13節。
23. 這是由Hock所提出的估算。頁27。
24.〈加拉太書〉第3章第1節。
25. 同上，第2章第4節。
26. 同上，第5章第2節。
27. 同上，第7章第19節。
28. 同上，第5章第13節。
29. 同上，第5章第14節。
30.〈哥林多後書〉第4章第13節。
31. 同上，第3章第6節。
32. 同上，第3章第17節。
33. Horace. *Epistles* 1.17.36.
34.〈哥林多前書〉第1章第28節。
35. 同上，第7章第22節。
36. 同上，第10章第23節。
37. 同上，第9章第21節。
38. 同上，第13章第1節。
39. 同上，第9章第22節。
40.〈加拉太書〉第3章第28節。
41.〈哥林多前書〉第11章第3節。
42.〈哥林多後書〉第3章第3節。
43.〈耶利米書〉第31章第33節。保羅在〈羅馬書〉第2章第15節中，又重述這段話。
44.〈羅馬書〉第2章第14節。
45. 同上，第13章第12節。
46.〈帖撒羅尼迦前書〉第5章第23節。
47. Seneca. *Apocolocyntosis* 4.
48. Dio. 62.15.5.

49.〈羅馬書〉第1章第7節。
50. 同上，第8章第16節。
51. Musonius Rufus. Fr. 12.
52.〈哥林多前書〉第6章第15節。
53. 同上，第6章第19節。
54.〈羅馬書〉第8章第11節。
55. 同上，第2章第11節。
56.〈哥林多後書〉第11章第24節。
57.〈羅馬書〉第13章第1節。
58.〈帖撒羅尼迦前書〉第5章第2節。
59. Tacitus. *Annals* 15.44.
60.〈克肋孟一書〉第5章第5–6節。
61. Josephus. *Jewish War* 6.442.
62.〈哥林多前書〉第1章第22–23節。
63.〈馬太福音〉第23章第10節。
64.〈羅馬書〉第1章第4節。
65.〈以賽亞書〉第49章第6節。
66.〈約翰福音〉第1章第5節。
67. 同上，第22章17節。

第4章

1. Irenaeus. *Against Heresies* 3.3.4.
2. Irenaeus, quoted by Eusebius. *History of the Church* 5.20.
3. Irenaeus. *Against Heresies* 3.3.2.
4.〈歌羅西書〉第3章第22節。
5.〈彼得前書〉第2章第17節。
6. Irenaeus. *Against Heresies* 4.30.3.
7. Minucius Felix. *Octavius* 8.9.
8. *Martyrdom of Polycarp* 9.
9.〈哥林多前書〉第4章第9節。
10. Eusebius. *History of the Church* 5.1.17.
11. Ibid. 5.1.11.

12. Ibid. 5.1.42.
13. Ibid. 5.1.41.
14. Irenaeus. *Against Heresies* 3.16.1.
15. Ibid. 1.24.4.
16. Ibid.
17. Ibid. 3.18.5.
18. Ibid. 1.13.1.
19. Ibid. 1.10.1.
20. Ignatius. 'Letter to the Smyrnaeans', 8.2.
21. Irenaeus. *Against Heresies* 2.2.1.
22. 關於馬西翁可能是最早提出「新約」一詞的說法，可參見 Wolfram Kinzig 的〈Kaine diatheke: The Title of the New Testament in the Second and Third Centuries〉(《Journal of Theological Studies》第45期，一九九四年)。
23. Irenaeus. *Against Heresies* 4.26.1.
24. Ibid. 1.8.1.
25. Eusebius. *History of the Church* 5.1.20.
26. 'Letter to Diognetus'. 5.
27. Celsus, quoted by Origen. *Against Celsus* 5.59.
28. 記錄在一片莎草紙殘片。
29. Minucius Felix. *Octavius* 6.2.
30. Herodian. 4.8.8.
31. Eusebius. *History of the Church* 6.3.6.
32. Origen. *Homilies on Joshua* 9.1.
33. Ibid. *Commentary on John* 10.35.
34. 在他寫給瑪格尼西亞人、費拉德非亞人、和羅馬人的三封信裡。
35. Quoted Hans Urs von Balthasar: *Origen: Spirit and Fire: A Thematic Anthology of His Writings*, tr. Robert J. Daly (Washington DC, 1984), p. 244.
36. 〈帖撒羅尼迦前書〉第4章第12節。
37. Celsus, quoted by Origen. *Against Celsus* 7.66.
38. Origen. *Against Celsus* 7.5.
39. 這兩個類比，分別是俄利根對〈雅歌〉第8首第8節，和第1首第13節的註釋。
40. Origen. Quoted by Trigg, p. 70.

41. Justin Martyr. *Second Apology* 13.4.
42. Gregory Thaumaturgus. *Oration and Panegyric Addressed to Origen* 6.
43. Ibid. 12.
44. Celsus, quoted by Origen. *Against Celsus* 3.44.
45. Irenaeus. *Against Heresies* 3.2.2.
46. Origen. *Commentary on John* 10.237.
47. Ibid. *Against Celsus* 7.38.
48. *Wisdom of Solomon* 7.26.
49. Origen. *On First Principles* 2.6.2.
50. Ibid. *Against Celsus* 8.70.
51. Tertullian. *Apology* 50.
52. Silius Italicus. 1.211–12.
53. Eusebius. *History of the Church* 10.6.4.
54. Lactantius. *On the Deaths of the Persecutors* 48.2.
55. Ibid. 48.3.
56. Optatus. 3.3.22.
57. Ibid. Appendix 3.
58. Eusebius. *Life of Constantine* 2.71.
59. Lactantius. *Divine Institutes* 4.28.
60. Eusebius. *Life of Constantine* 3.10.
61. Tertullian. *Apology* 24.
62. Optatus of Milevis. *Against the Donatists* 2.11.

第5章

1. Julian. *Against the Galileans* 194d.
2. Julian. Letter 22.
3. Ibid.
4. Porphyry, quoted (and translated) by Brown (2016), p. 3.
5. Ibid.
6. 〈加拉太書〉第2章第10節。
7. Gregory of Nyssa. *On the Love of the Poor* 1. (Rhee, p. 73.)
8. Basil of Caesarea. *Homily 6: 'I Will Pull Down My Barns'*. (Rhee, p. 60.)

9. Gregory of Nyssa. *On Ecclesiastes* 4.1.
10. Gregory of Nyssa. *Homily 4 on Ecclesiastes*. (Hall, p. 74.)
11. Basil of Caesarea. *Homily 8: In Time of Famine and Drought*. (Rhee, p. 65.)
12. Gregory of Nyssa. *Life of Macrina* 24.
13. Gregory of Nyssa. *On the Love of the Poor* 1. (Rhee, p. 72.)
14. Julian. Letter 19.
15. Sulpitius Severus. *Life of St Martin* 9.
16. Ibid. 4.
17. 〈馬太福音〉第19章第21節。
18. Origen. *Commentary on John* 28.166.
19. Sulpitius Severus. *Life of St Martin* 3.
20. Paulinus. *Letters* 1.1.
21. Ibid. 5.5.
22. Ibid. 29.12.
23. Ibid. 22.2.
24. 〈路加福音〉第16章第24–25節。
25. Paulinus. *Letters* 13.20.
26. *On Riches* 17.3. Trans. B. R. Rees in *The Letters of Pelagius and his Followers* (Woodbridge, 1998).
27. Ibid. 16.1, quoting Luke 6.24.
28. Pelagius. *Letter to Demetrias* 8.3.
29. Acts of the Apostles. 2.45.
30. *On Riches* 12.1.
31. Augustine. *Dolbeau Sermon* 25.25.510. Quoted by Brown (2000), p. 460.
32. Ibid.
33. 〈馬太福音〉第26章第11節。
34. Augustine. *Letters* 185.4.15.
35. Ibid. *Sermon* 37.4.

第6章

1. 〈路加福音〉第14章第32節。
2. Gregory I. *Letters* 5.38.

3. Augustine. *City of God* 2.28.
4. Luke. 14.32.
5. Jude. 9.
6. Daniel. 12.1.
7. Gregory I. *Homilies on the Gospels* 1.1.
8. Sulpitius Severus. *Life of St Martin* 21.
9. 〈希伯來書〉第2章第14節。
10. 〈以賽亞書〉第14章第15節。
11. Augustine. *City of God* 11.33.
12. Ibid. *The City of God* 5.17.
13. Gregory of Tours. *History of the Franks* 10.1.
14. Gregory I. *Homilies on Ezekiel* 2.6.22.
15. Gregory of Tours. *History of the Franks* 10.1.
16. Gregory I. *Letters* 5.36.
17. Ibid. 3.29.
18. 〈馬太福音〉第13章第49–50節。
19. 〈啟示錄〉第12章第9節。
20. 同上，第16章第16節。
21. Augustine. *City of God* 12.15.
22. Gregory of Tours. *History of the Franks* 5. Introduction.
23. Augustine. *City of God* 20.7.
24. Gregory I. *Homilies on the Gospels* 1.13.6.
25. 〈馬太福音〉第24章第14節。
26. Plato. *Phaedo* 106e.
27. Augustine. *City of God* 8.5.
28. Jonas of Bobbio. *Life of Columbanus* 1.11.
29. *The Bangor Antiphonary*.
30. Columbanus. *Sermons* 8.2.
31. Augustine. *City of God* 2.29.
32. Zosimus. 2.
33. Augustine. *City of God* 16.26.
34. Jonas of Bobbio. *Life of Columbanus* 2.19.

第7章

1. 'Letter of Saint Maximus', quoted by Gilbert Dagron and Vincent Déroche in *Juifs et Chrétiens en Orient Byzantin* (Paris, 2010), p. 31.
2. 〈馬太福音〉第27章第25節。
3. Augustine. *Narrations on the Psalms* 59.1.19.
4. Gregory I. *Letters* 1.14.
5. *The Life of St Theodore of Sykeon* 134.
6. 無論如何，這就是《雅各的教導》(*The Teaching of Jacob*)存在的證據，許多學者相信作者是一位改宗的猶太人。參見Olster, 頁158–75。
7. *Teaching of Jacob* 5.16.
8. Sebeos. 30.
9. Qur'an. 90.12–17.
10. Ibid. 4.171.
11. Ibid. 3.19.
12. Ibid. 4.157.
13. 〈申命記〉第9章第10節。
14. Qur'an. 5.21.
15. 穆罕默德的生平記載，如何與摩西相似，參見Rubin (1995)。有關穆罕默德如何領軍侵入巴勒斯坦地區的傳統，參見Shoemaker (2012)。
16. Ibn Ishaq. *The Life of Muhammad*, tr. Alfred Guillaume (Oxford, 1955), p. 107.
17. *Teaching of Jacob* 1.11.
18. Augustine. *Homily on the Letter of John to the Parthians* 7.8.
19. Bede. *On the Song of Songs*, Preface.
20. Bede. *Ecclesiastical History* 2.13.
21. Ibid. 4.2.
22. Bede. *Lives of the Abbots of Wearmouth and Jarrow*.
23. Bede. *Ecclesiastical History* 4.3.
24. Ibid. 3.24. I am grateful to Tom Williams for pointing this out to me.
25. Ibid. 2.1.
26. *Mozarabic Chronicle* of 754, quoted by Bernard S. Bachrach in *Early Carolingian Warfare: Prelude to Empire* (Philadelphia, 2001), p. 170.
27. Paul I to Pepin. Quoted by Alessandro Barbero in *Charlemagne: Father of a Continent*, tr. Allan Cameron (Berkeley & Los Angeles, 2004), p. 16.

28. Ibid. The quotation is from 1 Peter 2.9.

第8章

1. Boniface. *Letters* 46.
2. 〈馬太福音〉第28章第19節。
3. Augustine. *City of God* 19.17.
4. 〈哥林多後書〉第5章第17節。
5. Bede. *Life of Cuthbert* 3.
6. Willibald. *Life of Boniface* 6.
7. Ibid. 8.
8. Einhard. 31.
9. 2 Samuel. 8.2.
10. 1st Saxon Capitulary. 8.
11. Alcuin. *Letters* 113.
12. Ibid. 110.
13. 出自幾乎可以確定是由阿爾昆以查理大帝之名所寫的〈De Littoris Colendis〉。
14. *Admonitio Generalis*. Preface.
15. Alcuin, cited in *Poetry of the Carolingian Renaissance*, ed. Peter Godman (London, 1985), p. 139.
16. *Gesta abbatum Fontanellensium*, in MGH SRG 28 (Hanover, 1886), p. 54.
17. Boniface. *Letters* 50.
18. Flodoard, *Historia Remensis Ecclesiae*, III, 28, p. 355.
19. Sedulius Scottus. *On Christian Rulers*, tr. E. G. Doyle (Binghamton, 1983), p. 56.
20. Otto of Freising. *The Two Cities*, tr. C. C. Mierow (New York, 1928), p. 66.
21. Gerhard, *Vita Sancti Uodalrici Episcopi Augustani*: cap. 12. Tr. Charles R. Bowlus, in *The Battle of* 14. *Lechfeld and its Aftermath, August 955*: *The End of the Age of Migrations in the Latin West* (Aldershot, 2006), p. 176.
22. Ibid, p. 177.
23. Heliand, tr. G. Ronald Murphy (Oxford, 1992), p. 118.
24. Sulpitius Severus. *Life of St Martin* 4.
25. Haymo of Auxerre. *Commentarium in Pauli epistolas (Patrologia Latina* 117,

732d.

26. From an eleventh-century list of relics kept in Exeter. Quoted by Patrick Connor in *Anglo-Saxon Exeter* (Woodbridge, 1993), p. 176.
27. Thietmar of Merseburg. *Chronicle* 8.4.
28. Radbod of Utrecht. Quoted by Julia M. H. Smith in *Europe After Rome: A New Cultural History 500–1000* (Oxford, 2005), p. 222.
29. Adémar of Chabannes. *Chronicles* 3.46.
30. Rudolf Glaber. *Histories* 4.16.
31. Ibid. 4.18.
32. Arnold of Regensburg. *Vita S. Emmerami*, in MGH SS 4 (Hanover, 1841), p. 547.

第9章

1. Andrew of Fleury. *Miraculi Sancti Benedicti*, ed. Eugene de Certain (Paris, 1858), p. 248.
2. *Chronicon s. Andreae* (MGH SS 7), p. 540.
3. Arnulf of Milan. 3.15.
4. Gregory VII. *Letters* 5.17.
5. Bonizo of Sutri. *To a Friend, in The Papal Reform of the Eleventh Century*, tr. I. S. Robinson (Manchester, 2004), p. 220.
6. Paul of Bernried. *The Life of Pope Gregory VII*.
7. Jeremiah. 1.10.
8. Arnulf of Milan. 4.7.
9. Gregory VII. *Register* 3.10a.
10. Ibid. 4.12.
11. Otto of Freising. *The Two Cities* 6.36.
12. Sigebert of Gembloux. Quoted by Moore (1977), p. 53.
13. Wido of Ferrara. *De Scismate Hildebrandi* 1.7.
14. 〈路加福音〉第20章第25節。
15. Moore (2000), p. 12.
16. Gregory VII. *Letters* 67.
17. Quoted by Morris, p. 125.

18. Quoted by H. E. J. Cowdrey, 'Pope Urban II's Preaching of the First Crusade' (*History* 55. 1970), p. 188.
19. Quoted by Rubenstein, p. 288.
20. John of Salisbury. *Historia Pontificalis* 3.8.
21. Huguccio. Quoted by Morris, p. 208.
22. Bernard of Clairvaux. *De Consideratione* 2.8.
23. Gratian. *Decretum: Distinction* 22 c. 1.
24. Gregory VII. *Dictatus Papae*.
25. Augustine. *On the Sermon on the Mount* 2.9.32.
26. St Bernard. Letter 120.
27. 幾乎可以確定的是:「格拉提安」是將兩位編輯者合併的簡稱。
28. Quoted by Berman (1983), p. 147.
29. Specifically, Saint Clement. Quoted by Tierney, p. 71.
30. From an obituary quoted by Clanchy, p. 29.
31. *The Letter Collection of Peter Abelard and Héloïse*. 1.14.
32. Ibid. 1.16.
33. Innocent II. *Revue Bénédictine* 79 (1969), p. 379.
34. *Sic et Non*, ed. B. B. Boyer and R. McKeon (Chicago, 1976), p. 103.
35. Bernard of Clairvaux. Letters 191.
36. Augustine. *City of God* 5.11.
37. Quoted by Huff (2017), p. 106.
38. 〈創世紀〉第9章第15節。
39. Anselm. *Why was God a Man?* 1.6.
40. Abelard. *Commentary on the Epistle to the Romans*, tr. Steven R. Cartwright (Washington DC, 2011), p. 168 (adapted).
41. Abelard. *Theologia 'Scholarium'*, ed. E. M. Buytaert and C. J. Mews, in *Petri Abaelardi opera theologica III* (Turnhout, 1987), p. 374.
42. 〈啟示錄〉第21章第11節。
43. Abbot Suger. *On What Was Done in his Administration* 27.

第10章

1. *Reports of Four Attendants*, in Wolf (2011), 40.

2. Ibid. 45.
3. Peter Damian. *Against Clerical Property* 6.
4. 1st canon of the Fourth Lateran Council.
5. A German observer at the Fourth Lateran Council. Quoted by Morris, p. 417.
6. 3rd canon of the Fourth Lateran Council.
7. Walter Map. *Of the Trifles of Courtiers*, 1.31.
8. Thomas of Celano. *The Life of Blessed Francis*, 1.6.
9. Ibid. 1.33.
10. Elizabeth of Hungary. *Sayings*, 45.
11. Caesarius of Heisterbach. *Life of Saint Elizabeth the Landgravine*, 4.
12. Ibid.
13. *Reports of Four Attendants*, 31.
14. 18th canon of the Fourth Lateran Council.
15. Caesarius of Heisterbach. *Life of Saint Elizabeth the Landgravine*, 5.
16. Alberic of Trois-Fontaines. Quoted by Sullivan, p. 76.
17. *Reports of Four Attendants*, 15.
18. Gregory IX. *A Voice in Rama*. We do not have Conrad's letter to Gregory, but it is evident that the pope is citing it.
19. Gratian. Quoted by Peters (1978), p. 73.
20. 27th canon of the Third Lateran Council.
21. Ibid.
22. *Acts of the Council of Lombers in Heresies of the High Middle Ages: Selected Sources*, tr. and annotated by Walter L. Wakefield and Austin P. Evans (New York, 1969), p. 191.
23. Ibid, p. 192.
24. Ibid, p. 193.
25. Innocent III. *Register* 10.149.
26. Jacques de Vitry. Quoted by Pegg (2008), p. 67.
27. Caesarius of Heisterbach. *Dialogue of Miracles* 5.21.
28. Arnau Amalric. Quoted by Pegg (2008), p. 77.
29. Peter of Les-Vaux-de-Cernay. *Hystoria Alibigensis* (2 vols. Edited by Pascal Guébin and Ernest Lyon. Paris, 1926), vol. 1, p. 159.
30. Caesarius of Heisterbach. *Dialogue of Miracles* 5.21.

31. Ibid. 8.66.
32. Peter the Venerable. *Writings against the Saracens* (tr. Irven M. Resnick), p. 75.
33. Ibid. p. 40.
34. Ibid, p. 31.
35. Abelard. *Dialogues*. Quoted by Clanchy, p. 98.
36. Quoted by van Steenberghen, p. 67.
37. Aquinas. *Summa Theologica*, Preface, Part 1.
38. Dante. *Paradise* 10.4–6.
39. Humbert of Romans. Quoted by William J. Parkis in *Writing the Early Crusades: Text, Transmission and Memory*, ed. Marcus Graham Bull and Damien Kempf (Woodbridge, 2014), p. 153.
40. Innocent III. *Register* 2.276.
41. Quoted by Smalley, p. 55.
42. 68th canon of the Fourth Lateran Council.

參考書目

- Almond, Philip C.: *Afterlife: A History of Life after Death* (London, 2016)
- Barton, John: *A History of the Bible: The Story of the World's Most Influential Book* (London, 2019)
- Brague, Rémi: *The Law of God: The Philosophical History of an Idea*, tr. Lydia G. Cochrane (Chicago, 2006)
- Brooke, John Hedley: *Science and Religion: Some Historical Perspectives* (Cambridge, 1991)
- Buc, Philippe: *Holy War, Martyrdom, and Terror: Christianity, Violence, and the West* (Philadelphia, 2015)
- *Cambridge History of Christianity*, 9 volumes (Cambridge, 2006) Chidester, David: *Christianity: A Global History* (New York, 2000)
- Funkenstein, Amos: *Theology and the Scientific Imagination: From the Middle Ages to the Seventeenth Century* (Princeton, 1986)
- Gillespie, Michael Allen: *The Theological Origins of Modernity* (Chicago, 2008)
- Gray, John: *Straw Dogs: Thoughts on Humans and Other Animals* (London, 2003)

  —— : *Heresies: Against Progress and Other Illusions* (London, 2004)

  —— : *Black Mass: Apocalyptic Religion and the Death of Utopia* (London, 2007)
- Gregory, Brad S.: *The Unintended Reformation: How a Religious Revolution Secularized Society* (Cambridge, Mass., 2012)
- Harrison, Peter: *The Bible, Protestantism, and the Rise of Natural Science* (Cambridge, 1998)

  —— (ed.): *The Cambridge Companion to Science and Religion* (Cambridge, 2010)

  —— : *The Territories of Science and Religion* (Chicago, 2015)
- Hart, David Bentley: *Atheist Delusions: The Christian Revolution and Its Fashionable Enemies* (New Haven, 2009)

——: *The Story of Christianity: A History of 2,000 Years of the Christian Faith* (London, 2009)

- Jacobs, Alan: *Original Sin: A Cultural History* (New York, 2008)
- MacCulloch, Diarmaid: *A History of Christianity: The First Three Thousand Years* (London, 2009)
- Nirenberg, David: *Anti-Judaism: The History of a Way of Thinking* (New York, 2013)
- Nongbri, Brent: *Before Religion: A History of a Modern Concept* (New Haven, 2013)
- Rubin, Miri: *Mother of God: A History of the Virgin Mary* (London, 2009)
- Schimmelpfennig, Bernhard: *The Papacy*, tr. James Sievert (New York, 1992)
- Shagan, Ethan H.: *The Birth of Modern Belief: Faith and Judgment from the Middle Ages to the Enlightenment* (Princeton, 2019)
- Shah, Timothy Samuel and Allen D. Hertzke: *Christianity and Freedom: Historical Perspectives* (Cambridge, 2016)
- Siedentop, Larry: *Inventing the Individual: The Origins of Western Liberalism* (London, 2014)
- Smith, William Cantwell: *The Meaning and End of Religion* (Minneapolis, 1962)
- Taylor, Charles: *A Secular Age* (Cambridge, Mass., 2007)
- Watkins, Basil: *The Book of Saints: A Comprehensive Biographical Dictionary* (London, 2002)

第一部　古代

- Allison, Dale C.: *Constructing Jesus: Memory, Imagination and History* (Grand Rapids, 2010)
- Ando, Clifford: *The Matter of the Gods: Religion and the Roman Empire* (Berkeley, 2008)
- Arnold, Clinton E.: *The Footprints of Michael the Archangel: the Formation and Diffusion of a Saintly Cult, c. 300–c.800* (New York, 2013)
- Assman, Jan: Moses the Egyptian: The Memory of Egypt in Western Monotheism (Cambridge, Mass., 1997)

- Atkinson, Kenneth: *I Cried to the Lord: A Study of the Psalms of Solomon's Historical Background and Social Setting* (Leiden, 2004)
- Bauckham, Richard: *Jesus and the Eyewitnesses: The Gospels as Eyewitness Testimony* (Grand Rapids, 2006)
- Barton, John: *Ethics in Ancient Israel* (Oxford, 2014)
- Behr, John: *Irenaeus of Lyons: Identifying Christianity* (Oxford, 2013)
- Boyarin, Daniel: *A Radical Jew: Paul and the Politics of Identity* (Berkeley & Los Angeles, 1994)

  —— : 'Justin Martyr Invents Judaism' (*Church History* 70, 2001)

  —— : *Border Lines: The Partition of Judaeo-Christianity* (Philadelphia, 2007)
- Brent, Allen: *The Imperial Cult and the Development of Church Order: Concepts and Images of Authority in Paganism and Early Christianity before the Age of Cyprian* (Leiden, 1999)
- Briant, Pierre: *From Cyrus to Alexander: A History of the Persian Empire*, tr. Peter T. Daniels (Winona Lake, 2002)
- Brown, Peter: *The Cult of the Saints: Its Rise and Function in Latin Christianity* (Chicago, 1981)

  ——: *The Body and Society: Men, Women and Sexual Renunciation in Early Christianity* (London, 1989)

  —— : *The Rise of Western Christendom: Triumph and Diversity, A.D. 200–1000* (Oxford, 1996)

  —— : *Augustine of Hippo* (London, 2000)

  —— : *Through the Eye of a Needle: Wealth, the Fall of Rome, and the Making of Christianity in the West, 350–550 AD* (Princeton, 2012)

  —— : *The Ransom of the Soul: Afterlife and Wealth in Early Western Christianity* (Cambridge, Mass., 2015)

  —— : *Treasure in Heaven: The Holy Poor in Early Christianity* (Charlottesville, 2016)

  Burkert, Walter: *Greek Religion*, tr. John Raffan (Oxford, 1985)
- Castelli, Elizabeth A.: *Martyrdom and Memory: Early Christian Culture Making* (New

York, 2004)
- Chapman, David W.: *Ancient Jewish and Christian Perceptions of Crucifixion* (Tübingen, 2008)
- Cohen, Shaye J. D.: *The Beginning of Jewishness: Boundaries, Varieties, Uncertainties* (Berkeley & Los Angeles, 1999)
- Crislip, Andrew: *From Monastery to Hospital: Christian Monasticism and the Transformation of Health Care in Late Antiquity* (Ann Arbor, 2005)
- Crouzel, Henry: Origen, tr. A. S. Worrall (San Francisco, 1989)
- Darby, Peter and Faith Wallis (eds): *Bede and the Future* (Farnham, 2014)
- Demacopoulos, George E.: *Gregory the Great: Ascetic, Pastor, and First Man of Rome* (Notre Dame, 2015)
- Drake, H. A.: *Constantine and the Bishops* (Baltimore, 2002)
- Dunn, J. D. G.: *Christology in the Making: A New Testament Inquiry into the Origins of the Doctrine of the Incarnation* (Grand Rapids, 1989)
  —— : *The Theology of Paul the Apostle* (Grand Rapids, 1998)
  —— : *Jesus, Paul, and the Gospels* (Grand Rapids, 2011)
- Ehrman, Bart D.: *Lost Christianities: The Battles for Scripture and the Faiths We Never Knew* (Oxford, 2003)
  —— : *The Triumph of Christianity: How a Forbidden Religion Swept the World* (London, 2018)
- Eichrodt, Walther: *Man in the Old Testament* (London, 1951)
- Elliott, Neil: *The Arrogance of Nations: Reading Romans in the Shadow of Empire* (Minneapolis, 2008)
- Elliott, Susan: *Cutting Too Close for Comfort: Paul's Letter to the Galatians in its Anatolian Cultic Context* (London, 2003)
- Elm, Susanna: *Sons of Hellenism, Fathers of the Church: Emperor Julian, Gregory of Nazianzus, and the Vision of Rome* (Berkeley & Los Angeles, 2012)
- Engberg-Pedersen, Troels: *Paul and the Stoics* (Edinburgh, 2000)
- Ferngren, Gary B.: *Medicine & Health Care in Early Christianity* (Baltimore, 2009)

- Finn, Richard: *Almsgiving in the Later Roman Empire: Christian Promotion and Practice (313–450)* (Oxford, 2006)
- Fortenbaugh, William W. and Eckart Schütrumpf (eds): *Demetrius of Phalerum: Text, Translation and Discussion* (New Brunswick, 2000)
- Frend, W. H. C.: *The Donatist Church: A Movement of Protest in Roman North Africa* (Oxford, 1952)
- Gager, John G.: *The Origins of Anti-Semitism: Attitudes Toward Judaism in Pagan and Christian Antiquity* (Oxford, 1983)
- Green, Peter: *From Alexander to Actium: The Historical Evolution of the Hellenistic Age* (Berkeley & Los Angeles, 1990)
- Greenhalgh, Peter: *Pompey: The Roman Alexander* (London, 1980)
- Hall, Stuart George (ed.): *Gregory of Nyssa: Homilies on Ecclesiastes* (Berlin & New York, 1993)
- Hardin, Justin K.: *Galatians and the Imperial Cult: A Critical Analysis of the First-Century Social Context of Paul's Letter* (Tübingen, 2008)
- Harding, Mark and Nobbs, Alanna: *All Things to All Cultures: Paul among Jews, Greeks, and Romans* (Grand Rapids, 2013)
- Harper, Kyle: *From Shame to Sin: The Christian Transformation of Sexual Morality in Late Antiquity* (Cambridge, Mass., 2013)
- Harrill, J. Albert: *Paul the Apostle: His Life and Legacy in their Roman Context* (Cambridge, 2012)
- Harvey, Susan Ashbrook and David G. Hunter: *The Oxford Handbook of Early Christian Studies* (Oxford, 2008)
- Hayward, C. T. R.: *The Jewish Temple: A Non-Biblical Sourcebook* (London, 1996) Heine, Ronald E.: *Scholarship in the Service of the Church* (Oxford, 2010)
- Hengel, Martin: *Crucifixion in the Ancient World and the Folly of the Message of the Cross*, tr. John Bowden (Philadelphia, 1977)
- Higham, N. J.: *(Re-)Reading Bede: The Ecclesiastical History in Context* (Abingdon, 2006)

- Hock, Ronald F.: *The Social Context of Paul's Ministry: Tentmaking and Apostleship* (Philadelphia, 1980)
- Holman, Susan R.: *The Hungry Are Dying: Beggars and Bishops in Roman Cappadocia* (Oxford, 2001)
- Horrell, David G.: 'The Label χριστιανος: 1 Peter 4:16 and the Formation of Christian Identity'(*Journal of Biblical Literature* 126, 2007)
- Horsley, Richard A (ed.): *Paul and Empire: Religion and Power in Roman Imperial Society* (Harrisburg, 1997)
- Hurtado, Larry W.: *Lord Jesus Christ: Devotion to Jesus in Earliest Christianity* (Grand Rapids, 2003)

  ——: *Destroyer of the Gods: Early Christian Distinctiveness in the Roman World* (Waco, 2016)
- Johnson, Richard F.: *Saint Michael the Archangel in Medieval English Legend* (Woodbridge, 2005)
- Judge, E. A.: *The Social Pattern of Early Christian Groups in the First Century* (London, 1960)
- Kim, Seyoon: *The Origins of Paul's Gospel* (Tübingen, 1981)

  ——: *Christ and Caesar: The Gospel and the Roman Empire in the Writings of Paul and Luke* (Grand Rapids, 2008)
- Koskenniemi, Erkki: *The Exposure of Infants Among Jews and Christians in Antiquity* (Sheffield, 2009)
- Kyrtatas, Dimitris J.: *The Social Structure of the Early Christian Communities* (New York, 1987)
- Lane Fox, Robin: *Pagans and Christians* (London, 1986)
- Lavan, Luke and Michael Mulryan (eds): *The Archaeology of Late Antique 'Paganism'* (Leiden, 2011)
- Ledegant, F.: *Mysterium Ecclesiae: Images of the Church and its Members in Origen* (Leuven, 2001)
- Lemche, Niels Peter: *Ancient Israel: A New History of Israel* (London, 2015)

Lincoln, Bruce: *Religion, Empire & Torture* (Chicago, 2007)

- Longenecker, Bruce W.: *Remember the Poor: Paul, Poverty, and the Greco-Roman World* (Grand Rapids, 2010)
- Ludlow, Morwenna: *Gregory of Nyssa: Ancient and [Post]Modern* (Oxford, 2007)
- Marietta, Don E.: 'Conscience in Greek Stoicism' (Numen 17, 1970)
- Markus, R. A.: *Saeculum: History and Society in the Theology of St Augustine* (Cambridge, 1970)

—— : *Christianity in the Roman World* (New York, 1974)

—— : *From Augustine to Gregory the Great: History and Christianity in Late Antiquity* (London, 1983)

—— : *Gregory the Great and his World* (Cambridge, 1997)

- Meeks, Wayne A.: *The First Urban Christians: The Social World of the Apostle Paul* (New Haven, 1983)
- Miles, Richard (ed.): *The Donatist Schism: Controversy and Contexts* (Liverpool, 2016)
- Miller, Timothy S.: *The Orphans of Byzantium: Child Welfare in the Christian Empire* (Washington D.C., 2003)
- Mitchell, Stephen: *Anatolia: The Celts in Anatolia and the Impact of Roman Rule* (Oxford, 1993)
- Neusner, Jacob; William S. Green & Ernest Frerichs: *Judaisms and their Messiahs at the Turn of the Christian Era* (Cambridge, 1987)
- Oakes, Peter: *Reading Romans in Pompeii: Paul's Letter at Ground Level* (Minneapolis, 2009)

—— : *Galatians* (Grand Rapids, 2015)

- Olson, S. D. (ed.): *Aristophanes: Acharnians* (Oxford, 2002)
- Olster, David M.: *Roman Defeat, Christian Response, and the Literary Construction of the Jew* (Philadelphia, 1994)

國家圖書館出版品預行編目資料

宗教統治：基督宗教如何塑造世界，一部橫跨兩千五百年的人類史 / 湯姆.霍蘭(Tom Holland)著；蔡怡佳, 陳正熙, 陳愷忻譯. -- 初版. -- 臺北市：啟示出版：英屬蓋曼群島商家庭傳媒股份有限公司城邦分公司發行, 2022.11

冊； 公分. -- (Knowledge系列；25-26)

譯自：Dominion : How The Christian Revolution Remade The World.

ISBN 978-626-96311-3-1(上冊：平裝). --

ISBN 978-626-96311-4-8(下冊：平裝)

1.CST: 基督教史

248.1 111014124

啟示出版線上回函卡

Knowledge系列25

宗教統治(上)：基督宗教如何塑造世界，一部橫跨兩千五百年的人類史

作　　者／湯姆・霍蘭（Tom Holland）
譯　　者／蔡怡佳、陳正熙、陳愷忻
企畫選書人／周品淳
總 編 輯／彭之琬
責 任 編 輯／周品淳

版　　權／吳亭儀、江欣瑜
行 銷 業 務／周佑潔、黃崇華、周佳葳、賴正祐
總 經 理／彭之琬
事業群總經理／黃淑貞
發 行 人／何飛鵬
法 律 顧 問／元禾法律事務所 王子文律法師
出　　版／啟示出版
115台北市南港區昆陽街16號4樓
電話：(02) 25007008　傳真：(02)25007759
E-mail:bwp.service@cite.com.tw
發　　行／英屬蓋曼群島商家庭傳媒股份有限公司城邦分公司
115台北市南港區昆陽街16號8樓
書虫客服服務專線：02-25007718；25007719
服務時間：週一至週五上午09:30-12:00；下午13:30-17:00
24小時傳真專線：02-25001990；25001991
劃撥帳號：19863813；戶名：書虫股份有限公司
讀者服務信箱：service@readingclub.com.tw
城邦讀書花園：www.cite.com.tw
香港發行所／城邦（香港）出版集團
香港九龍土瓜灣土瓜灣道86號順聯工業大廈6樓A室　E-mail: hkcite@biznetvigator.com
電話：(852) 25086231　傳真：(852) 25789337
馬新發行所／城邦（馬新）出版集團 Cite (M) Sdn Bhd
41, Jalan Radin Anum, Bandar Baru Sri Petaling, 57000 Kuala Lumpur, Malaysia.
Tel：(603)90563833 Fax：(603)90576622 Email：services@cite.my

封 面 設 計／李東記
排　　版／邵麗如
印　　刷／韋懋實業有限公司

■ 2022 年 11 月 17 日初版
■ 2024 年 8 月 6 日初版 2 刷

Printed in Taiwan

定價 600 元

ISBN 978-626-96311-3-1